Pour Pierre Toubert,
pontifex maximus des deux versants des Alpes

Questo volume è stato pubblicato con il sostegno del laboratoire d'excellence TransferS
(programme Investissements d'avenir ANR-10-IDEX-0001-02 PSL* et ANR-10-LABX-0099).

In copertina: Tomba rupestre monumentale di Grotte Scalina, la facciata (2016)
In 4a copertina: Medaglia giubilare rinvenuta sul sito nel 2015

Davide Ghaleb Editore
Via Roma, 41 - 01019 VETRALLA (VT) - Tel. 0761.461258 - www.ghaleb.it - info@ghaleb.it

EREDITÀ ETRUSCA

Intorno al singolare caso della tomba monumentale di Grotte Scalina (Viterbo)

a cura di

**Maria Pia Donato
Vincent Jolivet**

Archeologia Città e Territorio, 5

Davide Ghaleb Editore

Indice

Ringraziamenti

Questo volume costituisce la pubblicazione degli atti di un incontro che si è svolto a Parigi il 15 dicembre 2016, sotto la presidenza di Stéphane Verger (UMR 8546-AOrOc, Paris), nel corso della mattinata dedicata al sito di Grotte Scalina, e di Pierre Toubert (Académie des Inscriptions et Belles Lettres, Paris), nel corso del pomeriggio dedicato ad altre testimonianze di rivisitazione di luoghi etruschi.

La nostra nutrita *tabula gratulatoria* non può non cominciare con un sentito ringraziamento alla famiglia Pepponi, proprietaria della tomba di Grotte Scalina: Maria ed Enzo, i loro figli Federico ed Andrea, nonché Chiara, figlia di Federico. Non c'è il minimo dubbio che la loro calorosa accoglienza, la loro costante disponibilità, il loro attaccamento allo straordinario patrimonio archeologico di cui sono proprietari – nonché i deliziosi pranzi di Maria –, hanno reso non solo possibile, ma anche quotidianamente piacevole il lavoro di scavo, anche durante le giornate di fuoco dei mesi di luglio degli ultimi anni. Il sito continuerà sicuramente a vivere, con loro, anche dopo la fine del lavoro di scavo.

La nostra gratitudine va ad Alfonsina Russo, allora a capo della Soprintendenza Archeologica del Lazio e dell'Etruria Meridionale, che ha accolto il progetto, e senza la quale niente si sarebbe potuto svolgere nella tenuta Pepponi. Il peso amministrativo dell'operazione è toccato a Valeria D'Atri, ispettrice presso la Soprintendenza, che ha seguito con attenzione ed efficienza le varie fasi del lavoro. Presso il museo della Rocca Albornoz, Franco Bondini ha saputo con precisione e costante buon umore spianare tutte le difficoltà poste dalla delicata gestione del materiale archeologico.

In tempi difficili per la ricerca archeologica, diverse istituzioni ci hanno consentito di lavorare sul sito, e di finanziare le necessarie operazioni di restauro e di messa in sicurezza del sito: l'ANR CAECINA, il Labex TransferS, l'UMR 8546-AOrOc, il Département des Sciences de l'Antiquité de l'École normale supérieure, la Fondazione Carivit di Viterbo, la Fondation Pharos. I nostri ringraziamenti vanno a Marc Mézard, François Bérard et Martine Bonaventure, à l'École normale supérieure, à Karine Gillet, Katherine Gruel, Isabelle Mariage et Stéphane Verger, all'UMR 8546, e al dott. Brutti, per la Fondazione Carivit – nonché, per il Labex TransferS, grazie al quale è stato possibile pubblicare questo volume, a Michel Espagne e Annabelle Milleville, il cui aiuto è stato particolarmente prezioso nel corso di questi anni.

Siamo inoltre riconoscenti alle famiglie Caproni (Santa Caterina, Viterbo), Caponetti (Tuscania) e Scapucci (Viterbo), per la loro generosa ospitalità.

Hanno partecipato ai lavori di scavo e di rilievo Elisa Abbondanzieri (Università La Sapienza), Estelle Avon (Université de Lyon), Amandine Bance (Paris), Francesca Batocchi (Neuchâtel), Jessica Bartolomeo (Université de Neuchâtel), Alice Baud (Université Paris I Panthéon-Sorbonne), Virginie Boutet (Parigi), Brigitte Bonifas (Béziers), Anne-Lise Baylé (Université Paris I Panthéon-Sorbonne), Reine-Marie Bérard (École française de Rome), Joe Bognanni (University of Chicago), Virginie Boutet (Paris), Filippo Bozzo (Università della Tuscia), Henri Broise (IRAA, CNRS, Aix-en-Provence), Thomas Broise (Aix-en-Provence), Sophie Brones (Paris), Maxime Brugellis (Université Paris I Panthéon- Sorbonne), Clément Bur (ED, Université Paris I Panthéon-Sorbonne), Marie-Caroline Charbonnier (INRAP), Clément Chillet (École française de Rome), Aristide Chrysoulis (Université Paris I Panthéon-Sorbonne), Theophilos Contargyros (Athènes), Isabelle Coquilhat (Aix-en-Provence), Niccolò Corti (Università di Firenze), Lucie Cuquemelle (Musée du Louvre, Parigi), Anaïs Daumont-Marx (Paris), Niccolò Daviddi (Università di Firenze), Maria Teresa De Bellis (Roma), Marie De Jonghe (Université Paris I Panthéon-Sorbonne), Manuel De Souza (Université de Saint-Étienne), Violaine Delteil (Parigi), Claudio Di Giacomo (Università della Tuscia), Franz Dolveck (École française de Rome), Saddam Douadi (Université Hassiba Benbouadi, Chlef), Pauline Ducret (École Normale Supérieure), Anna Duday (Bordeaux), Hélène Dufresne (Université Paris I Panthéon-Sorbonne), Baptiste Duvert (Université de Tours), Arnaud Fafournoux (Université Lumière Lyon 2), Julie Flahaut (INRAP), Yoan Fontaine (Paris), Perrine Guillon (Université de Bretagne

Sud), Alex Gaultier (Université de Tours), Karine Gillet (CNRS, UMR 8546, Paris), Lou Godefroy (Université Paris I Panthéon- Sorbonne), Audrey Gouy (École Pratique des Hautes Études), Lauren Halouze (Université de Bretagne Sud), Caroline Hémard (Université de Lyon), Florence Hérubel (Lyon), Serenella Isidori (Università della Tuscia), Martin Jaillet (École normale supérieure, Paris), Anders Joelsson (Stockholm), Andy Kellog (Université de Tours), Julie Labregère (Université de Tours), Thibaut Lanfranchi (Université de Toulouse II), Alice Lejeune (Strasbourg), Julie Leone (Université d'Aix-en-Provence), Clément Levy (Roma), Patrizia Macellari (Tuscania), Elisa Mathieu (Paris), Henri de Megille (Université Paris I Panthéon- Sorbonne), Annabelle Milleville (Labex TransferS, Paris), Lucie Motta (Université de Lyon), Sylvain Mottet (CNRS, Parigi), Pascal Neaud (INRAP), Mathieu Niveleau (Parigi), Agnès Oboussier (Centre Camille Jullian, Aix-en-Provence), Chiara Pepponi (Viterbo), Luca Pesante (Roma), Luca Pulcinelli (Roma), Birgita Rask (Stockholm), Veronica Re (Università di Viterbo), Clémence Revest (ÉFR), François-Xavier Romanacce (Université Paris-Sorbonne Abu Dhabi), Martina Rodinò (Università di Firenze), Jacopo Russo (Roma), Gabi Seiwerth (Austria), Margot Serra (Palo Alto, Californie), William Silverio (Université de Montpellier) Ghislaine Stouder (École française de Rome), Claudio Taffetani (Université d'Aix-en-Provence), Fédéric Tollinchi (Roma), Pascal Vallet (Université de Saint-Étienne), Emma Vallet (Université de Lyon), Caroline Vanderberghe (Université de Paris X), Anne-Sophie Walacyk (Bruxelles).

Il piano di sicurezza è stato redatto dall'arch. Alessandro Bertollini.

Allo studio dei materiali e alla realizzazione della documentazione hanno inoltre collaborato, per la ceramica medievale, Alessandro Delfino (Roma), per lo studio antropologico, Paola Catalano (Soprintendenza SpecialeArcheologia, Belle Arti e Paesaggio di Roma) e Giordana Amicucci, per i rilievi Guilhem Chapelin (Centre Jean Bérard, Napoli), Mathieu Niveleau e Hélène Dufresne (Paris), per il rilievo fotogrammetrico e 3D, Jean-Emmanuel Deschaud (École des Mines Paritech, Paris) e Frédérique Marchand (CNRS, UMR8546, Paris), per le riprese drone e le restituzioni del monumento, Benjamin Houal (Paris), per le riprese e restituzioni 3D fotografiche Mario Letizia e Andrea Iannaconne (Roma), per le fotografie dell'ultima campagna di scavo, Gabi Seiwerth (Vienna), per lo studio delle tracce organiche, Nicolas Garnier (LNG), per l'indagine geofisica Stefano Urbini (Istituto di Vulcanologia), per le trivellazione Daniele D'Ottavio (società UNIGEO, Roma). Senza il tasto magico di Enzo Nicolamme, non sarebbe stato possibile spostare gli ingenti volumi di terra che ostruivano il monumento ed i suoi dintorni, e l'ha saputo fare con precisione e delicatezza. E speriamo tuttora che l'indagine del commissario Felice Orlandini porterà un giorno alla riscoperta del sarcofago trafugato dalla tomba di Grotte Scalina negli anni settanta del secolo scorso... L'insieme dei testi è stato tradotto o rivisto da Luca Pesante.

Introduzione
Maria Pia Donato, Vincent Jolivet

Quando, nella prima metà del XVI secolo, Cosimo I de' Medici scoprì l'interesse potenziale, in termini politici, di un *revival* degli Etruschi, elevati al rango di autentici e prestigiosi antenati dei Toscani, si aprì per i dotti un universo nuovo. Un mondo da esplorare faticosamente e svelare sia tramite lo studio dei testi antichi e degli arcani della lingua etrusca che con la ricerca dei monumenti lasciati in eredità da una civiltà fino ad allora pressoché ignorata, schiacciata come era dal peso di Roma e della Grecia. Nella realtà, ovviamente, i luoghi etruschi non avevano mai smesso di esistere e di trasformarsi, talvolta fondendosi nel paesaggio urbano, mutando progressivamente natura, come il tempio di Giove Capitolino a Roma; più spesso, prestandosi a nuove funzioni, spesso molto lontane dalla loro originaria destinazione. Lo dimostrano forse meglio di ogni altro le spettacolari necropoli rupestri della Tuscia Viterbese, che furono sfruttate dall'Antichità ai nostri giorni ai fini più disparati, dai più pratici – abitazioni, fienili, porcili – ai più sacri ed esoterici. Che siano naturali o artificiali, infatti, le grotte, le case, i ripari, le cisterne o le cantine aperti nella roccia presentano una perennità invidiabile in confronto alle costruzioni degli uomini. In molti casi, addirittura *etiam periere ruinae*, come nel caso della Pergamo compianta nella *Farsale* di Lucano (19.41), mentre queste strutture si conservano e vengono costantemente riadattate, nel corso dei secoli, a nuove funzioni. Il fenomeno del loro riuso è dunque universale: si potrebbe dire che da quando gli uomini hanno contestato le caverne per la prima volta alle belve, non ha mai smesso di prendere nuove forme fino ai nostri giorni! Insomma, anche abbandonati, o colmi di terra e sassi, questi luoghi particolari che conservano spesso intatta la loro struttura, sembrano aspettare solo che venga un momento favorevole alla loro scoperta, al loro riuso e alla loro rinascita.

Si apre dunque anche un immenso campo di ricerca, rispetto al quale il nostro incontro del 15 dicembre 2016 si prefiggeva naturalmente una meta circoscritta a un luogo particolare: l'antica Etruria e, più specialmente, la Tuscia Viterbese, pur allargando lo sguardo ad un periodo di tempo assai lungo in termini storici, e di vite umane, che va dall'età arcaica al periodo moderno. L'intento era quello di raccogliere nuovi dati, ispirati a diversi orizzonti di ricerca, suscettibili di aiutarci a capire meglio il contesto di uso e di riuso di quel monumento abbastanza singolare che è oggetto di uno scavo sistematico dal 2010: la tomba rupestre etrusca monumentale di Grotte Scalina, presso Viterbo. Riscoperta quasi per caso alla fine del secolo scorso, questa tomba è un imponente edificio concepito su tre piani collegati da scale, dotata di una sala di banchetto del tutto eccezionale, che testimonia dell'opulenza e della raffinatezza dell'aristocrazia tarquiniese della fine del IV sec. a.C. Si tratta oggi di un luogo affascinante, che ci invita ad intraprendere un lungo viaggio nei secoli, sui passi di coloro che l'hanno realizzato, utilizzato, riscoperto, trasformato.

La prima parte di questo volume è consacrata più particolarmente a questo imponente monumento, sul quale viene presentata una prima sintesi relativa alle sue sei "vite"- arcaica, ellenistica, romana, medievale, moderna e contemporanea (Jolivet-Lovergne). È stato infatti

1. Grotte Scalina, aquarello (Alice Lejeune, 2012).

possibile stabilire che, durante tale ampio lasso di tempo, il sito è stato adibito a una funzione funeraria almeno nel corso di tre principali periodi – arcaico, ellenistico ed alto-medievale (Amicucci-Catalano-Jolivet). Il confronto con l'architettura di età ellenistica (Ambrosini) consente di percepire meglio la grande originalità del monumento etrusco - e un'ipotesi relativa ai canti tramite i quali le nobili famiglie etrusche celebravano i loro antenati (Briquel) ci permette di immaginare i rituali ai quali il monumento offriva la sua splendida cornice. L'evocazione del quadro storico della Tuscia viterbese medievale e moderna fornisce una chiave di lettura delle trasformazioni del monumento durante i secoli; queste, del resto, sono documentate da una medaglia devozionale e da una moneta di età moderna rinvenute recentemente nello scavo che qui si pubblicano (Pesante): il fatto che entrambe siano legate in qualche modo al giubileo romano costituisce un argomento decisivo per accertare che la tomba etrusca fu riadattata a un uso del tutto nuovo, ed insolito, nel corso del Cinquecento.

I contributi della seconda parte del volume non sono direttamente legati alla tomba di Grotte Scalina e alle sue origini etrusche, e tuttavia vanno letti in confronto o in contrasto con i dati presentati nella prima parte. Il caso della tomba Bartoccini illustra la diversità nonché, in definitiva, l'imprevedibilità del riuso delle tombe etrusche nel Medioevo: in questo caso si tratta infatti di un gruppo di templari della vicina Tarquinia (Curzi-Tedeschi). Tuttavia, la riscoperta e il riuso si possono fare anche con un preciso intento filologico, una vera e propria 'musealizzazione', quando gli Etruschi ridiventano, nel corso del Cinquecento, oggetto di ricerca e di rivendicazione nazionale (Labregère). La riscoperta che prende talvolta, nella seconda metà del XVI secolo, la forma di una curiosa fissazione, come accade all'erudito e incisore Francesco Tinti, che ha disseminato le sue medaglie nei siti etruschi e che oggi affiorano regolarmente negli scavi archeologici realizzati in Toscana (Cappuccini). Più in generale, l'archeologia rupestre, che vanta una lunga tradizione nella Tuscia viterbese, consente di cogliere pienamente l'estrema adattabilità dei luoghi etruschi a nuovi usi e nuove destinazioni, pratiche o rituali (De Minicis). E però, a fronte di un tanto intenso fermento, che assume forme che vanno da semplici reimpieghi a dotti studi archeologici, stupisce l'indifferenza pressoché assoluta dei viaggiatori stranieri nel Viterbese in età moderna nei confronti di un patrimonio ritenuto oggi assolutamente eccezionale (Giosuè).

Non tutte le molte domande suggerite dal nostro tema sono state trattate, il lettore lo constaterà, in modo organico e sistematico. Ma si tratta di fili che, in futuro, dovranno essere intrecciati, ricomposti e integrati, e che dovranno essere pienamente innestati sulla loro trama storica, in modo da consentirci di capire meglio, grazie allo studio archeologico relativo a interventi medievali o moderni troppo spesso trascurati, come l'eredità etrusca non abbia mai smesso, spesso nascostamente, di innervare la storia medievale e moderna dell'Italia, e di contribuire così alla costruzione del mondo nel quale viviamo oggi.

2. Grotte Scalina, aquarello (Alice Lejeune, 2012).

GROTTE SCALINA, UNA STORIA MILLENARIA

Grotte Scalina (Viterbo)
Vita, morte e rinascita di una tomba monumentale etrusca

Vincent Jolivet (CNRS, UMR 8546, Paris)
Edwige Lovergne (ED 112, Université de Paris I Panthéon-Sorbonne)

La tombe rupestre de Grotte Scalina, sommairement documentée autour de 1900, n'a été redécouverte qu'en 1998. Il s'agit de l'une des plus grandes tombes étrusques d'époque hellénistique connues, dont le seul parallèle architectural à ce jour est la tombe Lattanzi de Norchia qui date, comme elle, du dernier quart du IVe siècle av. J.-C. Avec ses deux étages à colonnes surmontées d'un fronton, elle semble s'inspirer directement de l'entrée monumentale aux palais macédoniens de Vergina et de Pella. Sa vaste salle de banquet constitue un unicum dans le panorama de l'architecture funéraire méditerranéenne de ce temps, tandis que ses deux chambres funéraires, pillées dans le courant du siècle dernier, et dans lesquelles les défunts étaient séparés par genre, ont été apparemment soigneusement orientées en fonction des principes rituels de la cosmologie étrusque. Vers le milieu du XVIe siècle, la fausse porte et l'escalier monumental de la tombe ont été assimilés à la Porta Santa et à la Scala Santa du Jubilé romain. À compter de cette date, le site a été fréquenté pendant trois siècles.

The rock-cut tomb of Grotte Scalina, scarcely documented around 1900, was rediscovered only in 1998. It is one of the biggest hellenistic Etruscan tombs, whose only architectural parallel is the tomba Lattanzi in Norchia; both tombs can be dated in the last century of the IV century BC. With its two columned floors crowned by a pediment, it seems directly inspired from the monumental entrance to the Macedonian palaces in Vergina and Pella. Its large banquetting hall is unique in the contemporary mediterranean architecture, and its two funerary chambers, used to divide the dead according to gender, seem to have been carefully orientated according the ritual principles of the Etruscan cosmology. Around 1550, the false door and the monumental stair of the tomb have been assimilated to the Porta Santa and Scala Santa of the Roman Giubilaeum. Since then, the worship place has been frequented during three centuries.

La tomba monumentale rupestre sita oggi sui terreni della fattoria Pepponi, a metà strada tra Viterbo e Tuscania, in località Grotte Scalina[1] (fig. 1), è stata scavata in una parete di tufo che domina la stretta vallata creata dal fosso Rio Secco, poco prima del suo sbocco nel fiume Leia, 1,5 km a nord-est della città etrusca di Musarna[2].

Le uniche tracce finora note fra le fonti d'archivio ad essa riferibili risalgono agli anni tra la fine del XIX secolo e l'inizio del XX secolo[3]: due fotografie quasi identiche[4] (fig. 2) ed un prospetto con pianta di Luigi Rossi Danielli (fig. 3)[5]. In quest'ultimo documento, pubblicato più

di mezzo secolo dopo, l'archeologo viterbese disegna una facciata ad un unico piano alta 4 m per una larghezza di 12 m[6], con finta porta centrale alta 2,30 m, scalinata monumentale sporgente di 3,20 m sulla sinistra e pilastro sulla destra; la camera funeraria, indicata a meno di 2 m di profondità, viene raffigurata quadrata, di 2 m di lato, con un solo letto funebre posto lungo la sua parete posteriore[7].

---

[1] La prima attestazione del toponimo risale all'aggiornamento del Catasto Gregoriano eseguito tra il 1855 ed il 1875.

[2] Una bibliografia complessiva su questa tomba figura all'inizio di questo volume.

[3] Necessariamente anteriore al 1909, anno della morte di L. Rossi Danielli.

[4] SCRIATTOLI 1920, fig. 3; CATALANO 1982, fig. 2.

[5] ROSSI DANIELLI 1962, p. 239.

[6] In assenza di una scala metrica, tutte le misure indicate qui lo sono a titolo indicativo, calcolate a partire dalla larghezza del monumento; come lo dimostrano le fotografie d'epoca, il monumento era allora ancora parzialmente interrato, più o meno alla quota dove l'abbiamo ritrovato nel 1998.

[7] Come si vedrà dopo, lo scavo ha dimostrato che il disegno del prospetto della tomba è incompleto, e quello dell'ipogeo del tutto falso, probabilmente perché basato su fonti orali raccolte da L. Rossi Danielli presso qualcuno che non voleva che scavasse la tomba. Si nota, sul disegno dell'ipogeo, la posizione evidentemente sbagliata del cuscino del letto, che avrebbe portato il defunto a guardare

Di questa tomba, che le stesse fonti collocano a Cordigliano - un oppido arcaico, ellenistico e medievale arroccato sulla sponda opposta del fiume Leia -, si era persa successivamente ogni traccia[8]. La tomba è stata ritrovata soltanto nel 1998 durante prospezioni archeologiche eseguite intorno a Musarna, nel quadro del programma di ricerca ivi iniziato dalla Scuola Francese di Roma nel 1983, e portato avanti fino al 2003[9]. La singolarità tipologica - più apparente che reale, come vedremo - del monumento, così come era stato rilevato dal Rossi Danielli, nonché la minaccia sempre presente di scavi clandestini, ci hanno spinto qualche anno dopo, nel 2010, nell'ambito dello studio della necropoli ellenistica di Musarna[10], a proporre all'allora Soprintendenza per i Beni Archeologici dell'Etruria meridionale un'indagine sul monumento, in modo da ricostruirne la pianta, fissarne la cronologia, ed inserirlo precisamente nella problematica storica più generale delle necropoli rupestri etrusche del Viterbese. La Soprintendenza, allora diretta dalla dott.ssa Alfonsina Russo, ha accolto la nostra proposta, ed otto campagne di scavo, seguite dalla dott.ssa Valeria D'Atri, si sono finora svolte sul sito. I lavori sono stati realizzati sotto la direzione scientifica di Vincent Jolivet e sotto la direzione operativa di Edwige Lovergne, con la partecipazione di numerosi scavatori, professionisti - e non - dell'archeologia, francesi, italiani e di altre nazionalità[11], e con l'appoggio di diversi programmi di ricerca o istituzioni: ANR CAECINA, Labex TransferS (Parigi), UMR 8546 del CNRS, *Département des Études Anciennes dell'École normale supérieure* di Parigi, *École française de Rome, Association Pharos*, Fondazione Carivit di Viterbo.

La prima campagna, nel 2010, mirava a raggiungere la camera sepolcrale, che Rossi Danielli descrive così: *il sepolcro si apre al centro;* (idealmente) verso la parete.

consiste in una piccola grotta quadrangolare disadorna e con il posto per una sola persona[12]. Questo primo scavo, eseguito fino ad una profondità di 3 m al disotto del piano di calpestìo antistante la facciata rupestre, ha evidenziato l'allargamento del *dromos* ad opera di clandestini[13], ma non ha consentito di raggiungere l'ipogeo: era chiaro, già dall'inizio, che almeno questa parte del disegno di Rossi Danielli non corrispondeva alla realtà.

Nel 2011, la seconda campagna ha consentito di riportate alla luce il *dromos* della tomba per tutta la sua lunghezza, e di stimarne la profondità; questi lavori hanno anche portato alla scoperta delle basi di due poderose colonne che facevano parte della facciata del monumento, nonché di un secondo *dromos*, perpendicolare al precedente.

Nel corso della terza campagna, nel 2012, è stato interamente liberato il piano di circolazione antistante al monumento dal riporto di terra, spesso ca. 1,50 m, che lo ostruiva, rivelando così la presenza di una maestosa sala di banchetto funerario, ed è stato scoperto il piano superiore del monumento: ad est, una scala, prima del tutto invisibile, dava accesso ad un tetto a doppio spiovente, fiancheggiato da due piccole sale.

La quarta campagna, nel 2013, si è concentrata sulla sommità del monumento, consentendo di individuare tracce di un piccolo sito medievale insediatosi sul pianoro sovrastante la tomba, mentre lo scavo realizzato davanti alla terrazza in modo da capire le modalità d'accesso al monumento rivelava la presenza di due tombe arcaiche.

Nel corso della quinta campagna, nel 2014, è stato scavato il *dromos* della camera principale della tomba, nella quale è stato finalmente possibile penetrare: parzialmente ostruita di terra, essa presentava chiare tracce di una depredazione abbastanza recente.

La sesta campagna, nel 2015, è stata consacrata allo scavo complessivo della camera funeraria principale del sepolcro, i cui sarcofagi in gran parte rotti sono stati, per quanto possibile, riordinati nelle loro parti frammentaria; al contempo, è stato realizzato lo scavo del *dromos* della camera funeraria secondaria.

La settima campagna, nel 2016, ha consenti-

---

[8] Essa non figura, ad esempio, nel volume divulgativo, ma ricco di dati di terreno, di P. GIANNINI 2003, mentre è localizzata in un punto errato (nella necropoli orientale di Cordigliano) sulla carta archeologica del Viterbese pubblicata da A. MILIONI (2002, p. 172, n. 654).

[9] Sintesi recente su Musarna, con bibliografia complessiva: Jolivet 2013.

[10] Curato da Edwige Lovergne, nel quadro di una tesi di dottorato posta sotto la direzione di Olivier de Cazanove (Université de Paris I Panthéon Sorbonne).

[11] Vd. *supra*, p 7-8.

[12] L. ROSSI DANIELLI, in CATALANO 1982, p. 15.

[13] Probabilmente eseguito nell'estrarre l'unico coperchio figurato della tomba, all'inizio degli anni settanta del secolo scorso.

to di scavare la seconda camera funeraria del complesso, anch'essa depredata, e di aprire un sondaggio sul pendìo sottostante alla tomba, in asse con la sua parte centrale, in modo da poter controllare la presenza di un eventuale accesso monumentale al complesso, e da restituire la fisionomia originaria della collina.

Nel 2017, tramite un'ottava campagna, è stato portato a termine l'insieme delle operazioni eseguite sul monumento e nei suoi dintorni[14]. Il termine di questa fase dei lavori consente ora di presentare un quadro organico, anche se tuttora parziale, del monumento e della sua ricca storia, che abbraccia un arco cronologico compreso tra l'età arcaica e nostri giorni.

1. L'età arcaica

Nel corso del VI secolo a.C., il Viterbese[15] rappresentava un'area di notevole importanza economica per la città-stato dalla quale dipendeva, Tarquinia, una delle più potenti metropoli affermatesi in terra etrusca nel corso del periodo villanoviano ed orientalizzante. Il controllo di questo territorio era assicurato da vari caposaldi, fra i quali il più importante era con ogni probabilità Tuscania (fig. 4). La campagna era densamente occupata da siti di minore estensione, fattorie o borghi, come Axia/Castel d'Asso, Sorrina/Viterbo, Acquarossa oppure, nella zona che ci interessa qui più direttamente - a metà strada tra Viterbo e Tuscania -, Cordigliano, un piccolo abitato distante 1 km a nord-est di Musarna, rioccupato in età ellenistica e poi medievale, ma che sembra aver posseduto una cinta muraria già in età arcaica[16]. Prima della creazione delle vie consolari romane, la campagna presentava una rete capillare di strade e percorsi che consentiva di collegare al meglio tra di loro i vari centri abitati, e questi con le loro campagne. Una delle strade che collegava Tuscania con Cordigliano passava probabilmente lungo il Rio Secco, prima di varcare la Leia a sud del sito, nella direzione di Musarna, su un ponte i cui resti erano ancora visibili nel-

la seconda metà del XIX secolo[17].

Al di fuori di scarse testimonianze risalenti fino alla Preistoria (lame di selce o di ossidiana), la prima testimonianza di occupazione stabile del sito di Grotte Scalina[18] risale all'età arcaica. Si tratta di due tombe individuali a fenditura superiore, probabilmente destinate ad una coppia di defunti (fig. 5), ed originariamente sigillate da un piccolo tumulo (ca. 8 m di diametro)[19]. Il sistema di chiusura delle due tombe, perfettamente conservato, presenta una sommità piana ad ovest, triangolare ad est, che potrebbe alludere rispettivamente al poggia-gomito del letto di banchetto e al frontone della casa, in modo da distinguere, come nelle sepolture arcaiche di Cerveteri, la deposizione maschile da quella femminile. Nonostante la depredazione quasi completa di queste due tombe, i frustuli conservati del loro corredo, nonché la loro tipologia, consentono di datarle nell'ultimo quarto del VI secolo a.C. Non è escluso che la famiglia che ha fatto erigere questo tumulo sia stata la stessa che decise di creare due secoli dopo, in questo preciso posto, e apparentemente al difuori di una vera e propria necropoli, la grandiosa tomba rupestre che lo sovrasta.

2. L'età ellenistica: la tomba monumentale.

A partire della seconda metà del IV secolo a.C., dopo una parentesi di più di un secolo, segnata da una drastica riduzione della popolazione rurale, le campagne dell'entroterra tarquiniese si ripopolano nuovamente: le risorse naturali tornano ad essere ricercate e sfruttate, riprendono le coltivazioni e l'allevamento, e per cercare di contenere le incursioni dell'esercito romano si viene a formare di una densa rete di piccole fortezze delle quali Musarna, con la sua struttura urbanistica ortogonale e la potente cinta muraria, risulta essere oggi l'esempio meglio conosciuto[20]. Databile, come Musarna, all'ultimo quarto del IV secolo, la tomba mo-

---

[14] Parallelamente allo scavo della tomba, sono stati realizzati sia lo scavo del piccolo oppido dell'Isolotto, poco distante della tomba, verso est, sotto la direzione di Pascal Neaud (INRAP, Reims), sia prospezioni lungo la vallata della Leia, ad opera di Luca Pesante (Roma).

[15] Per le diverse fasi di occupazione della regione, dalla Preistoria al Medioevo, vd. MILIONI 2002, p. 55-73.

[16] L. ROSSI DANIELLI, in CATALANO 1982, p. 17 ; JOLIVET-BROISE 1997 ; MILIONI 2002, p. 168-173.

[17] L. ROSSI DANIELLI, in CATALANO 1982, p. 14. Sulla sponda occidentale del fiume, in connessione con una strada proveniente da ovest, numerose tombe sono state interamente depredate, anche in età abbastanza recente; alcune di loro sembrano risalire all'epoca arcaica.

[18] Ad. es., il materiale della tomba 2 include un frammento di selce, forse di età neolitica.

[19] Vd., in questo stesso volume, il contributo di G. AMICUCCI, P. CATALANO e V. JOLIVET.

[20] Sul fenomeno della colonizzazione interna dell'Etruria meridionale rupestre, fondamentale rimane COLONNA 1967. Per Musarna, vd. nota 9.

numentale di Grotte Scalina è particolarmente caratteristica di questa precisa fase storica, profondamente segnata dallo scontro con Roma. Suggestivamente isolato, il monumento è delimitato sui lati est ed ovest da una scoscesa balza tufacea; in asse con essa, alla base del pendìo della collina, ca. 15 m più in basso, la presenza di una sorgente, che alimenta tuttora il corso del Rio Secco, potrebbe aver giocato un ruolo nella scelta del sito. Il sepolcro, interamente scavato nel tufo, presenta una facciata di una larghezza totale di 14 m, per un'altezza di ca. 12 m.

Il piano inferiore

Al livello inferiore del monumento (fig. 6), una piattaforma, che si estende per ca. 400 m², è stata interamente livellata nell'Antichità; essa era sigillata, all'inizio dei nostri lavori, da un riporto di terra spesso ca. 1,50 m. La parte antistante la facciata si divide in due terrazze di cui la prima, a sud, lunga 7,70 m, è separata dalla seconda, a nord, lunga 7,20 m, mediante un gradone alto ca. 30 cm. Nel fondo, al centro della parete, una finta porta alta 4 m per 2,60 m mass. di larghezza presenta un riquadro centrale ed architrave con *proiecturae* a becco di civetta; un cordone fortemente rilevato raccorda le *proiecturae* agli stipiti (fig. 7). Nella fascia superiore, poco al disopra dell'architrave, sono state ricavate 3 nicchie a fondo piatto e dai contorni oggi fortemente irregolari a causa del deterioramento del tufo[21]; la nicchia centrale, coperta ad arco, è allineata con la finta porta, mentre le due altre, forse quadrate, sono posizionate simmetricamente ai due lati di essa. Si tratta senza dubbio di una sistemazione antica[22], destinata ad accogliere busti di antenati o, più probabilmente, di divinità funerarie[23]. La facciata attuale della tomba costituisce in re-

altà la parete di fondo di una sala alta ca. 6 m, divisa in due dal profondo *dromos*, che presenta da ambo i lati una panchina continua disposta a squadra larga 1,10 m per un'altezza di 0,60 m, divisa in tre letti di cui ciascuno è dotato di un poggia-gomito (fig. 8)[24]. La sala apriva verso l'esterno con una facciata costituita di due poderose colonne inquadrate da due pilastri. La base modanata delle due colonne, del diametro di ca. 1,90 m, è formata da un plinto arrotondato alto 22 cm su cui poggia un toro, alto 31 cm, sormontato da un'apofisi alta 10 cm - per un'altezza complessiva di 63 cm (fig. 9); il fusto, dal diametro di ca. 1,30 m, era scanalato, come indica un frammento ritrovato vicino alla base ovest[25]. Il pilastro est, conservato per tutta la sua altezza, presenta una base quadrata modanata larga 1,50 m ed un capitello semplice; ad ovest, è conservata solo la base modanata, larga soltanto 1,20 m, del secondo pilastro, oggi del tutto sparito. Davanti ad ogni pilastro, una base rettangolare sopraelevata di pochi centimetri, di 1,60 x 2,30 m, era probabilmente destinata a ricevere una statua di animale apotropaico, leone o sfinge, in tufo o, più probabilmente, in nenfro[26]. Sia le pareti della sala che i letti erano ricoperti da un intonaco dipinto giallo e rosso, conservato in alcuni settori[27]. Si tratta chiaramente di una sala di banchetto funerario, che non trova finora veri confronti né in Etruria[28], né nel mondo mediterraneo coevo.

---

[21] Le loro dimensioni originarie si possono stimare a 0,85 m di altezza per 0,70 di larghezza; il loro fondo piatto consente di escludere una destinazione per urne cinerarie.

[22] Esse non figurano nel prospetto di L. Rossi Danielli (vd. *supra*, nota 5), probabilmente perché le considerava come alterazioni moderne. Tuttavia, la presenza di nicchie similari nella tomba Lattanzi di Norchia, nella stessa posizione, consente di accertare che si tratta di un elemento originario della tomba, vista la stretta somiglianza delle due tombe (vd. *infra*, p. 17-25).

[23] In conformità con un uso ben attestato sia per le porte di città, come si può desumere dalla porta all'Arco di Volterra e dalla Porta Marzia di Perugia.

---

[24] Al di fuori del letto di sinistra, lungo 3,50 m, la lunghezza dei cinque altri è compresa tra 1,50 e 1,85 m, per una larghezza di 0,85 m ; i poggia-gomiti sono larghi 0,40-0,45 m, per un'altezza di 0,20 m.

[25] Si può dunque presumere che parte del fusto della colonna di sinistra fosse rimasto in alzato fino all'età moderna. Meglio conservate, le colonne della tomba Lattanzi di Norchia presentano, anch'esse, un fusto scanalato.

[26] La tomba Lattanzi conserva, a sinistra della facciata, un animale difficilmente identificabile, scolpito nel vivo del masso di tufo della collina.

[27] I frammenti caduti dell'intonaco attestano la presenza di altri colori: bianco, azzurro, verde. La tomba Lattanzi conservava tuttora scarsi resti di intonaco i quali, alla fine del XIX sec., avrebbero anche conservato, al piano superiore, "figure dipinte": GARGANA 1935, p. 4 e 7.

[28] Nelle altre necropoli etrusche, e in particolare a Norchia, la disposizione del banchetto funerario si limita ad alcune panchine, sprovviste di un cuscino. Si può tuttavia ipotizzare la presenza di una sala attrezzata in modo simile nella tomba Lattanzi.

Il piano intermedio

Si accedeva alla terrazza mediana, alta ca. 4 m, tramite la scala situata ad ovest della tomba, larga 1,30 m, e formata originariamente di ca. 25 gradini (fig. 10). Tale terrazza, conservata oggi, verso nord, per meno di 1 m di lunghezza, si estendeva originariamente fino alla facciata del monumento ed era sorretta, al piano inferiore, dalla fila delle colonne e dei pilastri, per una superficie di ca. 85 m² (8,50 x 10 m). Anche se diverse soluzioni strutturali per la restituzione di questo piano possono essere proposte, la più verosimile è la presenza, in facciata, di un filare di sei colonne[29]. A nord-est, tale spazio era parzialmente chiuso da una parete terminata da un pilastro, di cui si è conservata solo la base quadrata modanata; ne esisteva probabilmente una seconda, simmetrica, verso ovest[30]. Alle due estremità della terrazza, una scala consentiva di raggiungere il piano superiore del monumento: ben conservata, quella orientale (fig. 11), larga 1,40 m, con 11 gradini, alti in media 25-30 cm, mentre di quella occidentale solo alcuni, deboli resti ne attestano oggi la presenza[31].

Il piano superiore del monumento

Ciascuna di queste due scale conduce sulla sommità della tomba, in uno spazio rettangolare orientato nord/sud, lungo 3 m per una larghezza di 2,20 m (fig. 12), chiuso da un lato dal limite del tetto, dai due altri da pareti conservate per un'altezza massima, ad est, di 1,50 m; l'ingresso allo spazio est è inquadrato da due piccole basi quadrate, conservate per pochi centimetri di altezza, che non sono più visibili nella sala ovest, ed erano forse destinate ad accogliere busti. Tra questi due spazi, distanti 7,80 m l'uno dall'altro, il banco di tufo è

stato sagomato a forma di un tetto dal doppio pendìo inclinato 10 gradi, dotato di un *columen* centrale largo 1 m; ai due lati opposti, i *mutuli* sono segnati da rialzi larghi ca. 35 cm per un'altezza di 25 cm (fig. 13)[32]. Tale disposizione implica l'esistenza, in facciata, di un frontone triangolare probabilmente scolpito e dipinto, a coronamento del livello porticato superiore della tomba.

La camera funeraria principale (tomba 1)

Il *dromos*, lungo 15 m, orientato sud-nord, risulta nettamente obliquo rispetto al prospetto della tomba, e taglia il banco di tufo fino a giungere al livello della finta porta della tomba (fig. 14-15). Profondo 6,25 m, per una larghezza media compresa tra 0,95 e 1 m, è stato scavato con un taglio molto regolare in un'alternanza di strati orizzontali di tufo litoide, intervallati da strati di lapilli friabili e di alluvioni, che ha provocato, già in età antica, il crollo di alcuni settori delle pareti. Il suo interro è avvenuto progressivamente per azione naturale, sicuramente nell'Antichità, come l'indica l'assenza, nei vari livelli di riporto, di cocci di ceramica moderni o medievali, che sono invece frequenti intorno alla tomba. Per l'evo antico, spiccano frammenti di coppe falische a figure rosse (Gruppo del Foro) (fig. 16) o a vernice nera stampigliati di produzione tarquiniese (Gruppo delle Pareti Sottili) databili nell'ultimo quarto del IV secolo a.C., nonché un pettine di osso (fig. 17), tutti oggetti probabilmente adoperati nel corso dei banchetti funebri. L'assenza di blocchi di tufo all'interno di questo riempimento conferma che il *dromos* era già interamente sigillato al momento del crollo della facciata rupestre della tomba; negli strati più bassi, invece, sono stati trovati frammenti di intonaci appartenenti al rivestimento della facciata del monumento, che documentano la sua fase di abbandono.

Davanti alla porta, in corrispondenza del primo blocco di chiusura, è stato rinvenuto un piccolo deposito formato di una lucerna "sud-etrusca", di un cippo funerario e di una punta di lancia in ferro, diretta verso l'ingresso della tomba, appoggiata su un blocchetto di tufo quadrato: potrebbe trattarsi dell'ultimo rito di chiusura della tomba, eseguito nel corso della seconda metà del II secolo a.C. La porta della camera funeraria era otturata da tre spesse la-

---

[29] Presenza confermata dall'ingente quantità di blocchi di tufo proveniente dal crollo del monumento, riversati lungo il pendìo della collina in età rinascimentale.

[30] Non sappiamo come fosse diviso lo spazio fra le due pareti laterali: la parete del fondo tra di esse risulta liscia. Diversamente, questa parte della tomba Lattanzi era suddivisa in tre parti da anti terminate da pilastri con capitelli italo-corinzi: GARGANA 1935, p. 4.

[31] Il livello di conservazione molto diverso di queste due scale si spiega con il riuso della scala principale della tomba in età moderna (vd. *infra*, p. 24-25): dopo aerla percorso in ginocchio, i fedeli raggiungevano il campo sovrastante la tomba tramite la scala occidentale.

[32] Ad ovest, il *mutulus* è stato ritagliato da due solchi perpendicolari, risalenti probabilmente all'età medievale o moderna.

stre di tufo, le due inferiori ancora conservate in situ all'inizio dello scavo. Intorno alla porta sono stati individuati sette fori che corrispondono ad altrettanti chiodi, di cui solo due sono conservati (fig. 18). Si tratta probabilmente di un dispositivo concepito per appendere vasi o corone nel corso delle cerimonie funebri.

La camera funeraria, rinvenuta in parte colma di terra, è di pianta subrettangolare, irregolare (fig. 19-20). Essa misura ca. 6 m di lunghezza per 5 m di larghezza, ed è stata scavata in uno strato di tufo tenero, alternato a strati di lapilli. In asse col *dromos*, la parete di fondo presenta l'abbozzo di un cunicolo, forse scavato alla ricerca di uno strato geologico di migliore qualità nel quale realizzare la tomba, mentre una nicchia è stata ricavata a sinistra dell'ingresso. Il soffitto, scavato in uno strato di lapilli in gran parte caduto, poggia su un grosso pilastro subrettangolare, decentrato verso est. La camera conteneva otto sarcofagi di nenfro ed un'urna di tufo, adoperata come cinerario od ostoteca, mentre lo spazio a disposizione avrebbe consentito di deporci almeno quattro altri sarcofagi. Tutti i coperchi sono stati rinvenuti spostati, rovesciati e rotti dagli scavatori clandestini, che hanno anche interamente distrutto due delle casse. I sarcofagi conservati presentano tutti un coperchio liscio, dalla forma a doppio spiovente o, più spesso, nettamente bombata. Sappiamo tuttavia che uno di loro, che è stato possibile identificare come quello posto a sinistra dell'ingresso, perpendicolarmente ad esso, possedeva un coperchio raffigurante un defunto maschile recumbente, che è stato segato in diversi pezzi ed asportato dalla tomba all'inizio degli anni settanta del secolo scorso[33]. In fondo alla camera, un frammento del lato lungo di una delle casse appare intenzionalmente spezzato dai tombaroli: esso conserva un'iscrizione incisa che reca il nome del defunto, e la prima sillaba del suo gentilizio, divisi da una doppia interpuntuazione: *vi:larth* (fig. 21)[34].

Del materiale archeologico della tomba, le varie depredazioni hanno lasciato solo scarsi elementi poi ritrovati in parte anche all'interno di cinque degli otto sarcofagi, ovviamente senza poter risalire con certezza alla loro posizione originaria. Vanno segnalati, in particolare, tre fibule di bronzo, un frammento di accetta in ferro, una vago di collana in terracotta, nonché alcuni elementi decorativi in bronzo. Nella terra di riempimento della camera funeraria, spicca il ritrovamento di alcuni oggetti legati alla sfera ludica: oltre ad un dado in osso, otto pedine da gioco in pietra, una in pasta vitrea, ed una in terracotta (fig. 22). Anche le due monete della serie "alla prora" (fig. 23), rinvenute nello stesso contesto, potrebbero rientrare nel quadro delle attività ricreative: l'asse repubblicano, infatti, recante da una parte la prua di una nave e dall'altra la testa di Giano bifronte, veniva utilizzato nel gioco del *capita aut navia* - teste o navi -, assimilabile al nostro testa o croce; in assenza di dati di scavo più precisi, l'ipotesi secondo la quale si tratterebbe semplicemente dell'obolo a Caronte rimane, tuttavia, la più verosimile. Il materiale in ferro include alcune punte e puntali di lancia, nonché frammenti di strigili. Tra la ceramica, rinvenuta in esigua quantità, spiccano frammenti di ceramica a vernice nera di buona qualità, talvolta parzialmente ricostruibili: *skyphoi*, *kylikes*, patere ombelicate o no, coppette. L'insieme del materiale non sembra anteriore al secondo quarto del III secolo a.C.

Tutti gli indicatori di genere rinvenuti nella tomba si riferiscono dunque alla sfera maschile: coperchio di sarcofago, iscrizione, elementi di lance in ferro. Questa circostanza difficilmente può essere considerata come fortuita anche, come vedremo, alla luce dei reperti della seconda camera funeraria.

La seconda camera funeraria (tomba 2)

Verso est, 6 m a sud della facciata rupestre della sala di banchetto, lo scavo ha consentito di reperire un secondo *dromos* lungo 9,60 m, disposto perpendicolarmente al primo verso est, e molto meno profondo di esso: 3,90 m, per una lunghezza di 7,25 m (fig. 24-25). Contrariamente al *dromos* principale, esso non presenta un pendìo regolare, bensì una serie di quattro lunghi gradini che portano all'ingresso di una camera funeraria la cui porta, alta ca. 2 m, non presentava più alcun blocco di chiusura in situ al momento dello scavo. Essa è stata rinvenuta interamente riempita di terra a causa del crollo totale del soffitto della camera, che è stato necessario smontare dall'alto in modo da poterne scavare l'interno.

Il riempimento del *dromos* era sigillato, in su-

---

[33] Nonostante il carattere eccezionale di questo sarcofago nel contesto della tomba 1, esso non occupa una posizione di rilievo: il viso del defunto contemplava direttamente la parete di tufo settentrionale della nicchia nella quale è stato collocato.

[34] Berrendonner-van Heems 2016.

perfice, da una sepoltura infantile di un individuo dall'età compresa tra i 3 ed i 5 anni, databile in piena età imperiale, di cui rimangono pochi frammenti di calotta cranica ed alcuni denti[35]. Il riporto si compone di strati quasi del tutto privi di materiale: non è escluso che si sia trattato, a differenza della situazione riscontrata nella tomba 1, di un riempimento effettuato volontariamente, in modo da sigillare definitivamente la tomba. In corrispondenza della porta della camera funeraria, una profonda fossa contenente frammenti di ceramica moderna documenta una depredazione della tomba probabilmente anteriore al XIX secolo: prima dei nostri lavori di scavo, la presenza del *dromos* di questa camera era infati del tutto insospettabile.

La camera funeraria (fig. 26-27) presenta una pianta subrettangolare, molto irregolare, larga ca. 5,50 m per una profondità di 6 m; come la camera principale, essa è stata rozzamente scavata in un banco di tufo grigio di scarsa qualità, e la sua parete del fondo presenta l'abbozzo di un cunicolo. Al suo ingresso, la lastra di tufo inferiore della porta poggiava su un primo strato di crollo, antico, della volta della tomba. Essa racchiude quattro sarcofagi di nenfro rivenuti aperti e depredati, con i loro semplici coperchi rotti in più parti o rovesciati, dei quali due recano sul loro lato corto delle iscrizioni, ambedue semplici matronimici: *teśi* e *cinial*[36] (fig. 28). Sul lato sud, la camera presenta una panchina alta 50-60 cm, per una profondità compresa tra 2,10 e 2,60 m, sulla quale poggiano tre sarcofagi, perpendicolarmente all'asse della tomba, mentre il quarto, orientato allo stesso modo, è stato installato nell'angolo sinistro della camera. Come nella camera principale, lo spazio a disposizione non è stato pienamente sfruttato: esso avrebbe consentito di sistemare 4 ulteriori sarcofagi. Due distinti settori della tomba hanno portato alla scoperta di alcuni frustuli del corredo originario delle sepolture, posti quasi a contatto con il piano di calpestìo della tomba: nell'angolo nord-ovest, uno specchio ed una fiaschetta in bronzo, due grandi balsamari fusiformi, tre patere a vernice nera, una piccola olla in ceramica grezza; in fondo all'ambiente, diversi oggetti in bronzo - tre piedini di cista, di cui due antropomorfi (fig. 29) e un terzo a fiore di loto, una presa di coperchio di cista a forma

di piccolo delfino; si segnalano anche piccoli oggetti in ferro, nonché gusci d'uovo e grani di belletto di colore rosa acceso. L'insieme del materiale non sembra anteriore al secondo quarto del III secolo a.C.

Tutti gli indicatori di genere rinvenuti nella camera - iscrizioni, specchio, ciste, belletto - ci riportano dunque al *mundus muliebris*. Tali reperti, perfettamente specolari a quelli della tomba 1, tutti referibili alla sfera maschile, indicano con certezza la separazione dei defunti, almeno nel corso del III sec. a.C., secondo il loro genere. Tale separazione rispecchia probabilmente una concezione già in atto al momento della creazione della tomba.

A differenza della situazione frequentemente incontrata a Musarna e, più generalmente, nell'Etruria rupestre, i due *dromoi* non sono stati sfruttati per scavare *loculi* destinati, in particolare, a sepolture infantili, e non sembrano esistere altre sepolture di qualche importanza nei dintorni della tomba. Tuttavia, il materiale osteologico rinvenuto nelle due tombe arcaiche consente di ipotizzare che queste furono riutilizzate, in età ellenistica, per seppellire defunti probabilmente legati, in qualche modo, con la famiglia titolare della tomba: si tratta di almeno tre individui, la cui datazione va probabilmente fissata nei III-II sec. a.C.[37] Non è escluso, tuttavia, che questi resti siano pertinenti a defunti originariamente sepolti in una delle due camere ipogee.

Rituali funebri: una divisione per generi
Come si è visto, il materiale rimasto nelle due camere funerarie, per quanto frammentario, oltre a testimoniare una frequentazione del sepolcro non anteriore al III sec. a.C., sembra indicare chiaramente che la tomba 1 fosse riservata agli uomini, e la tomba 2 alle donne. Si può ipotizzare che questa divisione ne riproduca una più antica, rispettata in due ipogei ancora ignoti che avrebbero potuto accogliere le due prime generazioni di defunti della famiglia; tuttavia, l'indagine non ha finora consentito di localizzarli. Anche se abbiamo perso quasi tutti i dati relativi alle altre tombe conosciute che presentano la stessa particolare disposizione dei loro dromoi (tomba Lattanzi di Norchia, tomba Ildebranda di Sovana), l'esistenza di tombe etrusche che accoglievano solo donne, o solo uomini, è ben documentata[38].

---

[35] Vd., in questo stesso volume, il contributo di G. AMICUCCI, P. CATALANO e V. JOLIVET.

[36] Cf. *supra*, nota 34.

[37] Cf. *supra*, nota 35.

[38] Vd. p. ex. NIELSEN 1999.

Sulla base di questi dati, difficilmente casuale può essere considerato l'orientamento dei due *dromoi* della tomba, lo stesso che si riscontra a Sovana. La religione etrusca, in effetti, stabiliva uno stretto nesso tra il mondo degli uomini, la terra, e quello degli dei, il cielo. Testi di diversi autori latini, nonché il famoso fegato di bronzo rinvenuto a Piacenza nel 1877, hanno consentito di determinare con grande precisione la divisione del cielo e le sfere di competenza delle varie divinità etrusche, che potevano essere scisse in diverse entità secondo le loro diverse competenze specifiche[39] (fig. 30). Ora, il nord, puntato dal dromos della tomba 1, corrisponde in questa particolare concezione cosmologica con il demanio di Tinia Cilens, ossia della personificazione del principale dio del pantheon etrusco, equiparato a Zeus o Giove, ma nella sua specifica funzione di custode delle porte. L'est, invece, puntato dal dromos della tomba 2, corrisponde con il demanio di Uni, la moglie di Tinia, equiparata a Hera o Giunone. Alcune irregolarità apparenti nella posizione dei due *dromoi* - il *dromos* 1 non è orientato esattamente sud/nord, è stato impostato nettamente in obliquo rispetto all'asse della facciata del monumento, e non è perfettamente perpendicolare al *dromos* 2 - potrebbero spiegarsi dall'esigenza di impiantarli secondo un orientamento estremamente preciso, dettato da considerazioni rituali. Alla coppia dei mortali, separati in due aree distinte, si veniva dunque a sovrapporre una coppia di divinità e, per di più, la coppia posta all'apice del pantheon greco e latino, ed ovviamente allo stesso modo, anche se con modalità distinte, etrusco. Di recente, a Marzabotto, prospezioni geofisiche e scavi hanno consentito di individuare, in mezzo alla città, e probabilmente in relazione con la sua principale piazza pubblica, due templi, rispettivamente dedicati a Tinia ed a Uni[40], e si può pensare che altre città etrusche avessero abbinato le due divinità nella loro cornice pubblica monumentale.

Questa chiave di lettura potrebbe anche spiegare l'esistenza di due scale speculari alla facciata, presenti in alcune grandi tombe etrusche rupestri, in particolare a Norchia. Nel caso specifico di questa tomba, queste scale, che collegano il primo livello del monumento con il suo tetto, portano ciascuna ad una stanza nella quale possiamo immaginare raggruppati da un lato - a sinistra, come nelle tombe arcaiche ? - gli uomini e dall'altro, le donne. Sfruttando le due scale, i due gruppi potevano raggiungersi e mescolarsi sulla terrazza del primo piano del monumento per eseguire canti, danze o libagioni rituali.

Del resto, un trattamento diverso riservato all'uomo e alla donna può anche essere ipotizzato nel corso del banchetto funebre. Dei sei letti, corrispondenti a 6 - o 12 - banchettanti, uno presenta una lunghezza ben maggiore degli altri: 3,50 m anziché 1,50-1,85 m (fig. 31). Si tratta di quello sito a sinistra della sala, una posizione che corrisponde, nella sala di banchetto greca e romana, a quella del capo famiglia, dalla quale si iniziava a servire il vino. Se si esclude l'ipotesi che l'ampio spazio disponibile ai piedi del *dominus* - quasi 2 m -, sia servito per istallare vasellame di banchetto, uso per il quale non disponiamo di alcuna fonte iconografica, e che risulterebbe strano per un letto normalmente coperto con materasso e cuscini, l'ipotesi più verosimile è che si trattasse del posto riservato alle figlie nubili della famiglia, mentre le donne sposate sedevano ai piedi del loro marito. La pittura e la scultura etrusca ci offrono, chiaramente in funzione delle convenzioni legate alla rappresentazione figurata, diversi esempi di quest'usanza (fig. 32), che non dev'essere necessariamente generalizzata nel mondo etrusco di questo periodo, come del resto risulta dall'ampio quadro offerto dagli affreschi delle tombe tarquiniesi: si può pensare che famiglie più soggette all'influenza della Grecia avessero optato per questo tipo di banchetto, mentre altre, più fedeli alle remotissime tradizioni etrusche, ponevano l'uomo e la donna, in questo importante momento della vita sociale, sullo stesso piano.

Una stretta divisione per genere, nonché un chiaro sistema di dominazione maschile, sono dunque chiaramente rivelati dalla posizione della principale camera funeraria, e forse anche dal tipo di banchetto in uso nel monumento. Questa situazione non può stupire nell'ambiente di una società aristocratica dove i valori militari, esaltati da più un secolo di lotte contro Roma, e divenuti particolarmente cruciali dopo la caduta di Veio nel 396 a.C., erano tesi a difendere l'indipendenza delle città-stato e la sopravvivenza stessa del *nomen* etrusco. Essi presero il passo su altri valori che avevano, un tempo, fatto dell'Etruria un caso a parte

---

[39] Cf., per ultimo, I. KRAUSKOPF, *Gods and Demons in the Etruscan Pantheon*, in J. MacINTOSH TURFA (dir.), *The Etruscan World*, Londres, 2013, p. 513-538.

[40] GOVI 2017. I due templi sono orientati nord/sud, quello di Uni ad est di quello di Tinia.

nell'ambito del mondo mediterraneo. In questo quadro, il nesso cosmologico tra l'ingresso della camera 1 e la figura di Tinia Cilens, custode delle porte, potrebbe anche alludere al ruolo dell'aristocrazia etrusca a custodia delle porte del proprio territorio, e della propria città.

Datazione e confronti
La ceramica rinvenuta intorno alla sala di banchetto, e all'interno del *dromos*, copre un arco cronologico compreso tra l'ultimo quarto del IV secolo e quello del II secolo a.C. Le più antiche testimonianze direttamente riferibili a cerimonie eseguite sul posto, con celebrazione del banchetto funerario, sono i frammenti di coppe del Gruppo del Foro e del Gruppo delle Patere Sottili di Tarquinia, databili nell'ultimo quarto del IV secolo, nel corso del quale il monumento doveva essere già pienamente fruibile, sia per deposizioni che per feste o banchetti legati al culto dei morti.

Nonostante la scarsità di questi indizi, un parallelo alla cronologia indicata nel caso in esame può essere individuato nella tomba più monumentale della necropoli rupestre di Norchia, sita a meno di 10 km a sud-ovest di Grotte Scalina. L'esempio più vicino alla tomba di Grotte Scalina[41] è infatti sicuramente la tomba Lattanzi (fig. 33), l'ipogeo gentilizio dei *Churcle*, scavato nel 1852 ed oggi in gran parte distrutto, che non è mai stato oggetto di un'edizione scientifica[42]; il più antico sarcofago ivi rinvenuto risalirebbe all'ultimo quarto del IV sec. a.C.[43]
Il monumento è stato oggetto nel 1925 di una restituzione grafica, passata successivamente nei manuali, che il suo stesso autore presentava tuttavia esplicitamente come un semplice "tentativo"[44]. A giudicare dalle restituzioni pubblicate, i punti comuni tra i due sepolcri sono numerosi: posizione topografica; proporzioni del monumento; dimensioni della porta, al di

sopra della quale erano scavate nicchie; divisione della facciata secondo due livelli; aspetto generale del piano inferiore, con massicce colonne scanalate che presentano pressappoco, alla loro base, le stesse dimensioni[45]; presenza di due *dromoi* perpendicolari[46]. La tomba Lattanzi presenta tuttavia alcune differenze significative: il *dromos* non taglia in due parti la sala inferiore (di banchetto?) della tomba, ma passa al disotto formando un corridoio sotterraneo; il piano superiore, che sembra avesse presentato caratteristiche architettoniche abbastanza diverse, mostra una scala di accesso al tetto solo sul lato destro. In assenza di ogni elemento conservato della decorazione scultorea della tomba di Grotte Scalina, quanto rimane di essa nella tomba Lattanzi - un animale protettore del sepolcro scavato nel vivo del masso tufaceo, sfinge, chimera o leone[47], ed un architrave decorato con grifi e rosoni[48] - potrà contribuire ad arricchire la sua restituzione. Va notato che alcune tombe a dado di Norchia si presentano come un tipo intermediario tra queste tombe e quelle, più semplici, a dado o semidado: il tetto del loro vano di sottofacciata, talvolta dotato di panchine, poggia su due massicce colonne[49].
Un altro parallelo in termini di monumentalità, ma chiaramente meno vicino dal punto di vista architettonico, è quello della tomba Ildebranda di Sovana[50] (fig. 34-35), posteriore di qualche decennio, a giudicare dalle sue caratteristiche stilistiche: le proporzioni del monumento sono le stesse, ma esso se ne discosta soprattutto per il chiaro riferimento ad un edificio sacro esastilo pseudoperiptero. Particolarmente interessante risulta tuttavia, nella tomba sovanese, la presenza, a destra del *dromos* principale, di

---

[41] La presenza di una tomba apparentemente similare "all'estremità [nord] della collina, propriamente al di sotto del sito abitato" di Musarna, segnalata da L. Rossi Danielli, in CATALANO 1982, p. 15, ha probabilmente generato una confusione topografica con la tomba di Grotte Scalina: le prospezioni realizzate in questo settore, effettivamente occupato da un'ampia necropoli sita ai due lati della strada che connetteva Musarna con la sottostante vallata della Leia, non hanno dato alcun esito positivo.

[42] Tuttora fondamentali, vista questa situazione, rimangono i contributi di ROSI 1925 e GARGANA 1935.

[43] COLONNA 1978, p. 46 e 380-381.

[44] ROSI 1925, p. 39.

[45] Anche se la modanatura della tomba Lattanzi è diversa, con un toro dal diametro di solo 1,40 m: GARGANA 1935, p. 3.

[46] Alla tomba Lattanzi, tuttavia, l'accesso alla camera funeraria laterale, sempre sita sulla destra del dromos principale, avviene all'interno della parte di tale dromos scavata a corridoio, e non a cielo aperto.

[47] Come nella tomba dei Demoni Alati di Sovana: Aa.Vv. 2010, tav. XXXIV. Nel caso di Grotte Scalina, la presenza di due basi in corrispondenza dei pilastri laterali della sala di banchetto consente di ipotizzare la presenza di due animali apotropaici.

[48] Ad es. con grifi intrecciati con motivi floreali, presenti sia nella tomba Lattanzi che nella tomba Ildebranda di Sovana.

[49] ROMANELLI 1986, p. 71.

[50] BIANCHI-BANDINELLI 1929, p. 76-100.

un secondo *dromos* perpendicolare, ambedue orientati come quelli di Grotte Scalina. A Sovana, le due camere ipogee presentano una pianta cruciforme simile, ma il soffitto di quella laterale è stato trattato con molta più cura, quasi a sottolineare il riferimento alla casa, e dunque ai membri femminili della famiglia: potrebbe dunque trattarsi, come a Grotte Scalina, di due camere funerarie contemporanee l'una all'altra, forse funzionali ad una separazione dei defunti secondo il loro genere.

Il parallelo offerto dalla *tomba Grande* di Castel d'Asso (fig. 36), databile entro la prima metà del III secolo a.C.[51], non è altrettanto vicino, se non per le proporzioni generali del monumento, lievemente inferiori a quelle di Grotte Scalina: infatti, esso si collega ad un tipo di architettura funeraria ben distinto, quello della tomba a dado e sottofacciata, e si riferisce dunque ad un modello di edificio residenziale aristocratico. Risulta tuttavia interessante, come nel caso di diversi altri grandi sepolcri di Norchia, la presenza di due scale di accesso alla sommità del monumento, ai due lati della facciata, che potrebbero indicare uno svolgimento delle cerimonie funebri analogo a quello consentito dalle due scale simmetriche del monumento di Grotte Scalina, forse legato alla separazione dei generi durante la celebrazione del culto dei morti[52].

Molto meno monumentali, ma estremamente interessanti come confronti, sono alcuni sepolcri di Corchiano alla Madonna del Soccorso[53] e, soprattutto, in località S. Giovenale[54]: la tomba del Capo (fig. 37), larga 5 m, è preceduta da un vano di 2 m di profondità per 2 m di altezza, dotato di una finta porta e di due panchine lungo il muro del fondo. Tale vano presenta in facciata due colonne, inquadrate da due pilastri. Come a Grotte Scalina, il *dromos* lungo 10 m, la cui estremità coincide con la facciata interna del sepolcro, divide lo spazio porticato in due. La camera ipogea, subquadrata, è dotata lungo le sue pareti di nicchie rettangolari, secondo l'uso nelle necropoli falische, e la camera presenta una colonna centrale. La simi-

litudine tra i due monumenti, se si escludono le loro importanti differenze di dimensioni[55] e di sistemazioni interne, sembrano riflettere l'influsso della grande architettura sepolcrale della Tuscia viterbese sui centri minori del distretto tiberino[56], che si spiegherebbe bene se, come è stato ipotizzato, Corchiano fosse stata, in età ellenistica, sottocolonia di Tarquinia[57].

Una potente famiglia tarquiniese a contatto con il mondo mediterraneo

Questo breve esame permette di accertare che la tomba di Grotte Scalina non si riferisce al modello del palazzo aristocratico (tomba Grande di Castel d'Asso), né a quello della tomba tempio (tomba Ildebranda di Sovana) né, più specificamente, a quello di un tempio tuscanico distilo *in antis*, come potrebbe suggerire l'aspetto massiccio delle sue colonne e la modanatura della loro base, nonché la scansione della sua facciata secondo il modulo classico 3-4-3. Viste le strette affinità con la tomba Lattanzi di Norchia, e nonostante alcune differenze dovute alla topografia originaria del costone di tufo nel quale le due tombe sono state scavate, nonché probabilmente a scelte individuali dettate dalla committenza, è chiaro che i due monumenti sono stati realizzati dalle stesse maestranze, nel corso degli stessi anni.

Nell'ultimo quarto del IV secolo a.C., l'unico modello-prototipo che possa aver ispirato una realizzazione così singolare è rappresentato dall'ingresso, architettonicamente allora del tutto rivoluzionario, dei palazzi macedoni di Vergina (fig. 38) e di Pella[58], la cui imponente facciata era dotata di due filari sovrapposti di colonne sormontate da un frontone triangolare, che vennero presto imitati nelle tombe monumentali macedoni e in una serie di altri monumenti pubblici o privati[59]. La presenza delle tre nicchie al disopra della finta porta

[51] COLONNA 1970, p. 163-168.

[52] Si nota anche la presenza di due scale simmetriche nella parte opposta alla facciata della monumentale tomba Torlonia, nella necropoli di Monte Abatone a Cerveteri, che viene datata alla fine del IV sec. a.C.: PAPI 2010.

[53] COLONNA 1990, p. 127-135.

[54] FREDERIKSEN-WARD PERKINS 1957, p. 125-126.

[55] La tomba del Capo è ridotta ad un terzo in confronto a quella di Grotte Scalina.

[56] Nel caso specifico, la tomba si trovava accanto ad un *pagus*: Aa.Vv. 1972, p. 34-38.

[57] COLONNA 1990, p. 122-123.

[58] DESCAMPS-CHARATZOPOULOU 2011, p. 287-293 (Vergina) e 294-295 (Pella).

[59] A. GARGANA non poteva ancora essere a conoscenza di queste testimonianze archeologiche, ma egli avverte nella tomba di Norchia un netto influsso dell'Oriente ellenistico, che vorrebbe riferire a Sostrato di Cnido, se la cronologia che propone per la tomba - ultimo quarto del IV sec. a.C. - non fosse incompatibile con tale ipotesi: Gargana 1935, p. 8.

della tomba, che richeggia le tre teste poste al disopra delle porte pubbliche etrusche, come a Volterra (fig. 39), e che si ritrova anche nella tomba delle Tre Teste di Norchia[60], enfatizza la trasformazione di questo ingresso palaziale macedone in un punto di passaggio solenne verso l'Aldilà. Per un periodo così remoto, più che ad una mera circolazione di modelli tramite l'Italia meridionale, che non offre esempi di simili monumenti, risulta più verosimile ipotizzare un contatto diretto dell'aristocrazia etrusca con la corte di Filippo II o di Alessandro. Numerosi elementi invitano infatti a rivalutare l'influenza della Macedonia sull'Etruria all'inizio dell'epoca ellenistica, testimoniata - tra l'altro - dall'architettura e dalla decorazione di diverse tombe aristocratiche di Cerveteri, Tarquinia, Vulci e Cortona[61]. Si può ipotizzare che membri delle *élites* etrusche si recassero in Macedonia per legami di amicizia o per commerci, oppure come ambasciatori in missione per richiedere un intervento militare della monarchia macedone contro Roma, come del resto lo fecero alcuni popoli dell'Italia meridionale, fautori dello sbarco nella Penisola di condottieri macedoni od epiroti, da Alessandro il Molosso a Pirro... Stupiti dallo splendore del tutto unico, nel corso del primo periodo ellenistico, di questi palazzi, e soprattutto dai loro solenni ingressi monumentali, essi avrebbero deciso di riprodurre nelle proprie tombe, una volta ritornati in Etruria, quello che rappresentava ormai per loro la forma più maestosa possibile di un ingresso trionfale (fig. 40).

Grotte Scalina e Musarna

La presenza di una tomba di altissimo livello, isolata in mezzo alla campagna, potrebbe spiegarsi con quella di una *villa* aristocratica di proprietà della stessa famiglia, forse sita sulla sponda opposta del Rio Secco, dove estensivi lavori agricoli svolti nel corso del secolo scorso lasciano poca speranza di poterne individuarne un giorno le tracce. Tuttavia, la spiegazione della presenza di un monumento così eccezionale va probabilmente ricercata nella prossimità con la città di Musarna dove, nella stessa epoca, la necropoli sembra caratterizzarsi esclusivamente da tombe a cassone individuali di tipo uniforme, che riflettono l'isonomia dei

primi coloni[62]. Orientata verso la città, e probabilmente in connessione visiva con essa, la tomba di Grotte Scalina potrebbe dunque essere stata creata da un personaggio di alto rango dell'aristocrazia tarquiniese che aveva consentito o incentivato sulle proprie terre la creazione della nuova città, come contributo all'azione militare dovuto dall'élite della città tarquiniese per cercare di contrastare la minaccia romana[63]. Si può ipotizzare che questa famiglia abbia perso, con la vittoria romana, la sua posizione eminente all'interno della città: sia i sarcofagi che il materiale rinvenuto nelle due tombe, databile nei III-II secolo a.C., riflettono uno statuto sociale ormai di rango abbastanza mediocre.

3. *L'età romana*

Dopo la conquista definitiva dell'Etruria ad opera di Roma, le campagne viterbesi rimasero densamente occupate da popolazioni addette al lavoro della terra e all'allevamento del bestiame. Le due camere funerarie di Grotte Scalina testimoniano del resto, come si è visto, un'occupazione ancora pienamente etrusca, compresa tra l'inizio del III secolo e la metà del II secolo a.C.

L'età imperiale è scarsamente documentata, nonostante la persistenza di una densa occupazione nel corso di questo periodo, del vicino sito di Musarna. Sembra riferibile a quest'epoca la prima depredazione del complesso funerario, com'è sicuramente documentato per la tomba 1: in effetti, il blocco superiore della chiusura della camera è stato rinvenuto adagiato sul fondo del *dromos*, spostato di 2,70 m rispetto alla sua posizione originaria. Pertanto si può escludere che sia stato spostato in età medievale, moderna o contemporanea: questa prima depredazione dev'essere intervenuta poco dopo l'abbandono della tomba, nel I sec. a.C., se non addirittura nella seconda metà del secolo precedente. Anche in assenza di elementi decisivi al riguardo, si può supporre che la tomba 2 sia stata depredata, per la prima volta, alla stessa epoca.

Disponiamo tuttavia di una testimonianza di un riuso funerario del sito con i resti, scarsamente conservati, di una tomba infantile scavata in una piccola fossa sulla sommità del riempimento del *dromos* della tomba 2. Tale sepoltura, apparentemente del tutto isolata, è stata

---

[60] STEINGRÄBER 2006.

[61] Per un quadro generale, anche se tuttora preliminare, degli indizi di rapporti stretti tra Etruria e Macedonia, vd. JOLIVET 2016.

[62] BROISE-JOLIVET 1997, p. 1337-1341.

[63] Grotte Scalina faceva sicuramente parte del territorio di Musarna: BROISE-JOLIVET 2009.

datata, tramite ^{14}C, intorno al 230 d.C.

4. L'età medievale

Nel corso del Medioevo, la Tuscia viterbese sembra caratterizzata da una notevole rarefazione dell'occupazione agricola, nonostante la creazione di una serie di villaggi fortificati o di piccoli castelli sparsi in modo capillare in tutto il territorio[64].

La presenza di due piccole grotte (fig. 41-42) scavate poco al di sotto della sommità del dirupo roccioso nel quale è stata ricavata la tomba, ai lati di essa, invita ad ipotizzare la presenza di un piccolo complesso eremitico, databile, sulla base della ceramica e dei resti antropologici raccolti, tra l'VIII ed il XIII secolo - in concomitanza con la presenza di un villaggio nel vicino sito di Cordigliano[65]. Nel materiale osteologico della tomba arcaica occidentale, raccolto e apparentemente riesumato con una certa cura in età rinascimentale o moderna, due scheletri databili tra il 670 ed il 990 d.C. potrebbero essere collegati con la presenza di questa comunità monastica. Sulla faccia meridionale di un grande masso di tufo caduto a sud-est della tomba, è stato scavato, in età medievale o moderna, un piccolo riquadro (15 x 15 cm, prof. 8 cm) che richiudeva probabilmente un'immagine o un simbolo cristiano dipinto su uno strato d'intonaco[66].

La scala orientale della tomba è stata rinvenuta chiusa, nella sua parte superiore, da un muro formato di grossi blocchi di tufo, conservato per tre filari sovrapposti (fig. 43). Questa sistemazione faceva parte del sistema difensivo dell'estremità meridionale del pianoro che sovrasta la tomba, la cui cinta muraria seguiva, a nord, il lato settentrionale di una cava antica e medievale, ben visibile sulle fotografie aeree della zona, e che rimane percettibile nella topografia del campo attuale. Lo smontaggio del muro, resosi necessario per ragioni di sicurezza, ha consentito di raccogliere all'interno del suo riempimento alcuni cocci databili al XII-XIII secolo d. C., che danno un *terminus post quem* per questa opera difensiva, confermato

dalla ceramica raccolta sul pianoro.

È possibile che il crollo di gran parte della facciata del monumento, dovuto a cause naturali, o a problemi di natura strutturale[67], sia stato completato nel corso di questo periodo, in modo da difendere meglio l'insediamento del pianoro sovrastante.

5. L'età moderna

Nell'età moderna - forse in modo non del tutto dissimile dall'occupazione della campagna in età etrusca -, la Tuscia viterbese presentava ampie aree boschive, ma anche immense tenute possedute dall'alta borghesia o dall'aristocrazia del suo capoluogo, allora fiorente. È nel corso di questo periodo che va datato un intervento decisivo che consentì un nuovo sfruttamento, radicalmente differente, del monumento.

Nonostante il crollo di gran parte della facciata, infatti, il poderoso riporto di terra accumulato davanti al monumento, scavato nel corso delle prime indagini archeologiche, non conteneva quasi nessun blocco proveniente della sua distruzione. Tale situazione è radicalmente diversa nella tomba gemella di Norchia, alla quale si accede oggi a mala pena in mezzo ad un vero e proprio dedalo di blocchi di tufo. Se ne può dedurre che la tomba è stata accuratamente ripulita, senza tuttavia che le sue pareti fossero state riutilizzate per appoggiare nuove costruzioni, case o stalle. Le uniche testimonianze della presenza di strutture lignee davanti ad essa sono diverse serie di buchi di palo, quasi sicuramente posteriori a questi lavori di pulizia, che testimoniano la presenza di strutture lignee, tra cui forse un riparo eretto di fronte alla finta porta. Ad est della sala di banchetto funebre, l'ambiente rettangolare scavato nel tufo (4,10 x 4,30 m), originariamente accessibile tramite una semplice porta, ampliata successivamente fino a tutta la larghezza del vano, risale probabilmente alla stessa fase; esso presenta in tutti i suoi quattro angoli una fossa circolare poco profonda, dalla funzione indeterminata[68].

---

[64] MILIONI 2002, p. 72-73.

[65] BROISE-JOLIVET 1987, p. 506.

[66] In contrasto con altri siti frequentati nell'ambito del culto cristiano, l'assenza di segni religiosi potrebbe spiegarsi se questi, invece che incisi nel tufo, fossero incisi o dipinti sulle pareti dipinte allora conservate della tomba - come nel caso della tomba Bartoccini di Tarquinia (vd., in questo stesso volume, il contributo di G. Curzi e C. Tedeschi).

[67] La tomba Lattanzi presenta lo stesso tipo di distruzione, che ha portato via la terrazza intermediaria e la parte anteriore del tetto del monumento.

[68] Va segnalato che tale sala è tuttora in contatto acustico, tramite le fessure del banco di tufo, con la grotta sovrastante: se non si tratta di un caso fortuito, significherebbe che la grotta era ancora occupata da un eremita, in grado di interagire con i pellegrini senza alcun contatto fisico o visuale. Un apprestamento similare s'incontra in alcune

Al termine di questi lavori, il monumento doveva presentarsi più o meno nelle condizioni in cui lo conosciamo oggi, ad eccezione, forse, della colonna di sinistra, di cui un pezzo del fusto è stato rinvenuto nello scavo: come alla tomba Lattanzi, dove parte del fusto delle colonne è tuttora conservato, è possibile che una minima parte del loro alzato fosse stato risparmiato dal crollo della struttura. Il lavoro di sgombero della piattaforma, per scopi che non sembrano puramente utilitari, dovette essere un intervento molto impegnativo, vista la quantità ed il volume dei blocchi da spostare, che risulta difficile spiegare oggi in base alla suggestione del luogo o alla semplice presenza di eremiti, anche se non si può escludere l'eventualità che uno di essi avesse acquistato fama o prestigio tale da attirare un flusso di fedeli presso di sé. Inoltre, la presenza di una ricca ed abbondante ceramica (maiolica toscana e di imitazione locale, ceramica comune), databile, in linea di massima, tra la metà del XVI ed il XVIII secolo, indica una intensa frequentazione del sito per circa tre secoli.

La spiegazione della scelta di questo luogo è stata rivelata dalla felice scoperta, nel 2015, di una medaglia giubilare dell'ultimo quarto del XVII secolo[69] che reca la raffigurazione dei due monumenti più importanti del Giubileo romano, la Porta Santa e la Scala Santa, seguita, nel 2017, da quella di un quattrino di Clemente VIII coniato nell'anno giubilare 1600, raffigurante sul rovescio lo stemma del papa, sul dritto la Porta Santa. Questi due reperti documentano con sicurezza una frequentazione del sito in connessione con i monumenti giubilari romani, almeno per tutto il XVII secolo. Anche tenendo conto dello stato di distruzione probabile del monumento in età rinascimentale, erano ancora ben visibili ed evidenti la finta porta etrusca e la scala monumentale ad ovest della facciata. Fu dunque deciso, probabilmente intorno alla metà del XVI secolo, di liberare il monumento dai blocchi caduti che l'ingombravano. Possediamo addirittura la prova del fatto che questa scala, ad imitazione di quella di Roma, poteva essere salita in ginocchio da fedeli: nella sua parte bassa, laddove i suoi gradini erano par-

zialmente spariti, sono state scavate coppie di piccole fosse destinate ad agevolare la salita ; alla sommità della scala, il pianerottolo antico è stato riadattato al suo nuovo uso, con una scanalatura (fig. 44), nella quale veniva incastrata, come a Roma, una raffigurazione, su legno o pietra, di Cristo in croce[70]; infine, sulla sinistra della scala, il tufo è stato sagomato per poter accogliere una statua, e non è escluso che lo stato di conservazione del monumento in età rinascimentale, a destra della scala, abbia consentito di sistemarne un'altra - in questo caso, come nel modello originario, si tratterebbe dei SS. Pietro e Paolo, che compaiono sulle medaglie di Giubileo ai due lati della Scala Santa.

Anche se la medaglia devozionale potrebbe far pensare ad un pellegrino morto al ritorno da Roma, le due camere funerarie etrusche non furono probabilmente mai riaperte, né riadoperate ad uso funerario in età moderna, e la tomba arcaica non conteneva defunti posteriori al X secolo d.C. Risulta tuttavia altamente verosimile, nella prossimità della tomba, la presenza di un luogo di sepoltura destinato ai pellegrini o, più generalmente, a chi moriva in campagna, e voleva essere sepolto in terra sacra[71].

Nel corso del XVIII secolo, Grotte Scalina faceva parte della grande tenuta di una famiglia di mercanti di Viterbo, i De Gentili, che ottenne dal papa Clemente XII, nel 1733, insieme al titolo nobiliare, il permesso di organizzare una fiera annuale sui suoi terreni[72]. Essa si teneva sicuramente vicino alla strada Tuscanese che li delimita a nord, ossia molto vicino alla zona dove si trova la tomba (fig. 45). Divenuta, ormai da circa due secoli, luogo di culto, essa costituiva sicuramente un punto di attrazione importante. La ceramica rinvenuta sul sito, che ne documenta la frequentazione in connessione con il Giubileo romano, non sembra tuttavia posteriore al XVIII secolo.

La disaffezione per il piccolo luogo di culto rupestre potrebbe spiegarsi dall'assenza completa di anno giubilare per un mezzo secolo, tra il 1775 (Clemente XIV) ed il 1825 (Leone XII), a causa delle vicende politiche che investi-

---

chiese rupestri della Cappadocia, dove la chiesa è collegata, in vari modi, con la cella eremitica: vd., per ultimo, JOLIVET-LEVY 2015, I, p. 142 (vallata di Devrent, chiesa n° 1) e 164 (Nar).

[69] Vd., in questo stesso volume, il contributo di L. PESANTE.

[70] Non è escluso, tuttavia, che tale scanalatura abbia fatto parte del sistema di evacuazione delle acque della tomba etrusca; un sistemazione similare è stata segnalata nella tomba Lattanzi (GARGANA 1935, p. 4: "canaletto").

[71] Vd., in questo stesso volume, il contributo di M. P. DONATO.

[72] Vd., in questo stesso volume, il contributo di L. PESANTE.

rono l'Italia nel corso del periodo napoleonico: proprio nel 1800, la campagna d'Italia impedì, per la prima volta da 500 anni, lo svolgimento del tradizionale giubileo di inizio secolo.

6. *L'età contemporanea*

Il secolo successivo è segnato da mutazioni profonde, che hanno portato alla nascita dello Stato italiano, e al suo scontro con lo Stato Pontificio, il cui Patrimonio, confiscato nel 1870, includeva la Tuscia Viterbese. La disaffezione per il pellegrinaggio si iscrive probabilmente in questo complesso e mutevole quadro politico, che generò una crescente insicurezza nelle campagne, dove ricompare a quest'epoca la figura del brigante, solitario o più o meno saldamente legato a qualche gruppo politico, già ben presente in questa regione nel corso del XVI secolo. Particolarmente ben documentata in questa regione, la presenza di briganti - tra cui il famoso Domenico Tiburzi, giustiziato nel 1896 - ha potuto giocare un ruolo nell'abbandono definitivo del luogo di culto.

Prima della riscoperta della tomba, nel 1998, e l'inizio del suo studio sistematico, nel 2010, e al difuori dell'uso della grotta sita ad ovest della tomba per nascondere beni alimentari, nel corso dell'ultima guerra mondiale, l'unica attività documentata sul sito risulta essere la depredazione della tomba, operata all'inizio degli anni settanta del secolo scorso, che portò all'asportazione dell'unico coperchio figurato contenuto all'interno della tomba 1. Nello stesso periodo, il bosco che occupava il pianoro sovrastante è stato eliminato con mezzi meccanici pesanti, di cui si sono riportate alla luce tracce sul banco di tufo nel corso dello scavo eseguito a ridosso della parte superiore della tomba. Tali interventi hanno portato alla distruzione completa della stratigrafia legata al sito medievale e alle frequentazioni successive al disopra del tetto della tomba. Prima dell'inizio dello scavo, la grotta che si apre al lato del monumento era stata inoltre scelta dalle mucche del gregge della tenuta Pepponi come luogo di parto.

Nel corso degli ultimi anni, nell'ambito del programma di scavo, sono state realizzate diverse sistemazioni destinate ad agevolare l'accesso al sito (scalinate lignee), a proteggerlo dagli animali (staccionate intorno al complesso funerario) e dagli scavatori clandestini (chiusura della porta della tomba 1), a consolidare il monumento (restauro delle pareti del *dromos* della tomba 1), e a garantire la sicurezza dei visitatori (ringhiere poste lungo i due *dromoi* delle tombe). Sono queste solo le ultime pagine di una storia più che bimillenaria, che però non segnano la fine della narrazione ma attendono ancora un prosieguo, forse inatteso e imprevedibile.

Bibliografia

AA.VV. 1972: G. F. Gamurrini, A. Cozza, A. Pasqui e R. Mengarelli, *Carta archeologica d'Italia (1881-1897). Materiali per l'Etruria e la Sabina*, Firenze 1972.

AA.VV. 2010: Aut. Div., *La tomba dei Demoni Alati di Sovana*, Siena, 2010.

BERRENDONNER-VAN HEEMS 2016: C. Berrendonner e G. van Heems, *Grotte Scalina (Viterbo)*, Rivista di Epigrafia Etrusca, Studi Etruschi 79, 2016, in corso di stampa.

BIANCHI BANDINELLI 1929: R. Bianchi Bandinelli, *Sovana. Topografia ed arte*, Firenze, 1929.

BOETHIUS-WARD PERKINS 1970 : A. Boethius et J. B. Ward Perkins, *Etruscan and Roman Architecture*, Harmondsworth, 1970.

BROISE-JOLIVET 1987: H. Broise et V. Jolivet, *Musarna (Viterbe)*, Mélanges de l'École française de Rome 99, 1987, p. 505-506.

BROISE-JOLIVET 1997: H. Broise et V. Jolivet, *Une colonie étrusque en territoire tarquinien*, Comptes Rendus de l'Académie des Inscriptions et Belles Lettres, 1997, p. 1327-1350

BROISE-JOLIVET 2009 : H. Broise et V. Jolivet, *Première approche du territoire de Musarna*, dans F. Dumasy et F. Queyrel (dir.), *Archéologie et environnement dans la Méditerranée antique*, Ginevra, 2009, p. 95-106.

CATALANO 1982: V. Catalano, *Da Musarna a San Francisco*, Viterbo, 1982.

COLONNA 1967: G. Colonna, *L'Etruria Meridionale interna dal Villanoviano alle tombe rupestri*, Studi Etruschi 35, 1967, p. 3-30.

COLONNA 1970: E. Colonna di Paolo e G. Colonna, *Castel d'Asso*, Roma, 1970.

COLONNA 1978: E. Colonna di Paolo e G. Colonna, *Norchia*, Roma, 1978.

COLONNA 1990: G. Colonna, *Corchiano, Narce e il problema di Fescennium*, in *Civiltà dei Falisci. Atti del XV convegno di Studi etruschi ed italici*, Firenze, 1990, p. 111-140.

DESCAMPS LEQUINE-CHARATZOPOULOU 2011: S. Descamps-Lequine e K. Charatzopoulou (a cura di), *Au royaume d'Alexandre le Grand. La Macédoine antique*, cat. di mostra, Parigi, 2011.

FREDERIKSEN-WARD PERKINS 1957: M. W. Frederiksen e J. B. Ward Perkins, *The Ancient Road Systems of the Central and Northern Ager Faliscus*, Papers of the British School at Rome 25, 1957, p. 67-203.

GARGANA 1935: A. Gargana, *Note per lo studio archi-*

tettonico della tomba Lattanzi di Norchia, Bollettino Municipale. Comune di Viterbo, 8, 1935, p. 3-9.

GIANNINI 2003: P. Giannini, *Centri etruschi e romani dell'Etruria meridionale*[3], Grotte di Castro, 2003.

GOVI 2017 : E. Govi, *La dimensione del sacro nella città di Kainua-Marzabotto*, in E. Govi (a cura di), *La città etrusca e il sacro. Santuari e istituzioni politiche*, Bologna, 2017, p. 145-180.

JOLIVET 2013: V. Jolivet, *Civita Musarna tra passato, presente ed avvenire*, FOLD&R, 2013, www.fastionline.org/docs/FOLDER-it-2013-283.pdf

JOLIVET 2016: V. Jolivet, *Macedonia and Etruria at the Beginning of the Hellenistic period: A Direct Link*, dans D. Katsonopoulou et E. Partida (dir.), *ΦΙΛΕΛΛΗΝ/ PHILHELLENE. Essays presented to Stephen G. Miller [τιμητικός τόμος για τον Καθηγητή Στέφανο Μίλλερ]*, Athènes, 2016, p. 317-333.

JOLIVET-LEVY 2015: C. Jolivet-Levy, *La Cappadoce un siècle après G. de Jerphanion*, Parigi, 2015.

MILIONI 2002: A. Milioni, *Carta archeologica d'Italia. Viterbo I*, Viterbo, 2002.

NIELSEN 1999: M. Nielsen, *Common Tombs for Women in Etruria: Buried Matriarchies?*, in P. Setälä e L. Savunen, *Female Networks and the Public Sphere in Roman Society*, Roma, 1999 (*AIRF* 22), p. 65-136.

PALLOTTINO 2006: M. Pallottino, *Etruscologia*[8], Milano, 2006.

PAPI 2010: R. Papi, *Il tumulo Torlonia di Caere*, Roma, 2010.

ROMANELLI 1986: R. Romanelli, *Necropoli dell'Etruria rupestre. Architettura*, Viterbo, 1986.

ROSI 1925: G. Rosi, *Sepulcral Architecture as Illustrated by the Rock Facades of Central Etruria*, *Journal of Roman Studies* 15, 1925, p. 1-59.

SCRIATTOLI 1920: A. Scriattoli, *Viterbo nei suoi monumenti*, Roma, 1915-1920.

STEINGRAEBER 2006: S. Steingräber, *Figürlicher architektonischer Fassadenschmuck in Etrurien*, in P. Amann, M. Pedrazzi e H. Taeuber (a cura di), *Festschrift für Luciana Aigner Foresti*, Vienne, 2006, p. 335-340.

1. Veduta d'insieme del monumento in direzione del nord (B. Houal).

2. La parte visibile della tomba intorno al 1900; i due personaggi sono Luigi Rossi Danielli e, probabilmente, Andrea Scriattoli (da Catalano 1982, fig. 2).

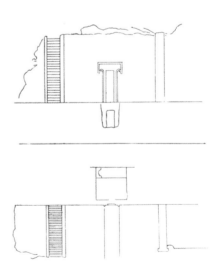

3. Prospetto del monumento e pianta della tomba, intorno al 1900 (da Rossi Danielli 1962, p. 239).

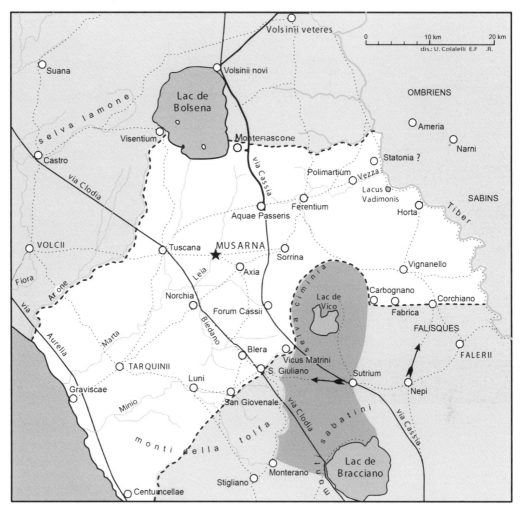

4. Il territorio di Tarquinia nel IV sec. a.C.

5. Le due tombe arcaiche, verso nord.

Fig. 6. Il livello inferiore del monumento, verso nord (M. Letizia).

8. La sala di banchetto: dettaglio di un letto, verso nord.

7. Dettaglio della finta porta, verso nord (M. Letizia).

9. La modanatura della base di colonna est, verso nord-ovest (M. Letizia).

11. Grotte Scalina, la scala orientale di accesso al tetto del monumento, verso nord.

10. Ad ovest, la scala di accesso al primo piano del monumento, verso nord-ovest (M. Letizia).

12. Sommità della tomba, la sala orientale, verso nord.

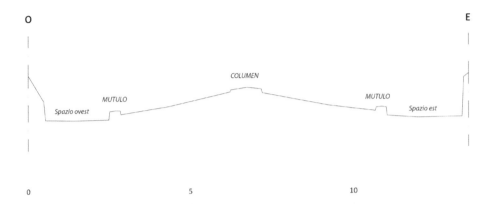

O   E

COLUMEN

MUTULO   MUTULO

Spazio ovest   Spazio est

0   5   10

13. Sezione est/ovest sul tetto a doppio spiovente della tomba, con il *columen* ed i *mutuli*.

16. Frammento di coppa falisca del Gruppo del Foro, dal riempimento del *dromos* della tomba 1.

14. Il *dromos* della tomba 1, verso nord.

17. Pettine di osso frammentario, dal riempimento del *dromos* della tomba 1.

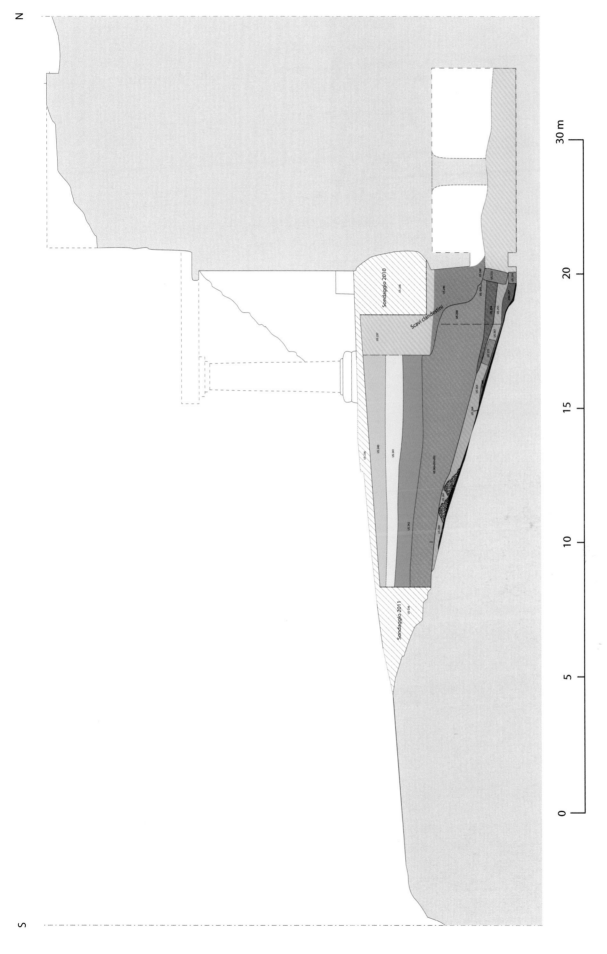

15. Sezione sud / nord del *dromos* della tomba 1.

18. L'ingresso della tomba 1, con i fori di chiodi per la sospensione di vasi o corone.

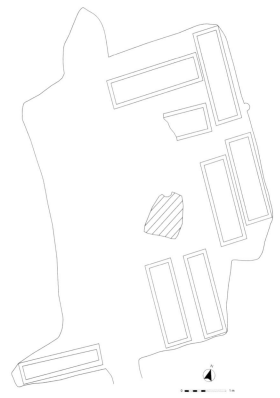

20. Pianta della tomba 1.

21. Interno della tomba 1, l'iscrizione su sarcofago: *vi:larth*.

19. L'interno della tomba 1 dopo la fine dello scavo (M. Letizia).

22. Interno della tomba 1, oggetti legati alla sfera del gioco.

23 Interno della tomba 1, assi di bronzo alla prora.

24. Il *dromos* della tomba 2, verso est.

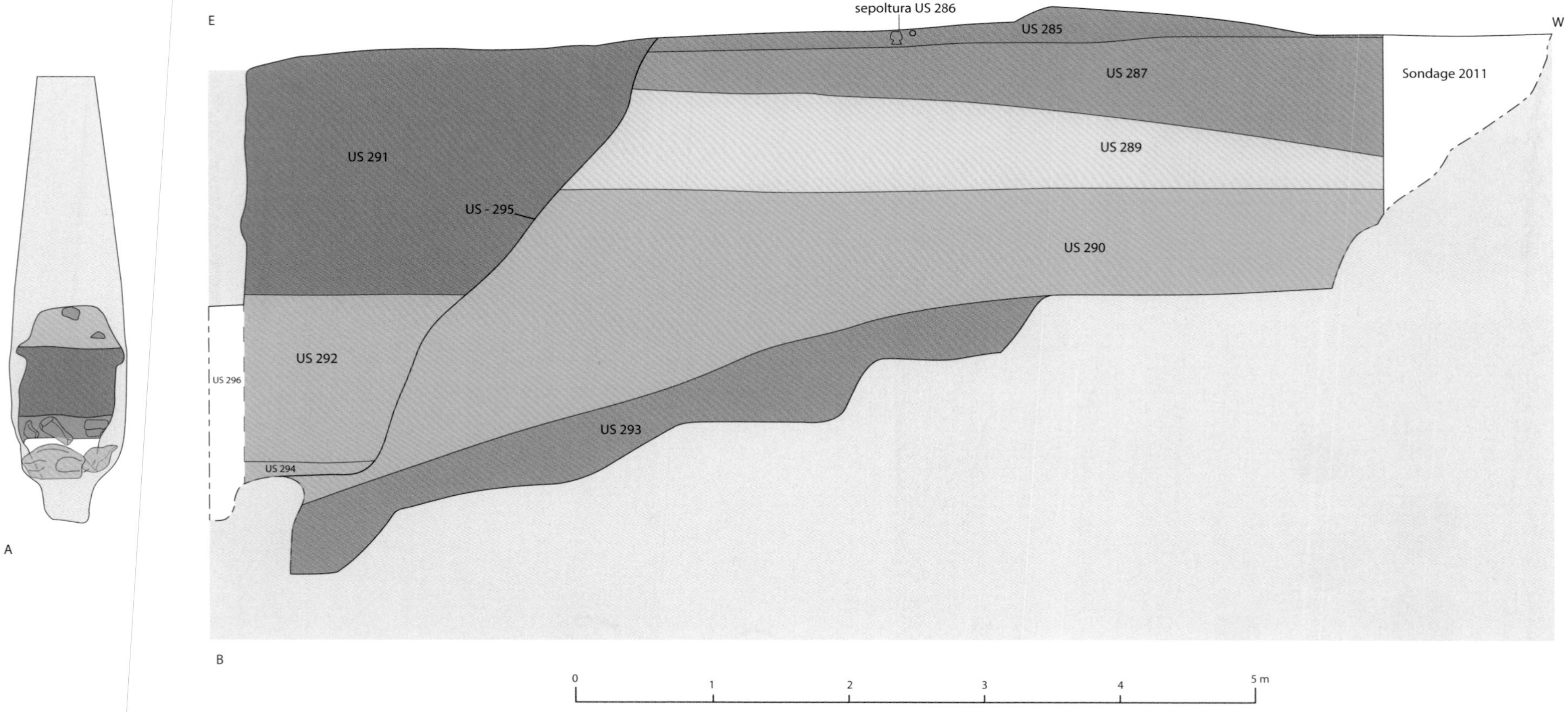

W

Sondage 2011

US 285

US 287

US 289

US 290

sepoltura US 286

US - 295

US 291

US 292

US 293

US 294

US 296

E

B

0   1   2   3   4   5 m

A

25. Sezione est / ovest del *dromos* della tomba 2.

26. La tomba 2 dopo la fine dello scavo (foto G. Seiwerth).

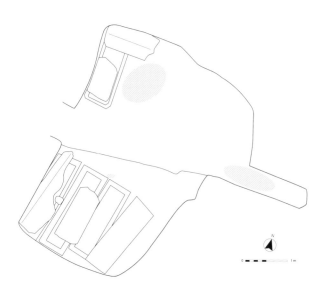

27. Pianta della tomba 2.

28. Interno della tomba 2, i sarcofagi iscritti, verso sud (dettaglio).

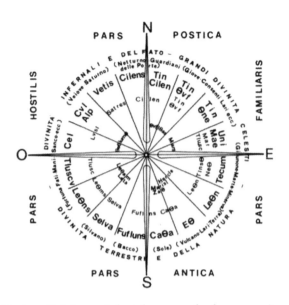

29. Interno della tomba 2, piedi di cista con figura ammantata.

30. La divisione del cielo secondo la concezione etrusca (da PALLOTTINO 2006, p. 335).

31. Sala di banchetto, il letto del *paterfamilias*, verso ovest.

32. Tarquinia, tomba degli Scudi, seconda meta del IV sec. a.C., coppia al banchetto.

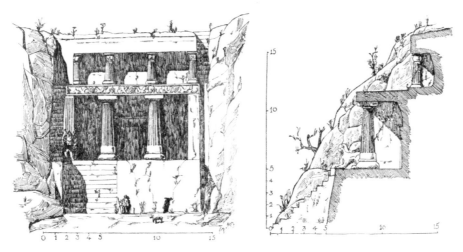

33. Norchia, la tomba Lattanzi (da Rosi 1925, p. 39-40, fig. 34-35).

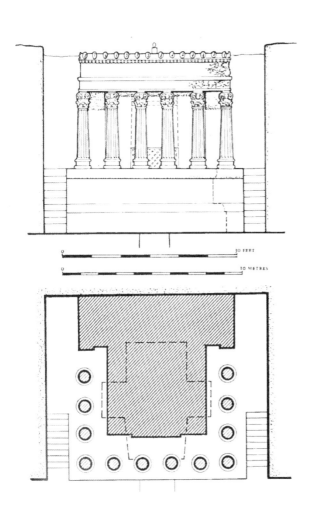

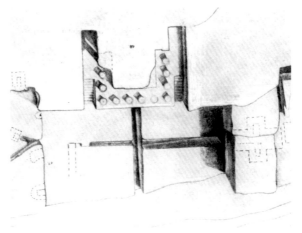

35. Sovana, la tomba Ildebranda, pianta dei due dromoi, con la camera ipogea laterale (Bianchi Bandinelli 1929, pl. 21).

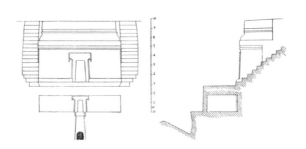

34. Sovana, la tomba Ildebranda, prospetto e pianta del monumento (Boethius-Ward Perkins 1970, p. 42, fig. 29).

36. Castel d'Asso, la tomba Grande, prospetto e sezione (da Rosi 1925, p. 27, fig. 20).

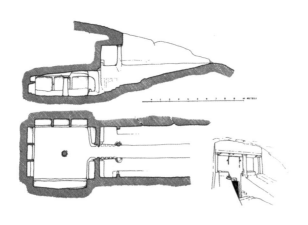

37. Corchiano, la tomba del Capo, prospetto, sezione e pianta (da Frederiksen-Ward Perkins 1957, fig. 22).

38. Vergina, ingresso monumentale del palazzo di Filippo II (da Descamps-Charatzopoulou 2011, p. 291).

39. Volterra, la porta all'arco.

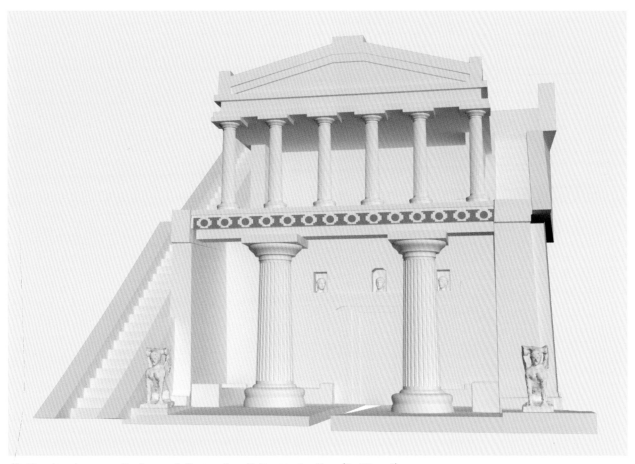

40. Restituzione preliminare della tomba di Grotte Scalina (B. Houal).

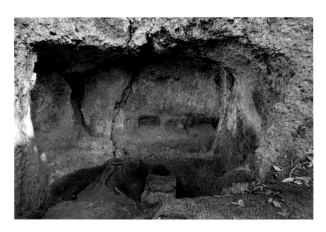

41. Grotte Scalina, la grotta orientale (foto G. Seiwerth).

42. Grotte Scalina, la grotta occidentale (foto G. Seiwerth).

43. Grotte Scalina, il muro medievale a chiusura della scala orientale, verso nord.

44. Grotte Scalina, scanalatura sul pianerottolo superiore della scala principale, verso sud.

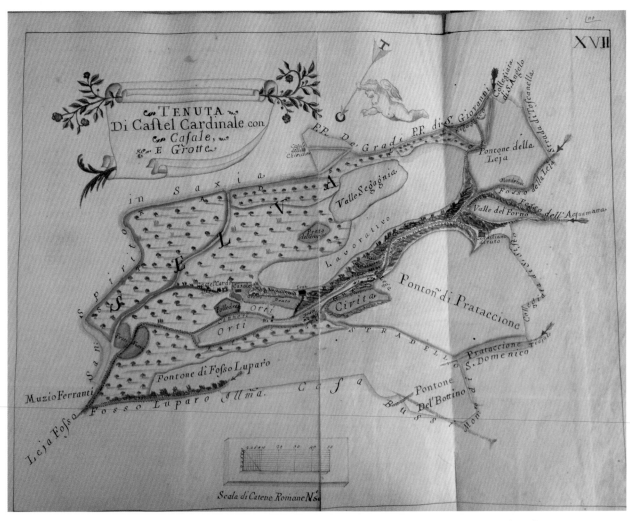

45. *Tenuta di Castel Cardinale con casale e grotte*, proprietà della famiglia De Gentili, 1780 (Archivio di Stato di Viterbo, fondo De Gentili - Siciliano, n.c.).

1800 anni di sepolture

Giordana Amicucci, Paola Catalano (Soprintendenza Speciale Archeologia, Belle Arti e Paesaggio di Roma), Vincent Jolivet

Les restes anthropologiques récupérés au cours de la fouille d'une tombe archaïque de Grotte Scalina ont été étudiés auprès du Laboratoire d'Anthropologie de la Soprintendenza Speciale Archeologia, Belle Arti e Paesaggio di Roma. La sépulture ne contenait pas d'inhumés en position primaire: l'analyse s'est donc concentrée sur l'estimation du nombre minimum d'individus (NMI), sur la détermination du genre et de l'âge de la mort, et sur le repérage d'éventuelles caractéristiques morphologiques et pathologiques de ce lot. Pour dater cet ensemble, sept fragments appartenant à autant d'individus ont été prélevés sur les éléments du squelette utilisés pour estimer le nombre minimum d'individus. La datation ^{14}C, réalisée par le laboratoire CEDAD de l'Université de Lecce, a permis d'attribuer ceux-ci à trois périodes différentes, archaïque, hellénistique et du haut Moyen-Âge.

The osteological material found in an archaic tomb in Grotte Scalina has been studied in the Laboratorio di Antropologia della Soprintendenza Speciale Archeologia, Belle Arti e Paesaggio di Roma. As no body has been found in primary position, the analysis has pointed to the estimation of the minimal number of skeletons (NMI), to the determination of gender and age of the death, and to the individuation of possible morphological and pathological characteristics of the bones. In order to give a chronological frame to this corpus, a cluster of seven bones has been analyzed through C14 method, in the CEDAD laboratory of the Lecce University. It is therefore possible to divide them in three different periods: archaic, hellenistic and early medieval.

Mentre le due camere funerarie della tomba monumentale di Grotte Scalina, depredate dall'Antichità fino ai nostri giorni[1], non hanno portato alla scoperta di alcun materiale antropologico, interessanti dati sono stati ricavati dallo scavo, nel 2013[2], di due tombe arcaiche rinvenute poco a sud-est della tomba, ad una quota lievemente inferiore in confronto alla sua terrazza.

Si tratta di due tombe gemelle, parallele (fig. 1), orientate nord/sud, costituite da una semplice camera di forma sub-rettangolare (1,20 x 1,80 m), ciascuna dotata di un'unica panchina laterale (50 x 80 cm, alt. 60 cm) (fig. 2). Esse sono speculari l'una all'altra (la panchina ad ovest nella tomba ovest, e ad est nella tomba est) il che suggerisce che fossero destinate ad accogliere un solo defunto per tomba, dunque probabilmente una coppia; ambedue erano coperte da un unico tumulo di terra (diam. ca. 8 m), del quale sussiste soltanto, verso sud, un taglio curvilineo conservato nel banco geologico. La tomba doveva aprirsi su una strada che correva a metà altezza della collina in età arcaica, probabilmente rimasta in funzione in età ellenistica, all'epoca della realizzazione della

---

[1] Anche se solo due di queste depredazioni possono essere documentate con certezza: la più antica verso la fine della Repubblica, probabilmente, come dimostrato dallo spostamento del blocco superiore della camera principale della tomba, adagiato sul fondo del dromos prima del suo progressivo reinterro, intervenuto dopo la fine del'uso del sepolcro, nel corso del II sec. a.C.; la più recente, nel corso della quale fu asportato l'unico coperchio figurato della tomba principale, all'inizio degli anni settanta del secolo scorso, come risulta sia da fonti orali che dalla scoperta, all'interno della tomba principale, di una bottiglia recante una datazione, 1968. Risulta tuttavia probabile che la tomba, la cui impressionante facciata poteva far sperare ricche scoperte, è stata riaperta diverse durante questo arco di tempo.

[2] Breve rendiconto in: JOLIVET-LOVERGNE 2014.

grande tomba rupestre e addirittura più tardi, quando essa diventò luogo di culto[3]. Le tombe sono accessibili, da sud, tramite un breve (lunghezza mass. 2,50, m per una larghezza di 0,90 m) *dromos* in pendìo, al termine del quale esse presentavano ancora la loro chiusura, fatta di due blocchi, l'uno grande, l'altro piccolo, con pietrame posto a rinforzo della chiusura[4]. Tuttavia, la sommità di questa sistemazione si presenta ben diversamente: ad ovest (fig. 3), si tratta di un semplice blocco rettangolare, mentre ad est (fig. 4) il blocco superiore è stato modanato a mo' di frontone. Questa differenza potrebbe spiegarsi, sulla base del confronto con le camere funerarie delle tombe ceretane contemporanee (fig. 5), come una differenza di genere: tomba maschile ad ovest, dove il blocco starebbe ad evocare il cuscino dei letti di banchetto maschili – quelli delle sala di banchetto della tomba ellenistica sono similari (fig. 6) –, e tomba femminile ad est, con il frontone evocatore di quello della casa. Tale distinzione è coerente con la sistemazione interna delle due camere: il corridoio in asse con il *dromos* è costeggiato da una panchina a sinistra per la tomba occidentale, a destra per la tomba orientale. Ora, tale disposizione corrisponde a quella classica nelle tombe ceretane, dove si spiega per ragioni rituali: essendo i piedi sempre orientati verso l'ingresso della tomba, ed il banchettante idealmente sempre sdraiato sul suo lato sinistro, nei casi di deposizione di coppie, l'uomo doveva per forza occupare la posizione sinistra.

La creazione delle due tombe può essere datata all'ultimo quarto del VI sec. a.C. sulla base di alcuni cocci rinvenuti nel *dromos* – frammenti di ceramica attica a figure nere pertinenti ad una coppa del Droop Group ed un'olletta biansata di bucchero grigio orvietano. Trattandosi di tombe a fenditura superiore[5] (fig. 7), originariamente chiuse con lastroni di pietra, è stato possibile depredarle interamente, dopo asporto di queste lastre, e lasciando perfettamente intatta la chiusura dell'accesso, in un'epoca che si può precisare sulla base di alcuni frammenti di maiolica e di ceramica vetrificata giallo-verde databili, genericamente, ai secoli XVII-XVIII, rinvenuti nella tomba orientale; la tomba occidentale conteneva solo ossa umane[6]. Visto che, prima dei lavori archeologici recenti, le tombe erano coperte da uno spesso strato di terra, dalla sommità del quale sarebbe stato quasi impossibile localizzarle, si può pensare che la depredazione è intervenuta in età moderna[7]. Si può presumere che la tomba occidentale sia stata la prima interamente scavata, poi usata per buttare, man mano, il materiale estratto dalla tomba orientale.

Il materiale osteologico è stato studiato presso il Laboratorio di Antropologia della Soprintendenza Speciale Archeologia, Belle Arti e Paesaggio di Roma. Gli elementi scheletrici si presentavano sullo scavo rimaneggiati e privi di connessione anatomica (fig. 8-9). Lo stato di conservazione dei reperti è cattivo; nessun osso lungo è stato rinvenuto integro. Data l'impossibilità di attribuire i singoli elementi scheletrici ad un inumato piuttosto che ad un altro, l'analisi è stata rivolta alla stima del numero minimo di individui (NMI). A tal scopo, ci si è basati su diversi criteri: l'identificazione degli elementi ossei omolaterali; le eventuali incongruenze di età (ad esempio, ossa lunghe con epifisi saldate o dissaldate, riferibili le prime agli adulti e le seconde ai subadulti); le eventuali differenze del grado di robustezza.

Dall'osservazione della fig. 8 risulta che i defunti sono almeno sette, come indicato dalla presenza di sette tibie sinistre. Nessun elemento scheletrico è attribuibile ad individui infantili e giovanili; gli inumati sono tutti adulti e le ossa sono tutte robuste, senza differenze significative tra di loro. In alcuni casi è stato possibile effettuare una stima più precisa dell'età alla morte, basandosi sul grado di usura della superficie masticatoria dei denti delle mandibole rinvenute[8]: un individuo ha un'età compresa tra 20 e 30 anni; due tra i 30 ed i 40 anni; uno è senile (>50 anni), mentre un altro risulta essere completamente edentulo. Almeno tre sono ma-

---

[3] La trincea aperta lungo il ciglio della collina, davanti alla tomba, ha riportato alla luce una linea di grossi blocchi di tufo di forme e dimensioni irregolari, che sembra corrispondere al muro di sostegno di tale strada in età moderna, durante la quale il complesso veniva frequentato ad uso rituale.

[4] Visto la disposizione di queste pietre, il *dromos* era probabilmente interamente interrato, lasciando visibile soltanto la parte sommitale della chiusura.

[5] Su questa tipologia, vd., di recente, Cerasuolo 2014.

[6] Lo scavo di questa tomba è stato eseguito da Florence Hérubel.

[7] Ma non a scopo di riuso funerario, visto l'assenza di materiale osteologico databile in età moderna (vd. *infra*).

[8] Lovejoy 1985.

schi : infatti, tre coxali sinistri e tre mandibole hanno caratteristiche morfologiche tipicamente maschili[9].

Analizzando nel dettaglio le singole ossa, si è osservato che tre delle cinque mandibole presentano denti affetti da carie e su due è stata rilevata la perdita *intra-vitam* di denti (del primo molare sinistro in un caso; di un premolare e del primo molare sinistri nell'altro); le scapole sono robuste, con forte sviluppo all'origine del tricipite brachiale, che in due casi è entesopatica[10]; gli arti superiori sono poco rappresentati e mal conservati; i femori hanno inserzioni muscolari marcate, a volte con presenza di entesopatie; su una testa di femore è stata osservata eburneazione; l'estremità distale di una tibia e di un perone sinistri mostrano i segni di una probabile distorsione – si suppone pertanto che siano pertinenti al medesimo individuo; infine, sulle tibie è stata riscontrata una lieve periostite.

Campioni di questi sette individui, nonché di uno proveniente da una tomba di bambino rinvenuta sulla sommità del riempimento del *dromos* della camera funeraria orientale, sono stati sottoposti a datazione assoluta, tramite analisi al ^{14}C presso il laboratorio CEDAD dell'Università di Lecce. In particolare, le tibie, che hanno consentito di stimare il numero minimo di individui, sono state tutte datate in questo modo. Poiché il riempimento della camera è stato scavato procedendo per strati, se ne è osservata la posizione nello spazio: nello strato più superficiale sono state rinvenute due tibie che, pur essendo poste l'una vicino all'altra, risalgono a periodi molto diversi: quella identificata con il n.18 risale al 670-690 d.C. mentre la datazione della n. 20 la colloca tra il 370 ed il 90 a.C. La tibia più recente è localizzata nello strato 4 (n. 66, 770-990 d.C.), mentre la più antica proviene dallo strato 10 (n.107, 790-430 a.C.). A maggior profondità, nello strato 14, sono state rinvenute le tibie n. 123 e 135, riconducibili la prima al 420-200 a.C. e la seconda al 380-160 a.C. La loro collocazione spaziale nella camera non rispecchia quindi l'ordine cronologico, ad ulteriore conferma dell'elevato rimaneggiamento di cui gli scheletri sono stati oggetto e del riutilizzo degli spazi nel corso del tempo.

Questi dati vengono sintetizzati, per ordine cronologico, nella fig. 9.

Si può dunque ipotizzare un riuso funerario

delle due tombe arcaiche (T.2 e T.4) nel corso di due diversi periodi, ellenistico (T.3, T.6 e T.7), come luogo di sepoltura accessorio della tomba principale, ed alto-medievale (T.1 e T.5), forse in connessione con una piccola comunità eremitica insediatasi sul posto; del tutto sporadica sembra la tomba infantile di piena età imperiale (T.8). Come si è visto prima, lo stato molto frammentario dei resti scheletrici indica che le tombe sono state svuotate e successivamente nuovamente riempite – ma non più per ospitare ulteriori sepolture. L'assenza di elementi osteologici di età moderna, sia all'interno delle due camere funerarie che all'esterno del monumento, sembra indicare che il complesso funerario ellenistico sia stato utilizzato, in età moderna, a scopo esclusivamente rituale, anche se l'esistenza di un luogo di sepoltura collettiva in prossimità di esso non è affatto da escludere.

Bibliografia

CERASUOLO 2014: O. Cerasuolo, *Le tombe a fenditura superiore e le tombe semicostruite. Alcune considerazioni*, in L. Mercuri et R. Zaccagnini (a cura di), *Etruria in Progress. La ricerca archeologica in Etruria meridionale*, Roma, 2014, p.184-195.

FEREMBACH-SCHWIDETZKY-SLTOUKAL 1979: D. Ferembach, L. Schwidetzky e M. Stloukal, *Raccomandazioni per la determinazione dell'età e del sesso sullo scheletro*, Rivista di Antropologia 60, 1979, p.5-51.

JOLIVET-LOVERGNE 2014: V. Jolivet e E. Lovergne, *La tombe monumentale de Grotte Scalina*, Chronique des activités archéologiques de l'École française de Rome, http://cefr.revues.org/1042

LOVEJOY 1985: *Dental Wear in the Libben Population: Its Functional Pattern and Role in the Determination of Adult Skeletal Age at Death*, American Journal of Physical Anthropology 68, 1985, p. 47-56.

MARIOTTI-FACCHINI-BELCASTRO 2004: V. Mariotti, F. Facchini e M. G. Belcastro, *Enthesopathies - Proposal of a Standardized Scoring Method and Applications*, Collegium Antropologicum 28-1, 2004, p. 145-159.

MARIOTTI-FACCHINI-BELCASTRO 2007: V. Mariotti, F. Facchini e M. G. Belcastro, *The Study of Entheses-Proposal of Standardized Scoring Method for Twenty Three Enthuses of Postcranial Skeleton*, Collegium Antropologicum 31-1, 2007, p. 291-313.

PRAYON 1975 : F. Prayon, *Frühetruskische Grab- und Hausarchitektur*, Heidelberg, 1975.

STEEL 1962: F. L. D. Steel, *The Sexing of the Long Bones, with the Reference to the St. Bride's Series of Identified Skeletons*, The Journal of the Royal Anthropological Institute of Great Britain and Ireland 92, 1962, p. 212-222.

---

[9] FEREMBACH-SCHWIDETZKY-SLTOUKAL 1979; STEEL 1962.

[10] MARIOTTI-FACCHINI-BELCASTRO 2004 e 2007.

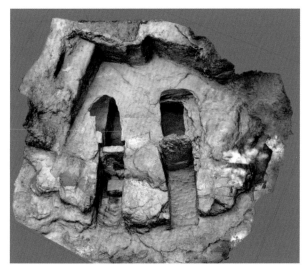

1.Veduta d'insieme 3D delle tombe arcaiche (F. Marchand)

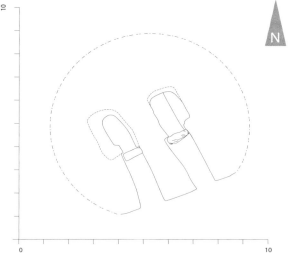

2. Pianta delle tombe arcaiche (G. Chapelin)

3. Il sistema di chiusura della tomba ovest.

4. Il sistema di chiusura della tomba est.

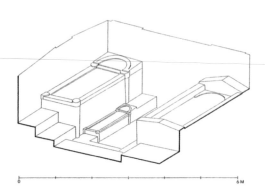

5. Nelle tombe ceretane, il letto di banchetto, maschile, si trova normalmente a sinistra, e il letto a frontone a destra (E. Lovergne, da Prayon 1975, fig. 13, modificata).

6. Grotte Scalina: letto funebre con poggia-gomito e tracce d'intonaco.

7. Parte sommitale, a caditoia, delle due tombe arcaiche, verso sud.

NUMERO MINIMO DI INDIVIDUI				
	SX	DX	NON LAT.	NMI
CRANIO	4			4
mastoide	2	2		2
rocca petrosa	2			2
MANDIBOLA	5			5
SCAPOLA		3		3
CLAVICOLA	2	1		2
MANUBRIO	1			1
OMERO	4	2		4
RADIO	3			3
ULNA	1	3	1	3
COXALE	3	2		3
ISCHIO			1	1
RAMO ISCHIO-PUBICO			3	3
FEMORE	6	4	1	6
TIBIA	7	5	FRAM	7
PERONE	1		6	
CALCAGNO	2			2
NAVICOLARE	1			1
ASTRAGALO	1			1
CUBOIDE	1			1
CUNEIFORME	1			1
				NMI: 7

8. Numero di elementi scheletrici pertinenti ad ogni lato del corpo.

10. Tomba arcaica ovest, teschio.

Campione	Datazione
T2, n. 107	790-430 a.C.
T4, n. 33	510-340 a.C.
T7, n. 123	420-200 a.C.
T6, n. 135	380-160 a.C.
T3, n. 20	370-90 a.C.
T8, US 186	1-230 d.C.
T5, n. 18	670-690 d.C.
T1, n. 66	770-990 d.C.

9. Datazione ^{14}C di sette individui della tomba arcaica ovest e di un individuo di superficie (T8).

11. Tomba arcaica ovest: lo strato di ossa.

Varcare la soglia: la monumentalità funeraria in età ellenistica

Laura Ambrosini, Istituto di Studi sul Mediterraneo Antico, Consiglio Nazionale delle Ricerche, Roma

Les tombes rupestres, qui apparaissent en Étrurie à partir de l'époque archaïque, se répandent, sous différentes formes, jusqu'à l'époque hellénistique. Sont ici mis en évidence les différents types connus à l'époque hellénistique, leur diffusion et leurs contacts éventuels avec des tombes de typologie similaire répandues surtout dans les anciennes régions de Lycie et de Carie. Les tombes à salle à portique et les tombes-temples semblent particulièrement importantes pour documenter les éventuels contacts avec la Grèce et l'Orient. Pour les premières, les modèles semblent à rechercher dans les palais et les tombes macédoniennes ; les secondes semblent également avoir eu pour prototype les tombes macédoniennes. Ce ne sont pas seulement les contacts politiques, mais surtout les déplacements d'architectes, la circulation des dessins et les échanges commerciaux avec leurs agents qui ont joué un rôle important dans la connaissance de ces prototypes architecturaux.

Born in the archaic period, the rock-cut tombs are spread, with a wide assortment, until the Hellenistic period. The study highlights the typological variety of the Hellenistic period, its dissemination and any type of contact with similar tombs found mainly in ancient Lycia and Caria. Regarding the contacts with Greece and Asia Minor, the tombs with a porch and the temple tombs seem to play a particularly important role. For the first, models seem traceable in the royal palaces and Macedonian tombs; also the second seem to have had as a prototype the Macedonian tombs. Not only political contacts, but especially the movement of architects, the circulation of drawings and trade with their agents must have had an important role in this transfer of architectural prototypes.

Per motivi di natura geologica, cioè la presenza di *plateaux* di tufo sulle cui pareti possono essere scavate delle tombe, il fenomeno delle tombe rupestri d'età ellenistica[1] si sviluppa nell'Etruria meridionale interna (attuale provincia di Viterbo) (fig. 1), il cui paesaggio è caratterizzato da ignimbriti litoidi appartenenti al Distretto Vulcanico Vicano (Tufo Rosso a Scorie Nere Vicano) e a quello Vulsino (il nenfro di Paleo-Bolsena)[2]. Questi affioramenti spesso sono distribuiti sullo stesso sito a quote diverse; in conseguenza del loro spessore e consistenza, le tombe delle necropoli si dispongono su varie terrazze. Quelle scavate nel tufo rosso più compatto sono più grandi e maggiormente articolate, mentre quelle realizzate nel nenfro meno compatto, che si trova ad un livello inferiore, sono più piccole e architettonicamente più semplici[3]. Il fenomeno delle tombe rupestri in questo distretto nasce già in età arcaica[4] con importanti testimonianze a Blera, San Giuliano, San Giovenale, Grotta Porcina e altri siti minori. In questa fase, le tombe rientrano nella tipologia a dado, a casa (con tetto displuviato) con o senza portico e con loggiato superiore. L'interruzione di questo fenomeno tra il V sec. e la prima metà del IV sec. a.C. è dovuta a fat-

---

[1] Sono state citate soltanto le referenze bibliografiche principali. Sull'argomento, in generale, restano fondamentali: Rosi 1925 e 1927; Colonna 1967; Colonna Di Paolo-Colonna 1970; Colonna 1974; Colonna Di Paolo 1974 e 1978; Colonna Di Paolo-Colonna 1978; Maggiani 1981; Colonna Di Paolo 1982; Oleson 1982; Romanelli 1986; Maggiani 1994; Aa.Vv. 2014. Vd. da ultima Ambrosini 2016a.

[2] Per la geologia di questo areale vd. Ciccioli *et alii* 2010, con bibl. cit.; Ciccioli-Plescia-Capitani 2010, con bibl. cit.; Ambrosini-Ciccioli-Genovese 2015, p. 199-200, con bibl. cit.; P. Ciccioli, *Caratterizzazione geologica del sito*, in Ambrosini 2016, p. 60-70, con bibl. cit.

[3] Le prime, ovviamente, hanno una posizione dominante che da sola, tuttavia, senza il fattore geologico, non può essere considerata la motivazione della scelta della tipologia architettonica.

[4] Vd. soprattutto Colonna Di Paolo 1978, p. 5-9; Romanelli 1986, p. 39-57; Brocato 1996 e 2012.

tori economici e sociali. La generale crisi che investe le città costiere dell'Etruria meridionale ha delle ripercussioni anche nell'occupazione del territorio interno. L'asse politico economico si sposta verso l'area interna tiberina e settentrionale e verso l'area padana. Assistiamo alla rioccupazione della campagna accompagnata anche da una rinascita della piccola e media proprietà con *villae* e case rurali. Soltanto nella prima metà del IV secolo a. C. Tarquinia crea dei fiorenti abitati, delle vere e proprie colonie nel suo territorio, Ferento, Tuscania, Norchia, Castel d'Asso, Musarna, San Giuliano, San Giovenale, etc.[5] In età ellenistica, il panorama tipologico delle tombe rupestri in Etruria appare più vario rispetto all'epoca arcaica. Oltre alle tombe a dado, con varianti costituite da strutture addossate, vano di sottofacciata o portico, sono documentate anche le tomba a casetta, a tempio e a vestibolo[6].

Il tipo che ha più successo in età ellenistica è certamente il tipo della tomba a dado. Sviluppatosi tra la metà del VI e la metà del V sec. a.C. come probabile riflesso della pianificazione urbanistica delle città in unità modulari, attraverso l'uso regolamentato delle necropoli in cui le tombe sono allineate secondo un reticolo di vie ortogonali, risente del carattere socialmente "medio" degli utenti, che spesso fanno incidere, come accade ad Orvieto, sulle architravi delle porte d'ingresso il nome della propria famiglia. Ne sono testimonianza anche le tombe a dado di Cerveteri (nella necropoli della Banditaccia e del Sorbo). Questo tipo di tomba sembra nascere a Cerveteri e poi diffondersi, attraverso l'antico itinerario che attraversava il Viterbese, fino ad Orvieto[7]. Mentre a Cerveteri il dado è un edificio di forma quadrangolare, coronato da una calotta di terra come i tumuli più antichi, nel Viterbese il dado di età ellenistica diventa completamente rupestre, scolpito ad altorilievo soltanto su tre facce e coronato da una terrazza di tufo raggiungibile da una gradinata. Contrariamente a quanto ipotizzato nel XIX secolo, ad esempio da Luigi Canina[8] (forse suggestionato da monumenti come la Tomba di Zaccaria a Gerusalemme del I sec.

d.C.)[9] (fig. 2), il dado non aveva una copertura, ma una semplice terrazza. I cippi, collocati quasi sempre sulla piattaforma[10], segnalano il numero dei defunti contenuti all'interno della tomba ed il loro sesso. Le sepolture maschili sono segnalate da cippi generalmente cilindrici, a colonnina, mentre quelle femminili da cippi spesso a forma di casa o di busto femminile, dotato talvolta dell'iscrizione con il nome della defunta[11]. La piattaforma, luogo del culto funerario come si deduce dai cippi che vi sono infissi, presenta delle modanature a campana, toro e fascia che la assimilano ad un altare. La facciata presenta una **finta porta**[12] con *proiecturae* ad orecchiette o a becco di civetta che, pur discendendo da antichi modelli ceriti, viene adottata sistematicamente in Etruria meridionale solo in età ellenistica. Essa può essere cieca o con un riquadro incassato. Molto si è discusso sul significato di questa decorazione: ad ogni modo, essa allude all'esistenza di un vano al di là della facciata, sede del defunto. Il dado viene dotato anche di un vano coperto per lo svolgimento delle pratiche religiose connesse con il culto dei defunti, nel quale si trovano anche delle banchine sulle quali si consumavano i pasti rituali. Il rinvenimento in questa zona e nei *dromoi* sottostanti di vasellame potorio è indizio anche del fatto che vi si svolgevano delle libagioni in onore dei defunti.

Nella fase più antica, databile ancora al IV sec. a.C., i defunti erano inumati entro sarcofagi[13] di nenfro o tufo all'interno della camera funeraria scavata sotto al dado, cui si accedeva attraverso un corridoio (*dromos*). Nei sarcofagi più antichi, databili ancora nel IV sec. a.C., il defunto o la defunta sono raffigurati supini nel sonno della morte, avvolti nel sudario da cui esce un braccio con la mano che stringe la *pate-*

---

[5] Vd. soprattutto Colonna 1967, p. 11, 15-16 e 1974, p. 260-261.

[6] Colonna Di Paolo 1978, p. 10-12.

[7] Colonna 1967, p. 14-15, 21-25; Colonna Di Paolo 1978, p. 13, 15; Brocato 1996, p. 58-59 e 2012, p. 12-14, 18.

[8] Canina 1851, tav. XCVII, fig. 4.

[9] Hachlili 2005, p. 30.

[10] Cippi provengono anche dall'esterno della tomba, dai vani di sottofacciata o dall'area antistante o, in giacitura secondaria, dai *dromoi* e fin dalle camere: Colonna Di Paolo-Colonna 1978, p. 234-235, 395.

[11] Per i cippi-busto vd. Ambrosini 2016a, p. 397, 480-482.

[12] Sulle finte porte vd. Colonna Di Paolo-Colonna 1970, p. 247; Colonna Di Paolo 1978, p. 11; Colonna Di Paolo-Colonna 1978, p. 392-393; Staccioli 1980; Vaccaro 2009; da ultimi Salvini-Paolucci-Salvadori 2015.

[13] In generale vd. Herbig 1952; Colonna Di Paolo-Colonna 1978, p. 374-389; van der Meer 2001; Ambrosini 2016a, p. 474-479.

ra ombelicata usata per compiere l'atto rituale della libagione. Le casse di questi sarcofagi più antichi imitano l'aspetto di una cassa di legno e sono decorati agli angoli con demoni funerari. I sarcofagi più recenti, databili al III sec. a.C., sono di fattura più rozza: il defunto o la defunta sono sollevati col busto rivolto verso lo spettatore e la cassa è decorata in facciata, ma anche talvolta sui lati, con mostri marini e altri temi generici. In epoca più recente, i defunti inumati erano sepolti entro fosse scavate a spina di pesce[14] ai lati di un corridoio principale della camera e coperte con lastre di tufo o grosse tegole.

A partire dall'ultimo quarto del IV sec. a.C., le tombe a dado possono avere anche delle **strutture addossate**[15]. Si tratta di strutture realizzate in una fase sperimentale in cui si vuole dotare il dado di un vano coperto per lo svolgimento delle pratiche religiose connesse con il culto dei defunti. Esempi ne sono a Norchia, come la Tomba Prostila (fig. 3), la Tomba a camino e la Tomba Ciarlanti. Le strutture addossate con il tempo si evolvono e danno vita ad un vero e proprio **vano di sottofacciata**[16]. In questo vano, che può essere aperto anteriormente **a portico**[17], si consumava il pasto rituale a cui idealmente partecipa il defunto con le offerte poste davanti alla finta porta. Il tipo si sviluppa dal precedente a partire dalla prima metà del III sec. a.C.

Tombe a casetta: a Norchia, in località Sferracavallo[18] (fig. 4), è stata recentemente individuata e scavata da un gruppo di volontari una tomba a casa che per le piccole dimensioni è stata definita "tomba a casetta". I reperti rinvenuti e resi noti risalgono agli ultimi decenni del IV sec. a.C. inizi del III sec. a.C.[19]. La tomba, di un tipo peraltro non attestato nella necropoli di Norchia, riprende un tipo documentato in età arcaica a Blera, che presentava tuttavia la camera di accesso allo stesso livello del dado. Lo stesso tipo risulta attestato in età ellenistica anche in altri siti, come la stessa Blera. L'iscrizione presente sulla facciata, mal leggibile, ricorda che si tratta della tomba di un uomo il cui nome è stato restituito in modo diverso dagli studiosi. Recentemente, Enrico Benelli ha proposto di leggerlo come *Vel Scuna Cusnasa*[20].

Le tombe a vestibolo[21]: il vestibolo è un semplice vano coperto in modo embrionale, dotato di una finta porta, piccolo ed irregolare rispetto al vano di sottofacciata (fig. 5).

Riassumendo, alcuni tipi diffusi in età ellenistica sembrano radicati nella tradizione locale arcaica, come quello a casa e quello a dado, completamente assenti in Grecia e in Asia Minore. A questi si affianca il tipo con vano di sottofacciata, che ha una diffusione praticamente limitata a Norchia e a Castel d'Asso, pertanto questo tipo architettonico è stato considerato una creazione della scuola locale. Nascono però in età ellenistica dei tipi nuovi, come quello con **vano a portico**, quello **a tempio**[22], che mostra forti ascendenze greche, e quello **ad edicola**. Tra le **tombe a vano porticato** possiamo annoverare la Tomba Lattanzi di Norchia[23] (fig. 6) e la Tomba di Grotte Scalina a Musarna[24]. Si tratta di due strutture particolarmente interessanti perché il vano porticato era sormontato da un secondo piano a portico. Della Tomba Lattanzi è ora visibile soltanto parte dello pseudo portico a quattro semicolonne fra le quali sono tre grandi nicchie intonacate e la finta porta al piano inferiore. Secondo la restituzione del Rosi, le colonne del piano inferiore erano scanalate e presentavano capitelli dorici-tuscanici, mentre quelle del piano superiore, egualmente scanalate, recavano capitelli corinzi; nel portico inferiore, sempre secondo la restituzione del Rosi, era una trabeazione ornata con fregio scolpito a grifi e motivi vegetali. Davanti era collocata una scultura monumentale raffigurante un animale (forse una sfinge o un leone cavalcato da una figura umana).

Recentemente è stato proposto di individuare

---

[14] Colonna Di Paolo-Colonna 1970, p. 249 e 1978, p. 397.

[15] Colonna Di Paolo 1978, p. 11.

[16] *Ibid., eo loco.*

[17] *Ibid.*, p. 12.

[18] Proietti-Sanna 2011; Maras 2012; Binaco 2014; Maras 2013; Ambrosini 2016a, p. 72, nota 153, 407, 451, 453, 463 e 484; Sterpa 2017.

[19] Ambrosini 2016a, p. 72, nota 151.

[20] Vd. Ambrosini 2016a, p. 73 e 484.

[21] Colonna Di Paolo 1978, p. 12.

[22] *Ibid., eo loco.*

[23] Scavata nel 1852: vd. Henzen 1853; Rosi 1925, p. 38-42, fig. 34-37, tav. V.4-5, X.2; Rosi 1927, p. 66, 74, 84, 86, 89, 93-94; Gargana 1935; Colonna Di Paolo 1978, p. 48; Colonna Di Paolo-Colonna 1978, p. 45-46, 49-50, 54, 113, 374, 380-384, 388, con bibl. cit.; Romanelli 1986, p. 72-75, fig. 49; vd. anche Jolivet-Lovergne 2016, p. 160, con bibl. cit.

[24] Vd. questo volume e la bibliografia citata (da ultimi Jolivet-Lovergne 2016 con bibl. prec.).

il prototipo di queste strutture nei palazzi macedoni, come quello di Alessandro Magno[25]. Esempi di queste strutture di età ellenistica sono conservati in vari siti della Grecia e del bacino del Mediterraneo, fin dove si è esteso l'impero di Alessandro Magno e dei suoi successori. Gli esempi più noti sono i palazzi di Aigai (Vergina) e di Pella in Macedonia[26], e il palazzo di Qasr al-Abd (Fortress of the Servant), in Giordania[27]. Il palazzo macedone, simbolo della regalità e luogo d'incontro fra il sovrano e la città, è articolato intorno a un cortile centrale a peristilio, sul quale si affacciano le stanze con funzionalità diverse. Il complesso a sua volta è circondato su tre lati (quello di fondo escluso) da un ulteriore peristilio. Questo prototipo sembra anche all'origine del modello utilizzato nell'edilizia domestica nella casa a peristilio, come nelle case di Pella, ad esempio la Casa I3[28]. In ambito greco, lo stesso modello sembra essere diffuso anche nelle tombe rupestri di Rodi, com'è testimoniato dalla tomba Archocrateion di Lindos[29].

L'idea che degli ambasciatori tarquiniesi abbiano ammirato il fasto dei palazzi macedoni all'epoca della tregua della guerra romano-tarquiniese (351-311 a.C.), poiché recatisi in Macedonia a chiedere aiuto militare ai sovrani macedoni (Filippo II, Alessandro Magno o Cassandro), è affascinante[30]. Difficile sembra però rintracciare per essa delle solide basi storiche. Non abbiamo fonti letterarie che testimonino tali contatti. L'unica fonte a supporto di questa tesi sembra poter essere rintracciata in un controverso passo di Arriano, *La spedizione di Alessandro* VII, 15, 4. Alessandro, nel 323 a.C., avrebbe avuto intenzione di compiere una spedizione in Italia allo scopo di sconfiggere gli Etruschi, colpevoli di razzie insieme agli Anziati a danno del libero commercio delle città italiote e contro Bruzi e Lucani, colpevoli della sconfitta e morte dello zio materno Alessandro il Molosso. Una delegazione di questi popoli si sarebbe recata da Alessandro a Babilonia[31] ufficialmente per congratularsi delle vittorie asiatiche, ma, di fatto, per spiarne le intenzioni nei loro riguardi. Nel 323 a.C. infatti Alessandro raduna in un porto della Cilicia un contingente di 10000 uomini guidati da Cratero per una spedizione ignota (probabilmente in Italia, Sicilia e Nord-Africa) che non fu mai effettuata a causa della morte del Macedone. Tra gli storici c'è chi crede all'autenticità di questa notizia, come Marta Sordi (che però pensa che i *Tyrrhenoi* citati siano i Romani, considerati genericamente Etruschi dai Greci di IV sec. a.C.)[32] e chi, come Lorenzo Braccesi, la considera una leggenda completamente falsa e strumentale creata per giustificare la spedizione del 323 a.C.[33]. Ad ogni modo, la delegazione si sarebbe recata, a mio avviso, non in Macedonia, bensì a Babilonia, dove Alessandro dimorò poco più di un anno, presumo nel palazzo di Nebuchadnezzar II (cioè Nabuccodonòsor), dove morì nel 323 a.C. Anche se pare molto arduo ricostruire attraverso quali canali gli Etruschi vennero a conoscenza di questi prototipi architettonici, un ruolo importante devono averlo avuto non solo i contatti politici (anche di amicizia ed ospitalità tra famiglie aristocratiche), ma soprattutto lo spostamento di architetti, la circolazione di disegni e gli scambi commerciali con i loro agenti.

Un altro tipo di tomba rupestre documentato nell'Etruria ellenistica è la tomba a tempio.

---

[25] Da ultimi Jolivet-Lovergne 2014, p. 517-518; Jolivet 2016. Per i contatti tra le tombe rupestri etrusche e l'ambito macedone vd. anche Steingräber 2000, 2006, 2009, 2014 e 2015.

[26] Vd. Jolivet-Lovergne 2014, p. 518, fig. 3, con bibl. cit.; Jolivet 2016, p. 321, fig. 4-5.

[27] Kopsacheili 2012a, fig. 3; vd. anche Kopsacheili 2012b. Questo palazzo fu costruito nel II sec a.C. da Giovanni Ircano, un potente signore giudaico imparentato con la famiglia dei Tobiadi ed incaricato delle esazioni fiscali in Celesiria.

[28] Calandra 2009, p. 32, fig. 23, con bibl. cit.

[29] Sulla struttura vd. Berges 1986, p. 96 ; Fedak 1990, p. 83-85, fig. 106-107; Zarzalejos-Guiral- San Nicolás 2015, p. 98. Vd. il bel disegno di Luigi Mayer dal titolo *"Archocrateion"*, *Hellenistic rock cut tomb, at Lindos, Rhodes* conservato presso Aikaterini Laskaridis Foundation Library, datato 1803 (Luigi Mayer, *Views in the Ottoman Empire, chiefly in Caramania, a part of Asia Minor hitherto unexplored; with some curious selections from the islands of Rhodes and Cyprus, and the celebrated cities of Corinth, Carthage, and Tripoli: from the original drawings in the possession of Sir R. Ainslie, taken during his embassy to Constantinople by Luigi Mayer: with historical observations and incidental illustrations of the manners and customs of the natives of the country*, London, R. Bowyer, 1803).

[30] Jolivet-Lovergne 2014, p. 517-518, e 2016, p. 162.

[31] Da ultimo vd. Antonelli 2003, p. 73-74.

[32] Articolo pubblicato nel 1965, riedito in Sordi 2002, p. 165-167 e 170.

[33] Braccesi 2006, p. 59, 68-70, 73 e 81.

Tombe a tempio[34]: il tipo è diffuso a Norchia (fig. 7) e a Sovana. Si tratta di monumenti nei quali i caratteri architettonici etruschi si fondono con quelli greco-asiatici. Particolarmente importanti sono le due tombe a tempio di Norchia[35], degli inizi del III sec. a.C., che si trovano al di là del Fosso dell'Acqualta, nella parte più alta della rupe. Si tratta dell'unica documentazione esistente a Norchia di questa tipologia funeraria che rivela un'apertura ad influenze culturali provenienti dal mondo greco, e mostra un accentuato gusto decorativo. Esse presentano la facciata di un edificio in ordine dorico con frontoni, fregi, protomi e acroteri scolpiti nel tufo. Un tempo erano fornite di una coppia di colonne o pilastri tra ante, ora perdute, sorgenti da un parapetto; le camere funerarie sono scavate a grande profondità. Singolare è la presenza, ai lati dello spazio frontonale, di due teste di Gorgone, che nel modello greco non compaiono mai. In una fase successiva di riutilizzazione delle due tombe, alla fine del III sec. a.C., le due ante contigue furono demolite e fu creato un unico portico la cui parete di fondo venne decorata con un grande fregio a rilievo, in origine intonacato e dipinto, raffigurante un corteo funebre verso sinistra. Grazie ai disegni realizzati nel XIX secolo, possiamo farci un'idea della loro forma originaria; tutto ciò è tanto più importante oggi che la conservazione dei monumenti appare fortemente compromessa.

La tomba a tempio è sporadicamente documentata anche a Sovana[36] con la Tomba Ildebranda dotata nell'alzato di tre frontoni, uno sul prospetto e due sui fianchi, e la Tomba Pola. Secondo Adriano Maggiani, le tombe a tempio, cioè con fronte colonnata, rientrano nel tipo delle tombe ad edicola ed imitano forme dell'architettura reale di destinazione più probabilmente sacra che profana. La somiglianza dei capitelli con quelli dell'Italia meridionale, da Taranto a Canosa, Lecce, *Rudiae*, Arpi, *Paestum*, ecc, sembrerebbe confermare la direttrice apulo-campana per la diffusione di questo tipo monumentale, che si sarebbe propagata verso l'Etruria interna per il tramite della città di Vulci, aperta alle influenze della cultura ellenistica e in specie alle esperienze della scultura tarantina. A Sovana è documentato anche il **tipo ad edicola** con timpano spesso decorato come nella Tomba della Sirena, del Tifone e dei Demoni alati[37] (fig. 8). Anche per questo tipo di tomba, secondo Adriano Maggiani, il prototipo greco (eventualmente macedone) si sarebbe diffuso tra IV e III sec. a.C. in Italia centrale attraverso la direttrice apulo-campana.

Torniamo in conclusione alle tombe a tempio. Se in generale le tombe rupestri a dado trovano suggestivi confronti con i paesaggi rupestri diffusi in larga parte dei paesi mediterranei, dalla Turchia, alla Giordania, fin all'Arabia Saudita, le tombe a tempio di Norchia utilizzano un tipo architettonico che adotta il frontone alla greca, sorretto da colonne, particolarmente caratterizzante dal punto di vista culturale. Queste tombe hanno un parallelo nelle tombe rupestri dell'attuale Turchia[38], come quelle, ad esempio di Kaunos e Myra-Demre, localizzate soprattutto nelle antiche Caria e Licia, ma anche in Frigia. Le tombe rupestri con la facciata a tempio sono concentrate a sud della Caria in tre aree principali[39] e vengono datate dalla metà alla fine del IV sec. a.C.; la più importante di queste aree è quella di Kaunos, in particolare il delta dell'Indos e la sua sponda sinistra; la seconda zona è Idyma, e si estende verso est fino a Elmak, e a nord fino a Akkaya. Alcuni esempi sono nella penisola di Alicarnasso. Ci sono poi dei siti isolati, Mylasa e Keramos, dove tutto l'elevato è in stile dorico. L'ordine dorico, non molto presente in Caria nelle tombe rupestri con facciata a tempio, viene registrato a Kaunos e Tasyenice.

Le tombe situate in Turchia, databili al IV sec. a. C., oltre ad essere anch'esse scavate nella parete rocciosa, condividono con quelle di Norchia spesso anche la forma, simile a quella di piccoli templi con frontone sorretto da colonne. Va detto che la definizione di tombe a tempio è arbitraria, perché non è noto se la facciata riproducesse veramente quella di un tempio o, com'è stato proposto, quella di un altro tipo

---

[34] Rosi 1925, p. 13, 29, 33, 39 e 42-47, tav. V.1-3; Rosi 1927, p. 74, 84, 86 e 92-93; Colonna Di Paolo 1978, p. 12 e 48-51.

[35] Vd. Ambrosini 2010, 2011, 2012a-b, 2014a-c, 2016b, Ambrosini-Ciccioli-Genovese 2015, e la bibl. prec. citata. Attualmente ho in corso uno studio su queste due tombe che porterà alla pubblicazione di una monografia dal titolo *Norchia III*.

[36] Vd. Maggiani 1994.

[37] Per questa tomba di recente rinvenimento vd. Maggiani-Barbieri-Pellegrini 2005; Barbieri 2009 e 2010; Marchetti-Pallecchi-Turchetti 2014; Maggiani 2014; Barbieri 2015.

[38] Vd. bibl. alla nota 35, e da ultimi anche Amann-Ruggendorfer 2014.

[39] Henry 2010, p. 61, fig. 14.

di edificio, il cui aspetto ricorda un tempio[40]. Sembra che l'acculturazione all'architettura ellenistica, stimolata in Caria dagli Hecatomnidi, sia stata particolarmente proficua nel corso degli anni. Interessante la presenza di tombe gemelle come a Norchia[41]. Se è difficile stabilire una tipologia puntuale di questi monumenti, perché ognuno ha le proprie caratteristiche, è possibile definire alcune grandi "famiglie" di criteri quali l'organizzazione della tomba, della facciata, la disposizione delle colonne, la forma di trabeazione, le caratteristiche del pronao, i tipi di apertura o chiusura e l'organizzazione interna; soffitto, sepolture, decorazione, ecc... Olivier Henry, dopo uno studio stilistico delle facciate, è giunto alla conclusione che i modelli regionali siano stati copiati e ripetuti regolarmente con maggiore o minore fedeltà. La tomba a tempio di Berber İni[42] (fig. 9), che è isolata dalle altre e di un tipo unico, mostra particolari contatti con quelle di Norchia: ha una collocazione topografica dominante sulla zona, che traduce la volontà del proprietario della tomba di distinguersi dal resto della popolazione, ma anche di imporre la sua impronta sul paesaggio, mostra lo stile ionico e dorico mescolati tra loro, l'accesso alla camera funeraria è al di sotto dello stilobate del colonnato, cosa che non accade normalmente nelle tombe della Turchia. Olivier Henry ha proposto di identificarne il proprietario con Hecatomnos, il primo satrapo Hecatomnide, il padre di Mausolo, e di datarla a circa 375 a.C. I contatti con la Macedonia sembrano evidenti anche nella tomba di Amyntas a Telmessos, che si data intorno al 350 a.C.: Aminta, figlio di Hermapias (come recita l'iscrizione), porta un nome macedone.

Il centro propulsore del modello architettonico della tomba a tempio sembra essere stata la Macedonia, sede del regno che con Alessandro Magno divenne un impero esteso ad Oriente fino all'India. Nonostante le affinità architettoniche e decorative (l'uso di fregi a rilievo, decorati con colori applicati successivamente), le differenze tecniche sono tuttavia notevoli. Le tombe macedoni hanno una facciata costruita e non scavata nella roccia e tale facciata non era destinata a rimanere visibile. Si tratta di monumenti funerari che costituiscono una categoria speciale. Così chiamati perché la maggior parte di essi è stata scoperta in Macedonia[43]. Sono monumenti sotterranei costruiti lungo le strade che collegavano una città all'altra. Il materiale utilizzato per la loro costruzione è il *poros*, un calcare tenero e poroso. La tomba, quadrata o rettangolare, ha un soffitto a volta, che è il suo tratto distintivo. Ha una o due camere, e in quest'ultimo caso, consiste in un'anticamera e in una camera principale dov'è la sepoltura. Le facciate delle tombe hanno un frontone liscio o un architrave con una porta al centro. Nelle tombe più monumentali, le facciate assomigliano a quelle dei templi dorici o ionici (fig. 10). Gli elementi architettonici decorativi presenti sulla facciata e gli interni erano dipinti con colori vivaci, tutti naturali, realizzati con terre: rosso, blu scuro, rosa, verde, viola e nero. I colori erano applicati su una base di gesso bianco che copriva tutte le superfici. I corpi erano di solito cremati ritualmente su una pira fuori dalla tomba, insieme a ricche offerte (tessuti preziosi, armi, gioielli e corone). Dopo la fine della cerimonia, i monumenti con le loro facciate brillanti erano coperti di terra, e si creava un tumulo sopra ad essi. Le tombe erano le residenze dei morti e le strutture sotterranee probabilmente ricordavano le loro dimore e i loro palazzi. Le tombe macedoni costituiscono una preziosa fonte d'informazione sull'architettura tardo-classica ed ellenistica e anche sull'antica pittura monumentale.

In conclusione, occorre sottolineare che alcuni tipi di tombe rupestri etrusche diffusi in età ellenistica sembrano radicati nella tradizione locale arcaica, come quello a casa e quello a dado, completamente assente in Grecia e in Asia Minore, mentre altri, come il tipo con vano di sottofacciata, hanno una diffusione praticamente

---

[40] Secondo HENRY 2010, sembra che la loro origine sia da rintracciare in Caria e che da lì si siano diffuse in Licia. Controverso è il significato di questo tipo di tombe: alcuni studiosi attribuiscono ai loro proprietari la volontà di copiare i monumenti greci di culto. Secondo Henry, alcuni elementi, come l'assenza di culti eroici nel pantheon locale e la sepoltura in queste tombe di gruppi di persone, suggeriscono che queste non siano rappresentazioni di monumenti di culto. Le facciate delle tombe rappresenterebbero pertanto edifici ufficiali come palazzi, sale per banchetti o *andrones*, simbolo del potere delle dinastie locali.

[41] Vd. il caso di Octapolis, tombe 1 e 2 (anche se non sono perfettamente identiche): ROOS 1985, p. 27-32, fig. 14.1.

[42] HENRY 2010.

[43] Vd. soprattutto le splendide e celebri tombe di Vergina (tra le innumerevoli pubblicazioni, da ultima, DROUGOU 2016 con bibl. cit.) e LEFKADIA-MIEZA (RHOMIOPOULOU 1997, p. 24-44).

limitata a Norchia – e per ciò questo tipo architettonico è stato considerato una creazione della scuola locale –, infine i pochi che sembrano avere un'ascendenza greca vengono rimodulati ed adattati profondamente alla cultura locale: un esempio eclatante sono le tombe a tempio di Norchia che nel vano di sottofacciata ospitano un fregio a bassorilievo stuccato e dipinto che raffigura il corteo magistratuale alla presenza di un demone infernale alato: si tratta di una scena che sintetizza il prestigio politico e sociale del committente, profondamente radicato nelle credenze religiose etrusche, così diverse da quelle greche.

Bibliografia

AA.VV. 2014: Aa.Vv., *L'Etruria meridionale rupestre. Atti del Convegno Internazionale "L'Etruria meridionale rupestre dalla Protostoria al Medioevo. Insediamenti, necropoli, monumenti, confronti"*, Roma, 2014.

AMANN-RUGGENDORFER 2014: P. Amann et P. Ruggendorfer, *Le tombe rupestri a facciata della Licia e dell'Etruria: un confronto,* in Aa.Vv. 2014, p. 406-428.

AMBROSINI 2010: L. Ambrosini, *The Rock-Cut Tombs of the Necropolis of Norchia (Viterbo-Italy): An important Example of ancient Architecture that must be preserved*, in A. Ferrari (a cura di), *Proceedings of the 4th International Congress "Science and Technology for the Safeguard of Cultural Heritage of the Mediterranean Basin"*, II, Napoli, 2010, p. 217-223.

AMBROSINI 2011: L. Ambrosini, *Etruscan Funerary Landscape around Norchia (Viterbo, Italy): A Multi-varied Project in Defense of Cultural Heritage*, in *Hightlights 2009-2010*, Roma, 2011, p. 180-181.

AMBROSINI 2012a: L. Ambrosini, *The Rock-Cut Temple Tombs in the Mediterranean Area. A Study*, in A. Ferrari (a cura di), *Proceedings of the 5th International Congress "Science and Technology for the Safeguard of Cultural Heritage of the Mediterranean Basin"*, I, Roma, 2012, p. 229-236.

AMBROSINI 2012b: L. Ambrosini, *Il "paesaggio" funerario etrusco di Norchia (Viterbo-Italia): un progetto multi-variato in difesa del patrimonio culturale*, in *Hightlights 2010-2011*, Roma, 2012, p. 190-191.

AMBROSINI 2014a: L. Ambrosini, *La necropoli rupestre di Norchia: stato della ricerca*, in L. Mercuri e R. Zaccagnini (a cura di), *Etruria in Progress. La ricerca archeologica in Etruria meridionale*, Roma, 2014, p. 171-175.

AMBROSINI 2014b: L. Ambrosini, *La rinascita della necropoli rupestre di Norchia*, ISMAgazine 1, 2014, Roma, p. 15 (on line http://www.isma.cnr.it/?page_id=2178; http://www.isma.cnr.it/wp-content/uploads/2014/10/ISMAgazine_2014_01.pdf).

AMBROSINI 2014c: L. Ambrosini, *The Rock-cut Tombs of Norchia: the State of Research*, in A. Ferrari (a cura di),

6th International Congress "Science and Technology for the Safeguard of Cultural Heritage in the Mediterranean Basin", I, Roma, 2014, p. 235-243.

AMBROSINI 2016a: L. Ambrosini, *Norchia II*, Roma, 2016 (*Le necropoli rupestri dell'Etruria meridionale*, 3).

AMBROSINI 2016b: L. Ambrosini, *La necropoli etrusca di Norchia-Viterbo*, in A. Caravale (a cura di), *Scavare, documentare, conservare. Il CNR e le missioni archeologiche*, Roma, 2016, p. 98-103.

AMBROSINI-CICCIOLI-GENOVESE 2015: L. Ambrosini, P. Ciccioli e L. Genovese, *La necropoli rupestre di Norchia (VT): proposte di conservazione e valorizzazione*, in A. C. Montanaro (a cura di), *Preservation and Enhancement of Cultural Heritage. The "T.He.T.A." Project and Research Experiences in the European Context*, Roma, 2015, p. 191-206.

ANTONELLI 2003: L. Antonelli, *I Piceni. Corpus delle fonti. La documentazione letteraria*, Roma, 2003.

BARBIERI 2009: G. Barbieri, *Sorano (GR). Sovana, Tomba dei Demoni Alati. Tutela, valorizzazione e fruizione*, Notiziario della Soprintendenza per i Beni Archeologici della Toscana 5, 2009, p. 470-472.

BARBIERI 2010: G. Barbieri (a cura di), *La Tomba dei Demoni Alati di Sovana. Un capolavoro dell'architettura rupestre in Etruria*, Siena, 2010.

BARBIERI 2015: G. Barbieri, *Il colore nelle architetture funerarie di Sovana. La tomba dei Demoni Alati e altri monumenti policromi*, Fastionline 343, 2015 (http://www.fastionline.org/docs/).

BERGES 1986: D. Berges, *Hellenistische Rundaltäre Kleinasiens*, Freiburg, 1986.

BINACO 2014: P. Binaco, *Norchia (Vt). Materiali dalla "tomba a casetta" di Sferracavallo*, in Archaeologiae. Research by Foreign Missions in Italy 10.1-2, 2012 (2014), p. 31-55.

BRACCESI 2006: L. Braccesi, *L'Alessandro occidentale: il Macedone e Roma*, Roma, 2006.

BROCATO 1996: P. Brocato, *Sull'origine e lo sviluppo delle prime tombe a dado etrusche. Diffusione di un tipo architettonico da Cerveteri a San Giuliano*, Studi Etruschi 61,1996, p. 57-93.

BROCATO 2012: P. Brocato (a cura di), *Origine e primi sviluppi delle tombe a dado etrusche*, Arcavacata di Rende, 2012 (*Ricerche Università degli studi della Calabria. Dipartimento di archeologia e storia delle arti, Supplementi*, 4).

CALANDRA 2009: E. Calandra, *L'occasione e l'eterno: la tenda di Tolomeo Filadelfo nei palazzi di Alessandria . Parte seconda. Una proposta di ricostruzione*, Lanx 2, 2009, p. 1-77.

CANINA 1851: L. Canina, *L'antica Etruria marittima compresa nella dizione pontificia descritta ed illustrata con i monumenti. Volume secondo delle tavole spettanti alle parti V, VI, VII, VIII*, Roma, 1851.

CICCIOLI-PLESCIA-CAPITANI 2010: P. Ciccioli, P. Plescia e D. Capitani, *Factors Responsible for the fast Surface structural Decay of the Rock-Cut Tombs of the Etruscan*

Necropolis of Norchia (Northern Latium, Italy) and possible Strategies for their Conservation, in A. Ferrari (a cura di), *Proceedings of the 4th International Congress "Science and Technology for the Safeguard of Cultural Heritage of the Mediterranean Basin*, II, Napoli, 2010, p. 164-169.

Ciccioli *et alii* 2010: P. Ciccioli, C. Cattuto, P. Plescia, V. Valentini e R. Negrotti, *Geochimical and Engineering Geological Properties of the Volcanic Tuffs used in the Etruscan Tombs of Norchia (Northern Latium, Italy) and a Study of the Factors Responsible for their rapid Surface and structural Decay*, Archaeometry 52.2, 2010, p. 229-251.

Colonna 1967: G. Colonna, *L'Etruria meridionale interna dal Villanoviano alle tombe rupestri*, Studi Etruschi 35, 1967, p. 3-30.

Colonna 1974: G. Colonna, *La cultura dell'Etruria meridionale interna con particolare riguardo alle tombe rupestri*, in *Aspetti e problemi dell'Etruria interna. Atti dell'VIII Convegno Nazionale di Studi Etruschi e Italici*, Firenze, 1974, p. 253-265.

Colonna Di Paolo 1974: E. Colonna Di Paolo, *Osservazioni sulle tombe a dado con portico di Norchia*, in *Aspetti e problemi dell'Etruria interna. Atti dell'VIII Convegno Nazionale di Studi Etruschi e Italici*, Firenze, 1974, p. 267-272.

Colonna Di Paolo 1978: E. Colonna Di Paolo, *Necropoli rupestri del Viterbese*, Novara, 1978.

Colonna Di Paolo-Colonna 1970: E. Colonna Di Paolo e G. Colonna, *Castel d'Asso*, Roma, 1970 (*Le necropoli rupestri dell'Etruria meridionale*, 1).

Colonna Di Paolo-Colonna 1978: E. Colonna Di Paolo e G. Colonna, *Norchia I*, Roma, 1978 (*Le necropoli rupestri dell'Etruria meridionale*, 2).

Colonna Di Paolo 1982: E. Colonna Di Paolo, *Norchia: un bilancio delle ultime ricerche*, in *Archeologia nella Tuscia. Primo Incontro di Studio*, Roma, 1982, p. 17-22.

Drougou 2016: S. Drougou, *Vergina-Aigai: The Macedonian Tomb with Ionic Façade. Observations on the Form and Function of Macedonian Tombs*, in D. Katsonopoulou e E. Partida (a cura di), *ΦΙΛΕΛΛΗΝ/ PHILHELLENE. Essays presented to Stephen G. Miller [τιμητικός τόμος για τον Καθηγητή Στέφανο Μίλλερ]*, Atene, 2016, p. 335-350.

Fedak 1990: J. Fedak, *Monumental Tombs of the Hellenistic Age, A Study of selected Tombs from the Pre-Classical to the Early Imperial Era*, Toronto, 1990 (*Phoenix* Suppl. 27).

Gargana 1935: A. Gargana, *Note per lo studio architettonico della Tomba Lattanzi*, Bollettino Municipale di Viterbo, giugno 1935, p. 3-9.

Hachlili 2005: R. Hachlili, *Jewish Funerary Customs, Practices and Rites in the Second Temple Period*, Leiden, 2005.

Henry 2010: O. Henry, *Hekatomnos, Persian Satrap or Greek Dynast? The Tomb at Berber İni*, in *Hellenistic Karia, Proceedings of the First International Conference on Hellenistic Karia*, Bordeaux, 2010, p. 103-121.

Henzen 1853: G. Henzen, *Antichità etrusche*, BullInst 1853, p. 183-184.

Herbig 1952: R. Herbig, *Die jüngeretruskichen Steinsarkophage*, Berlin, 1952.

Jolivet 2016: V. Jolivet, *Macedonia and Etruria at the Beginning of the Hellenistic Period: A Direct Link*, in D. Katsonopoulou e E. Partida (a cura di), *ΦΙΛΕΛΛΗΝ/ PHILHELLENE. Essays presented to Stephen G. Miller [τιμητικός τόμος για τον Καθηγητή Στέφανο Μίλλερ]*, Athens, 2016, p. 317-333.

Jolivet-Lovergne 2014: V. Jolivet e E. Lovergne, *Architecture funéraire étrusque, architecture palatiale macédonienne : la tombe monumentale de Grotte Scalina (Viterbe)*, in J. M. Álvarez Martínez, T. Nogales Basarrate e I. Rodá De Llanza (a cura di), *XVIII Congreso Internacional de Arqueología Clásica. Centro y periferia en el Mundo Clásico / Centre and Periphery in the ancient World*, Madrid, 2014, p. 515-518.

Jolivet-Lovergne 2016: V. Jolivet e E. Lovergne, *La tombe rupestre monumentale de Grotte Scalina (Étrurie méridionale)*, Revue Archéologique 2016, p. 155-162.

Kopsacheili 2012a: M. Kopsacheili, *Palaces, Hellenistic*, in R. Bagnall, K. Brodersen, C.B. Champion, A. Erskine e S. Huebner (a cura di), *The Encyclopedia of Ancient History*, Oxford, 2012 http://dx.doi.org/10.1002/9781444338386.wbeah09179.

Kopsacheili 2012b: M. Kopsacheili, *Palaces and Elite Residences in the Hellenistic East, Late Fourth to Early First Century BC: Formation and Purpose*, PhD Thesis, Oxford, 2012.

Maggiani 1981: A. Maggiani, *Recensione a Norchia I*, Prospettiva 26, 1981, p. 87-91.

Maggiani 1994: A. Maggiani, *Tombe con prospetto architettonico nelle necropoli rupestri d'Etruria*, in M. Martelli (a cura di), *Tyrrhenoi philotechnoi, Atti della Giornata di Studio*, Roma, 1994 (*Terra Italia*, 3), p. 119-159.

Maggiani 2014: A. Maggiani, *La Tomba dei Demoni Alati e le più tarde tombe a edicola di Sovana*, in Aa.Vv. 2014, p. 298-316.

Maggiani-Barbieri-Pellegrini 2005: A. Maggiani, G. Barbieri e E. Pellegrini, *Sorano (GR). Frazione Sovana, indagini nelle necropoli. La scoperta della Tomba dei Demoni Alati*, Notiziario della Soprintendenza per i Beni Archeologici della Toscana 1, 2005, p. 318-319.

Maras 2012: D.F. Maras, in D.F. Maras, L. Proietti e M. Sanna, *Rivista di Epigrafia Etrusca*, in Studi Etruschi 75, 2012, p. 246-248, n. 63.

Maras 2013: D. F. Maras, *Analisi dell'iscrizione*, in L. Proietti-M. Sanna, *Tra Caere e Volsinii. La Via Ceretana e le testimonianze archeologiche lungo il suo percorso*, Viterbo, 2013, p. 186-188.

Marchetti-Pallecchi-Turchetti 2014: M. A. Marchetti, P. Pallecchi e M. A. Turchetti, *Sorano (GR). Sovana. Acquisizione delle sculture e della Tomba dei*

Demoni Alati con scanner 3D e realizzazione modelli 3D digitali e materici, Notiziario della Soprintendenza per i Beni Archeologici della Toscana 10, 2014, p. 487-490.

OLESON 1982: J.P. Oleson, *The Sources of Innovation in Later Etruscan Tomb Design (ca. 350-100 B.C.)*, Roma, 1982.

PROIETTI-SANNA 2011: L. Proietti e M. Sanna, *La tomba a casetta di Sferracavallo (Norchia)*, Archeotuscia News 2, maggio 2011, p. 33-36.

ROMANELLI 1986: R. Romanelli, *Necropoli dell'Etruria rupestre. Architettura*, Viterbo, 1986.

RHOMIOPOULOU 1997: K. Rhomiopoulou, *Lefkadia - Ancient Mieza, Athens, 1997.*

ROOS 1985: P. Roos, *Survey of Rock-Cut Chamber-Tombs in Caria: South-Eastern Caria and the Lyco-Carian Borderline*, Göteborg, 1985, (Studies in Mediterranean Archaeology, Vol 72:1).

ROSI 1925: G. Rosi, *Sepulchral Architecture as illustrated by the Rock Façades of Central Etruria. Part 1, Journal of Roman Studies* 15, 1925, p. 1-59.

ROSI 1927: G. Rosi, *Sepulchral Architecture as illustrated by the Rock Façades of Central Etruria. Part 2, Journal of Roman Studies* 17, 1927, p. 59-96.

SALVINI-PAOLUCCI-SALVADORI 2015: M. Salvini, G. Paolucci e E. Salvadori, *Porte vere e finte porte sul mondo ultraterreno. La porta della Tomba del Colle*, in M. Salvini, G. Paolucci e P. Pallecchi (a cura di), *La Tomba del Colle nella passeggiata archeologica a Chiusi*, Roma, 2015, p. 81-87.

SORDI 2002: M. Sordi, *Scritti di Storia Romana*, Milano, 2002, p. 153-170 (riedizione di M. Sordi, *Alessandro e i Romani, Rendiconti. Classe di lettere e scienze morali e storiche. Istituto lombardo, Accademia di scienze e lettere* 1965, p. 435-452).

STACCIOLI 1980: R. A. Staccioli, *Le finte porte dipinte nelle tombe arcaiche etrusche, Quaderni dell'Istituto di archeologia e storia antica. Università di Chieti* 1, 1980, p. 1-17.

STEINGRÄBER 2000: S. Steingräber, *Arpi, Apulien, Makedonien. Studien zum unteritalischen Grabwesen in hellenistischer Zeit*, Magonza, 2000.

STEINGRÄBER 2006: S. Steingräber, *Figürlicher architektonischer Fassadenschmuck in Etrurien und sein Nachleben bis in die Moderne*, in P. Amann, M. Pedrazzi e Hans Taeuber (a cura di), *Italo-tusco-romana. Festschrift für Luciana Aigner-Foresti zum 70. Geburtstag am 30. Juli 2006*, Vienna, 2006, p. 335-340.

STEINGRÄBER 2009: S. Steingräber, *Etruscan Rock-cut Tombs. Origins, Characteristics, Local and Foreign Elements*, in J. Swaddling e P. Perkins (a cura di), *Etruscan by Definition. The Cultural, Regional and Personal Identity of the Etruscans. Papers in Honour of Sybille Haynes, MBE*, Londra, 2009, p. 64-68.

STEINGRÄBER 2010: S. Steingräber, *Le tombe rupestri "a tempio" in Etruria e in altre zone del Mediterraneo orientale*, in Aa.Vv. 2014, p. 395-405.

STEINGRÄBER 2015: S. Steingräber, *Antike Felsgräber. Unter besonderer Berücksichtigung der etruskischen Felsgräbernekropolen*, Magonza, 2015.

STERPA 2017: S. Sterpa, *Norchia (VT): la Tomba a Casetta della necropoli etrusca di Guado di Sferracavallo, The Journal of Fasti Online*, 2017, p. 1-16 (http://www.fastionline.org/docs/FOLDER-it-2017-374.pdf).

VACCARO 2009: V. Vaccaro, *Caronti e finte porte*, in *Pittura ellenistica in Italia e in Sicilia. Linguaggi e tradizioni. Atti del Convegno di Studi*, Roma, 2011, p. 349-359.

VAN DER MEER 2001: L.B. van der Meer, *Decorated Etruscan Stone Sarcophagi. A Chronological and Bibliographical Appendix to R. Herbig, Die jüngeretruskischen Steinsarkophage (Berlin 1952), Bulletin Antieke Beschaving* 76, 2001, p. 79-100.

ZARZALEJOS-GUIRAL- SAN NICOLÁS PEDRAZ 2015: M. Zarzalejos Prieto, C. Guiral Pelegrín, M. P. San Nicolás Pedraz, *Historia de la cultura material del mundo clásico*, Madrid 2015.

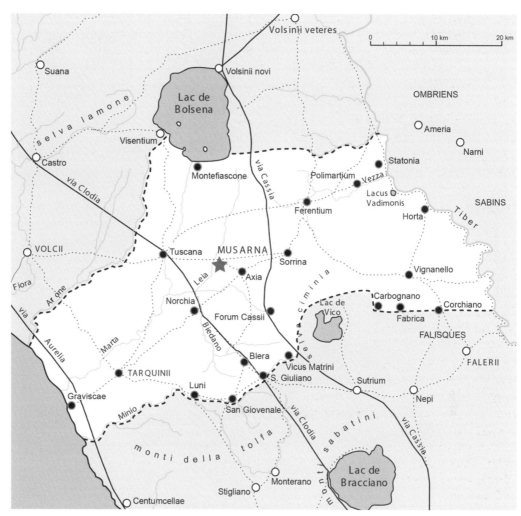

1. Carta del territorio di Tarquinia con i principali centri (da Jolivet-Lovergne 2016, fig. 1).

2. Ricostruzione di tombe a dado a Castel d'Asso (da Canina 1851, tav. 97, fig. 4) e Tomba di Zaccaria a Gerusalemme (da http://www.lifeonoranzefunebri.com/index.php).

3. Norchia, Pile B, Tomba PB 24-Tomba Prostila (L. Ambrosini).

4. Norchia, Sferracavallo, Tomba a casetta (da http://www.tusciaweb.eu/2014/12/etruschi-tomba-casetta-sferracavallo-torna-vivere/).

5. Norchia, Pile B, PB 75 (foto G. Colonna, da Ambrosini 2016, tav. 399.2).
6. Plastico ricostruttivo della Tomba Lattanzi di Norchia (Archivio Fotografico della *Soprintendenza* Archeologia, Belle Arti e Paesaggio per L'area Metropolitana di Roma, la Provincia di Viterbo e l'Etruria meridionale n. 29333).

7. Norchia, Acqualta, Tombe a Tempio (L. Ambrosini).

8. Sovana, Tomba dei Demoni alati (L. Ambrosini), a destra ricostruzione (da Barbieri 2015, p. 3, fig. 4).

9. Mylasa, Tomba di Berber İni (L. Ambrosini).

10. Macedonia, Lefkadia, Tomba della Palmetta (L. Ambrosini).

Carmina conuiualia in Etruria?
A proposito della tomba dei Rilievi di Cerveteri

Dominique Briquel, Université de Paris-Sorbonne (Paris IV)/ École Pratique des Hautes Études UMR 8546, École Normale Supérieure/CNRS

La prise en compte des tombes étrusques peut se révéler utile même pour certains problèmes regardant la littérature classique. Une théorie fameuse sur l'origine de l'historiographie romaine faisait intervenir les carmina conuiualia, *chants célébrant les héros du passé, qui, d'après Caton, étaient chantés à époque ancienne pendant les banquets. Cette théorie, qui remonte à 1811 et fut exposée dans la Römische Geschichte de Niebuhr, a connu un regain d'actualité avec des articles de N. Zorzetti, publiés en 1990 et 1991. On peut suggérer que la reproduction d'un* liber linteus *dans la Tombe des Reliefs de Cerveteri renvoie à l'existence d'une poésie de ce type chez les Étrusques, dont il n'est pas impossible qu'elle ait été également récitée à l'occasion des banquets funéraires.*

Taking into account Etruscan tombs can ben useful even to get an idea of some questions about classical literature. A famous theory about the origins of roman historiography was that of the carmina conuiualia, *songs celebrating heroes of the past, which, according to Cato, were sung in ancient times during banquets. This theory, dating back to 1811, when it was presented in Niebuhr's Römische Geschichte, after being much discussed, gained a new favour with articles of N. Zorzetti, published in 1990 and 1991. It is not impossible that the reproduction of a* liber linteus *in the Tomba dei Rilievi at Cerveteri refers to the existence among the Etruscans of such a kind of poetry, which could have been also part of the funerary banquets.*

Prima della nascita della letteratura latina come la conosciamo oggi, una delle forme primitive di poesia che Roma avrebbe conosciuto sotto l'influenza della Grecia, non prima del III secolo a.C., ha occupato un posto non indifferente nel corso del XIX secolo nei dibattiti tra studiosi, richiamando maggiormente l'attenzione degli specialisti di storia e di storiografia a scapito di quelli di letteratura: i *carmina conuiualia*, queste poesie che sarebbero state cantate nel corso dei banchetti, e tramite le quali sarebbero state celebrate le prodezze dei grandi uomini del passato.

Infatti, nel contesto del romanticismo tipico dell'inizio del XIX secolo, Niebuhr, nella sua *Römische Geschichte*, li considerava come la forma tramite la quale si sarebbe trasmessa la memoria degli eventi e dei loro attori, memoria che doveva assumere un aspetto prettamente storiografico solo con Fabius Pictor e con la tradizione annalistica che ebbe inizio con lui e la sua opera, redatta in greco, che portò finalmente alla nascita a Roma di una storia sul modello di quella che esisteva già da tempo nel mondo greco. Egli ricorda infatti che « Rom hatte einst Lieder von Lob grosser Männer, welche an Gastmahlern bey der Floete gesungen wurde », canti nei quali vedeva l'origine fondamentale dei principali episodi della storia della città che gli storici avrebbero, in un secondo tempo, ripresa in prosa (« in prosaische Erzaehlung aufgeloest »). Tuttavia, secondo lui, l'origine poetica di questa storia romana si traduceva ancora presso Livio o Dionigi di Alicarnasso, ad esempio con il carattere di epopea della gesta di Romolo (« welche für sich eine Epopee bildet »), oppure di « grosses Gedicht » della storia dei Tarquini, fino alla loro cacciata e all'instaurazione della Repubblica. La loro natura poetica rimane avvertibile nel racconto trasmesso dagli storici (« dieses Lied der Tarquinier ist noch in seiner prosaischen Gestalt unbeschreiblich dichterisch »)[1].

Tale visione fu chiaramente influenzata dall'at-

---

[1] Per le citazioni, vd. NIEBUHR 1811, p. 178-179.

mosfera di favorevole interesse per l'anima dei popoli e dalla sua espressione spontanea : come una forma primitiva di poesia che nei canti del bardo Ossian, sebbene fossero del tutto falsi, trovò il modello di riferimento[2]. Niebuhr, Danese nato a Copenhaghen nel 1776, passò al servizio della Prussia nel 1806, e divenne nel 1810 professore a Berlino, presso l'università che era stata appena creata[3]. Nella piena età del positivismo, non è difficile capire come il mondo degli accademici abbia presto cercato nuovi metodi per indagare la letteratura storica a Roma: Theodor Mommsen, anche lui suddito danese divenuto tedesco, privilegiò la registrazione sistematica dei dati, anno dopo anno, per i quali gli annali dei pontefici avrebbero fornito il modello, portando così alla nascita della forma, così caratteristica, dell'annalistica. Se i *carmina conuiualia* sono effettivamente menzionati da Mommsen nella *Römische Geschichte*, pubblicati meno di cinquant'anni dopo quella di Niebuhr, egli non attribuiva più a questi canti nessun vero ruolo nella nascita del genere storico a Roma[4]. Chi riflette oggi sulla formazione della storiografia romana allude alla loro esistenza solo di sfuggito, come un elemento tra altri della « préhistoire de l'historiographie latine »[5], senza sottolineare ulteriormente la loro incidenza sulle forme che stava per prendere questo specifico genere letterario nella letteratura latina.

Ne è risultato oggi un relativo disinteresse per i *carmina conuiualia*. In un certo senso, il dibattito che si è creato intorno ad essi ha sofferto del fatto di non essersi svolto nell'ambito di specialisti di letterattura, bensì di storici i quali, una volta abbandonate le idee di Niebuhr sull'importanza fondamentale che avrebbe avuto questa forma primitiva di poesia nella nascita della storia come categoria letteraria, provavano ormai scarso interesse per questi canti. Perciò va riconosciuto il contributo importante di N. Zorzetti nel resuscitare, per modo di dire, questa vecchia questione, in una relazione presentata nel 1990, seguita da un articolo pubblicato l'anno successivo[6]. Scostandosi - finalmente - dal dibattito sull'incidenza di questa forma di poesia orale sulla storiografia romana, l'autore scelse di attenersi a quello che se ne poteva dire semplicemente come forma di espressione preletteraria a Roma, ricollocandola nell'ambito della cultura del banchetto che l'*Vrbs* aveva

---

[2] Vari dubbi sull'autenticità di queste poesie « gaeliche » furono espressi già all'epoca della loro pubblicazione ad opera del poeta scozzese James Macpherson, tra il 1760 ed il 1765. Ciononostante, esse hanno esercitato un'influenza profonda e duratura: si sa che venivano particolarmente apprezzate da Napoleone I. Per questa questione, vd. VAN TIEGHEM 1920 e GASKILL 2004.

[3] Sul contesto storico e letterario che spiega l'origine della tesi di Niebuhr, vd. l'articolo classico di A. Momigliano (MOMIGLIANO 1957 ; vd. anche MOMIGLIANO 1980).

[4] Per Mommsen, le *carmina conuiualia* sarebbero spariti molto prima di Fabius Pictor e Catone, e non avrebbero esercitato alcuna influenza sulla nascita di una storia vera e propria a Roma (MOMMSEN 1854, p. 205-206: « Desgleichen wurden bei dem Gastmahl von den Knaben, die nach der damaligen Sitte die Väter auch zum Schmaus außer dem eigenen Hause begleiteten, Lieder zum Lobe der Ahnen abwechselnd bald ebenfalls zur Flöte gesungen, bald auch ohne Begleitung bloß gesagt *(assa voce canere)*. (…) Genaueres wissen wir von diesen Ahnenliedern nicht; aber es versteht sich, daß sie schilderten und erzählten und insofern neben und aus dem lyrischen Moment der Poesie das epische entwickelten (…). Erhalten ist nichts von diesen Inkunabeln des römischen Epos und Drama. Daß die Ahnenlieder traditionell waren, versteht sich von selbst und wird zum Überfluß dadurch bewiesen, daß sie regelmäßig von Kindern vorgetragen wurden; aber schon zu des älteren Cato Zeit waren dieselben vollständig verschollen »).

[5] Cf. il capitolo così intitolato in CIZEK 1995; i *carmina conuiualia* vi sono menzionati alla p. 34 in questo modo: « Les chansons de table – *carmina conuiualia* – (constituèrent) aussi une riche tradition orale. D'inspiration héroïque, ces chansons portaient aux nues le souvenir des grands hommes. Ces hymnes faisaient l'éloge de Romulus, de Coriolan, des Horaces et des Curiaces. Des légendes sans nom et parfois sans repères temporels précis, regorgeant d'éléments mythiques et préservant une composante atemporelle avaient formé une vulgate sur la Rome primitive. Elles circulaient avant la naissance de l'annalistique. » Martine Chassignet, nei volumi relativi alle forme più antiche della storia a Roma pubblicati nella CUF, si limita - giustamente - a quello che sappiamo dell'annalistica, senza considerare i *carmina conuiualia* (vd., in particolare, CHASSIGNET 1996). Sull'esistenza dell'usanza anche a Praeneste e in altre città latine, FRANCHI DE BELLIS 2005, p. 24-25.

[6] ZORZETTI 1990, 1991. Le concezioni di N. Zorzetti rappresentano una reazione radicale contro l'idea, largamente condivisa prima di lui, secondo la quale queste canzoni di tavola sarebbero un'invenzione dei Romani, che avrebbero voluto così attribuire alla loro città un'usanza ben attestata in Grecia (p. es. DAHLMANN 1950).

ereditato dalla Grecia[7]. Il successo immediatamente riscontrato dai lavori dello studioso italiano[8] costituisce un segno ovvio del potenziale di questo rinnovo della problematica - e dell'interesse che i *carmina conuiualia* meritano di continuare a suscitare.

Va ribadito che le informazioni che ci hanno lasciato le fonti antiche a questo proposito sono estremament limitate, come sottolineava A. Schnapp Gourbeillon nella sua recensione di *Sympotica*, a proposito del contributo di N. Zorzetti, sulla « faiblesse des traces relevées dans les textes concernés »[9]. Le scarse fonti disponibili erano già state passate in rassegna da Niebuhr: si tratta soltanto di tre passi di Cicerone, nelle *Tusculane* ed il *Bruto*[10], che riporta una citazione di Catone secondo il quale la tradizione di queste canzoni da tavola cantate dai commensali era già sparita nella sua epoca. Possiamo anche basarci su un frammento del *De uita populi Romani* di Varrone, trasmesso dal grammatico Nonio, che alludeva a *pueri modesti*, verosimilmente giovani ragazzi delle nobili famiglie[11]. Ovviamente, si tratta di pochissime evidenze e conviene non cercare di arricchire artificialmente questo dossier aggiungendo, come spesso accade, le allusioni contenute nelle *Antichità romane* di Dionigio d'Alicarnasso[12] e le *Odi* di Orazio[13], relative ad inni a grandi personaggi del passato, di cui tuttavia nessun elemento ci fa supporre che fossero cantati nel corso di banchetti, o in contesti diversi quali cerimonie religiose o altre circostanze.

---

[7] Il primo studio fu pubblicato nei *Sympotica*, un volume collettivo dedicato al *symposion* (MURRAY 1990). Va tuttavia ricordata la distinzione, giustamente ribadita da Florence Dupont (DUPONT 1994), tra le riunioni dove si banchettava (*cena*), e quelle dove si beveva (*commissatio*).

[8] Lo stesso volume del *Classical Journal* del 1991 pubblica due reazioni, sostanzialmente favorevoli all'ipotesi, anche se i loro autori si limitavana a criticarlo al riguardo dell'analisi insufficiente, secondo loro, dei modelli greci che i Romani avrebbero seguito (COLE 1991; PHILIPPS 1991). Le analisi di N. Zorzetti furono adottate e completate successivamente, ad esempio in HABINEK 1998, p. 21-25, o RÜPKE 2001. Presentazione dello stato attuale della questione in PETERSMANN 2002.

[9] SCHNAPP-GOURBEILLON 1992, p. 283.

[10] Cicerone, *Tusculane* 4.3 (= Catone, *Origini* 7.13 Chassignet) : *grauissimus auctor in Originibus dixit Cato morem apud maiores hunc epularum fuisse, ut deinceps qui accubarent canerent ad tibiam clarorum uirorum laudes atque uirtutes* («Catone, scrittore autorevolissimo, disse nelle sue *Origini* che presso i nostri antenati vigeva nel banchetti l'usanza che i convitati l'uno dopo l'altro cantassero accompagnandosi al flauto le glorie e le virtù degli uomini illustri»); cf. 1.2 : *sero igitur poetae a nostris uel cogniti uel recepti. Quamquam est in Originibus solitos esse in epulis canere conuiuas ad tibicinem de clarorum hominum uirtutibus* («Tardi fu dunque conosciuta, o meglio accolta, la poesia fra noi. Per quanto, si legge nelle *Origini* di Catone, che i convitati solevano nel banchetti cantare accompagnati dal flauto le virtù degli uomini illustri»); *Brutus* 75 : *illa carmina, quae multis saeculis ante suam aetatem in epulis esse cantitata a singulis conuiuis de clarorum uirorum laudibus in Originibus scriptum reliquit Cato* («quei carmi che, stando a quanto ci dice Catone nelle *Origini*, i singoli convitati cantavano nei banchetti in onore degli uomini illustri, parecchi secoli prima di lui»). La traduzione italiana, per le *Tuscolane* è quella di N. MARINONE, ed. UTET (1955); per il *Bruto*, di G. NORCIO, ed. UTET (1976).

[11] Varrone, *De uita populi Romani* 84 Riposati (= Nonio 107 L): *In conuiuiis pueri modesti ut cantarent carmina antiqua in quibus laudes erant maiorum et assa uoce et cum tibicine* (« Nel corso dei banchetti, nobili fanciulli cantavano antichi canti in onore degli antenati, o a cappella o accompagnati col flauto »).

[12] Dionigi di Alicarnasso 1.79.10 (a proposito della vita di Romolo e Remo in mezzo al gruppo dei pastori): Οἱ δὲ ἀνδρωθέντες γίνονται κατά τε ἀξίωσιν μορφῆς καὶ φρονήματος ὄγκον οὐ συοφορβοῖς καὶ βουκόλοις ἐοικότες, ἀλλ᾽ οἵους ἄν τις ἀξιώσειε τοὺς ἐκ βασιλείου τε φύντας γένους καὶ ἀπὸ δαιμόνων σπορᾶς γενέσθαι νομιζομένους, ὡς ἐν τοῖς πατρίοις ὕμνοις ὑπὸ Ῥωμαίων ἔτι καὶ νῦν ᾄδεται («Divenuti adulti, la dignità del loro aspetto e l'intelligenza non li facevano assomigliare a porcai o pastori, ma apparivano tali e quali ci si sarebbe aspettati da discendenti di stirpe regale e di dèi, cosi come ancora sono celebrati dai Romani negli inni patrii») ; 8.62.3 (a proposito di Coriolano) : ἐτῶν δὲ μετὰ τὸ πάθος ὁμοῦ τι πεντακοσίων ἤδη διαγεγονότων εἰς τόνδε τὸν χρόνον οὐ γέγονεν ἐξίτηλος ἡ τοῦ ἀνδρὸς μνήμη, ἀλλ᾽ ᾄδεται καὶ ὑμνεῖται πρὸς πάντων ὡς εὐσεβὴς καὶ δίκαιος ἀνήρ («Pur essendo trascorsi da allora ad oggi circa cinquecento anni, il ricordo di quell'uomo non si è estinto, ma è universalmente lodato e celebrato come persona pia e giusta»). La traduzione italiana è quella di F. CANTAREI, ed. RUSCONI (1984).

[13] Orazio, *Ode* 4.15.25-32 : *Nosque et profestis lucibus et sacris/ inter iocosi munera Liberi/ cum prole matronisque nostris/ rite deos prius adprecati,/uirtute functos more patrum duces,/ Lydis remixto carmine tibiis/ Troiamque et Anchisen et almae/ progeniem Veneris canemus* (« E noi, nei giorni feriali e festivi, tra i doni dello scherzoso Libero, con i figli e le spose nostre, invocati prima devotamente gli dèi, con il canto accompagnato al suono del flauto lidio, celebreremo i duci, che sull'esempio dei padri, fecero prova di valore, e Troia e Anchise e la stirpe di Venere genitrice »). La traduzione italiana è quella di T. CALAMARINO e D. BO, ed. UTET (1969).

La documentazione di cui disponiamo al riguardo risulta dunque molto limitata. Ma questa scarsità non deve portare a concludere che nell'*Vrbs* in un'epoca preletteraria non esistesse una poesia di questo tipo. Sulla linea dell'analisi di N. Zorzetti, è plausibile sostenere che poiché Roma e, più in generale, l'Italia antica avevano adottato l'uso greco del banchetto, sembra assai verosimile che vi fossero praticate le stesse forme di canti destinati a celebrare gli antenati che l'aristocrazia ateniese dei VI e V secoli a.C. aveva conosciuto nell'ambito di questo tipo di festività. È comunque chiaro che possiamo basarci solo su presunzioni, e non su certezze: come scriveva A. Schnapp-Gourbeillon, nonostante « l'étude séduisante » di N. Zorzetti, « on peut néanmoins rester sceptique »[14]. Tuttavia, quello che sappiamo oggi delle società dell'Italia antica sembra orientarci nel senso dell'ipotesi del nostro collega italiano, e vorremmo richiamare l'attenzione su un piccolo argomento, preso dall'ambito etrusco, che potrebbe confermarla.

L'uso dei canti di banchetto era naturalmente di origine greca, tuttavia N. Zorzetti ha suggerito una forma di influenza degli Etruschi a questo riguardo - il che non può stupire in un periodo dove i vicini settentrionali di Roma esercitavano un'influsso considerevole sui Romani, in particolare sull'aristocrazia: quest'ultima, come lo ricordava Livio in un passo magistralmente analizzato anni fa da Jacques Heurgon, si recava a Caere o in altre città etrusche per formarsi alle *Etruscae litterae*, una mediazione verso le *Graecae litterae* che ancora non potevano apprendere recandosi a studiare sul posto, come invece faranno più tardi all'epoca di Cicerone e di Cesare[15].

Vale qui la pena di citare un elemento della decorazione di una delle più famose tombe di questa città etrusca, la tomba dei Rilievi[16] (fig. 1), scoperta nel corso dell'inverno 1846-1847 nel corso degli scavi intrapresi dal marchese Campana nella necropoli della Banditaccia[17]. Essa fu chiamata, appena scoperta, la « Tomba Bella », a causa della eccezinale decorazione di stucco che decora la sua camera ipogea. Datata dell'ultimo quarto del IV secolo, in particolare sulla base della riproduzione della parte esterna di una coppa etrusca a figure rosse sul pilastro di destra[18], la tomba, accessibile tramite un profondo *dromos*, presenta un'unica camera rettangolare scavata nel tufo, con un tetto a doppio spiovente sostenuto da due pilastri; le pareti presentano una serie di alcove, due da ogni lato della porta d'ingresso, quattro ai due lati, e tre nella parete del fondo, mentre trentadue spazi destinati a deposizioni, delimitati da piccole riseghe, sono segnati sul pavimento, lungo le pareti. Questo grande ipogeo gentilizio, che rimase in uso per due secoli, era proprietà della famiglia Matuna, come risulta dalle iscrizioni che vi figuravano, relative ad undici individui, di cui nove (sei uomini e tre donne) portano questo nome, sotto la forma maschile Matuna, o femminile Matunai[19]. Anche se le sue caratteristiche sono conformi alla tipologia delle tombe aristocratiche di questa epoca[20], l'ipogeo ne differisce per la sua decorazione di stucco, che ne fa un caso unico nell'insieme delle necropoli ceretane ma anche, più generalmente, etrusche. Il fregio che corre al disopra delle nicchie del fondo, la parte anteriore dei pilastri che le dividono, la parete che li separa dal pavimento, nonché due lati dei due pilastri del centro della camera sono coperti di riproduzioni in stucco di diversi oggetti - armi nel

[14] SCHNAPP-GOURBEILLON 1992, p. 382-383.

[15] Vd. Livio 9.36.2-3 (per eventi successi nel 310 av. J.-C.), con l'analisi proposta in Heurgon 1961, p. 294-297. Lo storico francese a dimostrato chiaramente che la cultura etrusca non si opponeva in nessun modo alla cultura greca, che permeava allora il paese toscano (alla p. 296, egli scrive: « Caeré (ville alliée de Rome où les jeunes aristocrates romains allaient se former) était le plus intense foyer d'héllénisme dans l'Italie centrale - et c'est à l'hellénisme qu'à travers l'Étrurie Rome aspirait »). Sui rapporti tra Roma e Caere, Sordi 1960 rimane il riferimento fondamentale; vd., per ultimo, M. TORELLI, in AA.VV. 2013, p. 268-272.

[16] Buona descrizione in HEURGON 1961, p. 201-212. Per uno stutio complessivo, BLANCK-PROIETTI 2013 (con il contributo di H. BLANCK, p. 9-60, per la decorazione di rilievi in stucco).

[17] Sulle circostanze della scoperta, BRIGUET 1972 (e AA.VV. 2013, p. 26). La tomba è stata presentata in Braun 1854, ma, appena rinvenuta, attirò numerosi visitatori (*ibid.*, *eo loco*, e p. 37).

[18] BLANCK-PROIETTI 2013, p. 50.

[19] Nove iscrizioni figurano sulle pareti della camera interna della tomba (*ET* e *ET²*, Cr 1.130-138), mentre due cippi ad essa pertinenti sono stati ritrovati all'esterno (*ET* e *ET²*, Cr 1.139, 5.3). Per queste iscrizioni, e quello che se ne può dedurre per quanto riguarda la storia della famiglia e della sua genealogia, MORANDI TARABELLA 2004, p. 303-307.

[20] L. HAUMESSER, in AA.VV. 2013, p. 293-295.

fregio che sovrasta le nicchie funerarie, e sui pilastri, un insieme che J. Heurgon qualificava di « savoureux bric-à-brac »[21], un'intera « collection d'instruments, surtout ménagers », per non parlare degli animali domestici, un'anatra, un'oca ed una faina che sta azzanando una talpa. Si capisce facilmente la fama di questo monumento che ci fa penetrare in modo pienamente concreto nella vita quotidiana di una delle principali famiglie della Caere del IV secolo a.C.

Conviene però fermarsi su un elemento della decorazione posta a sinistra della nicchia principale, al centro della parete del fondo. J. Heurgon lo descriveva così: « un coffre, à la serrure bien dessinée, s'ouvrait en se rabattant par devant : il est surmonté d'une pile de linge soigneusement plié »[22] (fig. 2). Tuttavia, non si tratta di un elemento di letto - se fosse un lenzuolo, sarebbe di piccolissime dimensioni -, e F. Roncalli lo ha identificato, probabilmente a ragione, come uno di questi libri di lino, *libri lintei*, che servivano di supporto di scrittura nell'Italia indigena, e di cui un esemplare, pervenuto in Egitto e conservato grazie alla siccità del clima locale, ci è miracolosamente pervenuto: questo « libro linteo di Zagabria » che costituisce, con le sue mille duecento parole, il documento etrusco più lungo che possediamo[23]. In effetti, il minuzioso studio realizzato dal nostro collega italiano, a partire dal documento di Zagabria e dalle rappresentazioni figurate, ha dimostrato che questi supporti di scrittura si presentavano sotto la forma di tele sulle quali si scriveva con l'inchiostro, e che venivano ripiegate su se stesse come le nostre moderne carte stradali, dando così l'impressione di un lenzuolo accuratamente piegato. L'oggetto della tomba dei Rilievi di Cerveteri va dunque verosimilmente identificato in questo modo, piuttosto che come un qualsiasi lenzuolo.

Tuttavia, se abbiamo effettivamente a che fare con un libro, di che tipo di testo poteva trattarsi? Analizzando le raffigurazioni di libri di

lino che si possono identificare, Roncalli aveva avvicinato il "lenzuolo" della tomba dei Rilievi a due rappresentazioni analoghe[24]. Una figura sul coperchio del sarcofago del Magistrato, della metà del IV secolo a.C., scoperto in un'altra tomba eccezionale dell'aristocrazia ceretana di questa epoca (fig. 3): l'oggetto posto dietro la testa del personaggio raffigurato sdraiato sul coperchio, e di cui la decorazione della cassa, che raffigura un corteo di magistrati, indica che egli fu uno dei dirigenti della città, non può in nessun modo essere stato un cuscino. Nel catalogo della mostra dedicata a Cerveteri che si è svolta nel 2013 al Louvre-Lens, Ellen Thiermann lo definiva a ragione, dopo F. Roncalli, come un *liber linteus*[25]. In realtà, non si può andare molto oltre nella definizione della sua funzione all'interno della tomba dei Rilievi. Invece, il terzo esempio menzionato da F. Roncalli, attestato sul coperchio di una statua-cinerario rinvenuta a Chiusi, e conservata al museo di Berlino, con la raffigurazione di un uomo sdraiato sul lato accompagnato da sua moglie seduta vicino a lui, consente di approfondire l'analisi (fig. 4): il libro di lino che figura accanto alla coppia è sormontato da un cappello di aruspice[26]. Tale circostanza consente di definire questo *liber linteus* come uno dei libri della scienza religiosa degli Etruschi, uno dei *libri* dell'*Etrusca disciplina* adoperati dagli aruspici nell'ambito delle loro consultazioni[27]. Non è detto, tuttavia, che sia necessario estendere questa conclusione agli altri casi: la decorazione della cassa caratterizza il defunto della tomba dei Sarcofagi come un magistrato, senza alcun segno di una connotazione religiosa[28], e lo stesso si può dire della tomba dei Rilievi, dove niente suggerisce riferimenti alla religione o all'*Etrusca disciplina*, mentre la presenza

---

[21] Heurgon 1961, p. 206.

[22] *Ibid.*, p. 204 ; la stessa definizione si ritrova in Morandi Tarabella 2004, p. 306, che menziona una « cassa in rilievo, con drappo ripiegato sul ripiano ».

[23] Roncalli 1978-1980, 1980 e 1985, p. 17-25. Sul libro di lino di Zagabria, oltre a Roncalli 1985, p. 17-64, per ultimo, I. Uranic, in Aa.Vv. 2015, p. 107, con elementi di bibliografia. Per l'analisi del testo – si tratta di un calendario liturgico –, vd. adesso Belfiore 2010.

[24] Fotografia di questi tre monumenti in Roncalli 1985, p. 23.

[25] E. Thiermann, in Aa.Vv. 2013, p. 296-297. Su questo monumento, e la tomba in generale, vd. Thiermann-Arnold 2013, con la bibliografia anteriore.

[26] Cristofani 1975, p. 22-23, 46, n° 26; H. Heres, in Kunze-Kästner 1988, p. 216.

[27] Heurgon 1961, p. 277-293. Sui libri sacri etruschi, con la loro ripartizione tra « libri dei fulmini », « libri dell'aruspicina » e « libri dei riti », lo studio di C. O. Thulin rimane fondamentale (Thulin 1905-1909).

[28] Tuttavia, E. Thiermann attribuiva un contenuto religioso a questo *liber linteus*, che definisce come un « libro dei riti» (E. Thiermann, in Aa.Vv. 2013, p. 296-297).

ossessiva delle armi sottolinea il legame della famiglia con la disciplina militare[29]. Questo ci porta a scartare l'ipotesi che si fosse trattato, in questo caso, di opere di natura religiosa, anche se i libri della disciplina etrusca erano talmente conosciuti che la denominazione di *libri Etrusci* bastava a caratterizzare le opere alle quali si riferivano gli aruspici mentre praticavano la loro arte, senza che fosse necessaria alcuna precisazione relativa al loro contenuto specificamente religioso.

Dobbiamo perciò pensare ad opere di un tipo abbastanza diverso, introducendo così, in particolare con Mario Torelli et Timothy J. Cornell[30], la questione delle storie gentilizie etrusche. La loro esistenza risulta saldamente provata dagli elogi affissi sul foro di Tarquinia, in piena epoca romana, per celebrare alcuni membri della famiglia Spurinna, che era stata a capo della città quattro o cinque secoli prima[31]: le prodezze dei loro grandi antenati, che si trovavano così ricordate pubblicamente, erano state consegnate negli archivi di famiglia che la *gens Spurinna* aveva accuratamente conservato e completato per secoli. Questi si presentavano probabilmente sotto la forma di libri di lino: il fatto che un tale supporto di scrittura sia stato rappresentato, nella tomba dei Rilievi, in evidenza nella parte centrale della parete posteriore, ai piedi del letto sul quale riposava l'uomo la cui posizione dimostra che era il capo del lignaggio[32], chiarisce la sua importanza. Que-

sto *liber linteus* era il ricettacolo della memoria della famiglia.

Il fregio d'armi, con i suoi elmi, scudi, cnemidi, corni, falere, non va naturalmente interpretato come un semplice motivo decorativo, anche se lo s'incontra spesso in tombe etrusche di questa epoca, come evidenziato dal caso, accuratamente analizzato da M. Cristofani, della tomba Giglioli a Tarquinia, databile intorno a 300 a.C.[33] Esso va sicuramente messo in rapporto con la storia della famiglia: come scriveva J. Heurgon, queste armi «rappellent les glorieux souvenirs des luttes» durante le quali i suoi antenati si erano resi famosi[34]. Tuttavia, non si deve probabilmente riconoscervi le armi dei defunti che occupavano i letti funebri, considerando che non esiste alcun tipo di corrispondenza tra le armi e le deposizioni sottostanti: la *klinè* centrale è sormontata da un elmo, da una spada, da due scudi, ma non da cnemidi, quelle laterali ciascuna da un elmo e da un paio di cnemidi, senza scudi, mentre il fregio superiore presenta, per ogni nicchia, due spade nella loro fodera. D'altronde, queste armi non vengono indicate con una spiccata connotazione esotica, come sarebbe stato, ad esempio, con una raffigurazione di un alto scudo o di una lunga spada di tipo celtico. Sembra anche difficile interpretarli come trofei presi al nemico, ed orgogliosamente esibiti da membri della famiglia[35]. Ciononostante, queste armi testimoniano la gloria militare dei Matuna e offrono la prova materiale delle prodezze che il *liber linteus* posto davanti al letto del capo della

[29] J. Heurgon si riferiva ad una «famille de soldats », sottolineando che «la décoration générale (…) manifeste clairement, plus qu'aucune autre tombe de Caeré peut-être, sa vocation guerrière » (HEURGON 1961, p. 205).

[30] TORELLI 1975, p. 93-102; 1976.

[31] TORELLI 1975, p. 45-92.

[32] Dovrebbe dunque trattarsi di un Laris Matuna, padre di Marce Matunas Clante (*ET*, Cr 1.130) e Vela Matunas figlio di Laris, sul quale il cippo che ne reca il nome (*ET*, Cr 5.3) rivela che fu quello che costruì il monumento di famiglia (*cn śuθi ceriχunce*). Seguiamo qui l'opinione espressa in CRISTOFANI 1966, p. 231 e MORANDI-TARABELLA 2004, p. 304-306. Vi si oppone il fatto che Ariodante Fabretti, nel *CII*, aveva pubblicato l'iscrizione *ET*, Cr 1.138 (nel suo corpus, 2600e), quella di una donna, una Ramtha Matunai Canatnei (probabilmente una figlia non sposata di Vel, figlio di Laris), sosteneva che essa si trovava precisamente in questa nicchia centrale («nel loco medio e principale del sepolcro di fronte all'ingresso»). Tuttavia, questa affermazione non è più controllabile oggi, in seguito alla perdita

dell'iscrizione, e sembra contradetta dal fatto, rilevato in NOËL DES VERGERS 1862-1864, 3, pl. 2, che le ossa ivi rinvenuti erano quelli di un uomo. Opinione diversa in HEURGON 1961, p. 204-206, che pensa che questo posto era effettivamente quello della giovane donna.

[33] Vd. CRISTOFANI 1967, che sottolinea l'ascendenza macedone del motivo delle arme sospese. Fotografia e analisi di questa decorazione in STEINGRÄBER 2005, p. 253-254.

[34] HEURGON 1961, p. 212; lo storico francese evocava « des luttes contre les Gaulois et contre Rome elle-même ». Se la prima ipotesi risulta probabile, la seconda è più problematica, visto che Caere è stata quasi sempre un'alleata fedele di Roma (SORDI 1960; TORELLI 2013).

[35] Per un esemplare romano comparso relativamente recentemente, la corazza di un capo sannita chiamato Novius Fannius, senza provenienza conosciuta, ma verosimilmente rinvenuta in un santuario, vd. COLONNA 1984.

famiglia doveva riportare in modo dettagliato: esse ne forniscono l'immagine visuale.

Il racconto delle prodezze della famiglia che poteva figurare in un libro di lino analogo a quello raffigurato nella tomba dei Rilievi riguarda la questione della storiografia etrusca, e non c'è motivo di pensare che il racconto narrato abbia poi preso una forma poetica, epica o altra ancora. Ma torniamo ora, a questo punto, alla questione dei *carmina conuiualia*. Dopo tutto, nel mondo etrusco e romano, l'occasione del banchetto poteva favorire delle narrazioni in forma di canto che, ovviamente, non riproducevano alla lettera il racconto del passato glorioso della famiglia tramandato in forma scritta all'interno degli archivi gentilizi, ma ne riprendevano soltanto alcuni elementi: così si partecipava ugualmente alla esaltazione della memoria gentilizia, trasmettendola però in un altra forma. Siamo qui necessariamente nel campo delle ipotesi, tuttavia un interessante nuovo elemento per la nostra ricostruzione sembra potersi ricavare dal fatto che gli Etruschi avvertivano una chiara analogia tra la tomba ed il banchetto: basti pensare agli innumerevoli sarcofagi e urne sui quali il defunto viene raffigurato semisdraiato, nella posa del banchettante. Le pareti della camera funeraria erano frequentemente decorate di pitture di banchetto e, nelle tombe Golini I a Orvieto (meta del IV secolo a.C.) e dell'Orco II a Tarquinia (terzo quarto del IV secolo a.C.), la presenza della coppia delle divinità infernali, Hade / Aita e Persefone / Phersipnai, indica che la scena si svolge nell'aldilà, e che i membri della famiglia si ritrovavano per festeggiare insieme al di là della morte, come l'avevano fatto nel corso della loro vita[36]. Visto che il simbolismo del banchetto si ritrova nella disposizione della tomba dei Rilievi, si può pensare che la disposizione generale del monumento indichi, appunto, che i membri defunti della famiglia Matuna, sdraiati sui loro letti riccamente decorati, proseguivano le festività che li avevano riuniti quando erano vivi, in una celebrazione perenne della gloria del loro lignaggio, che si esprimeva anche tramite la decorazione del fregio d'armi e la presenza ostentata del libro di lino, dove questo glorioso passato era stato consegnato. Si può pensare che questi banchetti abbiano suscitato, come a Roma, espressioni cantate delle prodezze degli eroi del passato, da cui la famiglia traeva fierezza. Vi sarebbe pertanto una traccia archeologica di questi *carmina conuiualia* etruschi: una categoria specifica di poesia orale di cui N. Zorzetti ha supposto l'esistenza nel mondo toscano, così come a Roma.

Tali carmina dovevano essere cantati anche nel corso dei banchetti funerari. La sistemazione particolare della sala di banchetto della tomba di Grotte Scalina potrebbe testimoniare, tra l'altro, di questa usanza: grazie al profondo *dromos* che la divide in due parti, i canti dei vivi potevano agevolmente varcare la soglia, e pervenire così fino al soggiorno dei morti.

---

[36] Per queste pitture, STEINGRÄBER 2005, rispettivamente p. 207-209 e p. 211-213. Per un periodo anteriore, le scene di banchetto, frequentemente rappresentate sotto un padiglione, in un paessaggio campestre, corrispondevano piuttosto al banchetto che accompagnava i funerali.

Bibliografia

AA.VV. 2013: F. Gaultier, L. Haumesser, P. Santoro, V. Bellelli, A. Russo Tagliente e R. Cosentino (a cura di), *Les Étrusques et la Méditerranée. La cité de Cerveteri*, cat. di mostra, Lens-Parigi, 2013.

AA.VV. 2015: P. Bruschetti, F. Gaultier, P. Giulierini, L. Haumesser e L. Pernet Lionel (a cura di), *Les Étrusques en toutes lettres. Écriture et société dans l'Italie antique, Lattes, Cortone, 2015-2016*, cat. di mostra, Milano, 2015.

BELFIORE 2010: V. Belfiore, *Il Liber linteus di Zagabria. Testualità e contenuto*, Pisa-Roma, 2010 (*Biblioteca di « Studi Etruschi »*, 50).

BLANCK-PROIETTI 1986: H. Blanck e G. Proietti (a cura di), *La Tomba dei Rilievi di Cerveteri*, Roma, 1986 (*Studi di Archeologia*, 1).

BRAUN 1854: E. Braun, *Tomba fregiata di bassirilievi scoperta dal Sig. Marchese Campana nella necropoli dell'antica Caere*, Annali dell'Instituto di Corrispondenza Archeologica 1854, p. 58-59.

BRIGUET 1972: M.-F. Briguet, *À propos de la redécouverte de la tombe des Reliefs et des fouilles du marquis Campana à Cerveteri*, Studi Etruschi 40, 1972, p. 499-502.

CHASSIGNET 1995: M. Chassignet, *L'Annalistique romaine*, I, *Les annales des pontifes, l'annalistique ancienne*, Parigi, 1995 (*Collection des universités de France*).

CII: A. Fabretti, *Corpus Inscriptionum Italicarum antiquioris aevi ordine geographico digestum et Glossarium Italicum in quo omnia vocabula continentur ex Umbricis, Sabinis, Oscis, Volscis, Etruscis aliisque monumentis quae supersunt*, Torino, 1867.

CIZEK 1995: E. Cizek, *Histoire et historiens à Rome dans l'Antiquité*, Lione, 1995.

COLE 1991: T. Cole, *In Response to Nevio Zorzetti "Poetry and Ancient city: The Case of Rome"*, Classical Journal 86, 1991, p. 377-382.

COLONNA 1984: G. Colonna, *Un trofeo di Novio Fan-*

nio, commandante sannita, in *Studi di antichità in onore di Guglielmo Maetzke*, Roma, 1984, p. 229-241 (*Archaeologica*, 49).

CORNELL 1976: T. J. Cornell, *Etruscan Historiography*, Annali della Scuola Normale Superiore di Pisa 6, 1976, p. 411-439 (= in J. Marincola, a cura di, *Greek and Roman Historiography*, Oxford, 2011, p. 175-204).

CRISTOFANI 1966: M. Cristofani, *Le iscrizioni della tomba dei Rilievi di Cerveteri*, Studi Etruschi 34, 1966, p. 221-238.

CRISTOFANI 1967: M. Cristofani, *Il fregio d'armi della tomba Giglioli di Tarquinia*, Dialoghi di Archeologia 1, 3, 1967, p. 288-303.

CRISTOFANI 1975: M. Cristofani, *Statue-cinerario chiusine di età ellenistica*, Roma, 1975 (*Archaeologica*, 1).

DAHLMANN 1950: H. Dahlmann, *Zur Überlieferung über die altrömischen Tafellieder*, Akademie der Wissenschaften und der Literatur, Mainz, Abhandlungen der Geistes- und Sozialwissenschaftlichen Klasse, 17, 1950, p. 1191-1202.

DUPONT 1994: F. Dupont, *L'Invention de la littérature. De l'ivresse grecque au livre romain*, Parigi, 1994.

ET: H. Rix, G. Meiser, F. Kouba *et alii*, *Etruskische Texte. Editio minor*, Tübingen, 1991.

ET²: G. Meiser (a cura di), *Etruskische Texte. Editio minor. Auf Grundlage der Erstausgabe von Helmut Rix*, Amburgo, 2014.

FRANCHI DE BELLIS 2005: A. Franchi De Bellis, *Iscrizioni prenestine su specchi e ciste*, Alessandria, 2005.

GASKILL 2004: H. Gaskill (a cura di), *The Reception of Ossian in Europe*, Londra, 2004.

HABINEK 1998: T. Habinek, *The Politics of Latin Literature. Writing, Identity, and Empire in Ancient Rome*, Princeton, 1998.

HEURGON 1961: J. Heurgon, *La vie quotidienne chez les Étrusques*, Parigi, 1961.

KUNZE-KÄSTNER 1988: M. Kunze e V. Kästner (a cura di), *Die Welt der Etrusker. Archäologische Denkmäler aus Museen der sozialistischen Länder, Staatliche Museen zu Berlin, Hauptstadt der DDR, Altes Museum, vom 4.Oktober bis 30.Dezember 1988*, cat. di mostra, Berlino, 1988.

MARTHA 1889: J. Martha, *L'Art étrusque*, Parigi, 1889.

MOMIGLIANO 1957: A. Momigliano, *Perizonius, Niebuhr and the Character of Early Roman tradition*, Journal of Roman Studies 47, p. 104-114 (= *Secondo contributo alla storia degli studi classici e del mondo antico*, Roma, 1960, p. 69-87).

MOMIGLIANO 1980: A. Momigliano, *Alle origini dell'interesse per Roma arcaica. Niebuhr e l'India*, Rivista Storica Italiana 92, 3-4, 1980, p. 561-571 (= *Settimo contributo alla storia degli studi classici e del mondo antico*, Roma, 1984, p. 155-170).

MOMMSEN 1856: T. Mommsen, *Römische Geschichte*, I, *Bis zur Schlacht von Pydna*, Berlino, 1856.

MORANDI TARABELLA 2004: M. Morandi Tarabella, *Prosopografia etrusca*, I, *Corpus*, 1, *Etruria meridionale*, Roma, 2004.

MURRAY 1990: O. Murray (a cura di), *Sympotica: A Symposium on the Symposium*, Oxford, 1990.

NIEBUHR 1811: B. G. Niebuhr, *Römische Geschichte*, 1, Berlino, 1811.

NOËL DES VERGERS 1862-1864: A. Noël des Vergers, *L'Éturie et les Étrusques ou dix ans de fouilles dans les Maremnes toscanes*, Parigi, 1862-1864.

PETERSMANN 2002: A. Petersmann e H. Petersmann, *Carmina convivialia ("Tafellieder")*, in W. Suerbaum (a cura di), *Die archaische Literatur. Von den Anfängen bis Sullas Tod. Die vorliterarische Periode und die Zeit von 240 bis 78 v. Chr.*, Monaco di Baviera, p. 41-43 (*Handbuch der lateinischen Literatur der Antike*, 1).

PHILLIPS 1991: R. C. Phillips III, *Poetry Before the Ancient City: Zorzetti and the Case of Rome*, Classical Journal 86, 1991, p. 382-389.

RONCALLI 1978-1980: F. Roncalli, *Osservazioni sui libri lintei etruschi*, Rendiconti. Atti della Pontificia Accademia Romana di Archeologia 51-52, 1978-1980, p. 3-21.

RONCALLI 1980: F. Roncalli, *Carbasinis voluminibus implicati libri, osservazioni sul liber linteus di Zagabria*, Jahrbuch des Deutschen Archäologischen Instituts 95, 1980, p. 227-264.

RONCALLI 1985: F. Roncalli (a cura di), *Scrivere etrusco. Dalla leggenda alla conoscenza, scrittura e letteratura nei massimi documenti della lingua etrusca*, cat. di mostra, Milano, 1985.

RÜPKE 2001: J. Rüpke (a cura di), *Von Göttern und Menschen erzählen. Formkonstanzen und Funktionswandel vormoderner Epik*, Stuttgart, 2001 (*Potsdamer Altertumswissenschaftliche Beiträge*, 4).

SCHNAPP-GOURBEILLON 1992: A. Schnapp-Gourbeillon, compte-rendu de MURRAY 1990, *Annales. Économies, Sociétés, Civilisations*, 47, 1992, p. 378-383.

SORDI 1960: M. Sordi, *I rapporti romano-ceriti e l'origine della civitas sine suffragio*, Roma, 1960.

STEINGRÄBER 2005: S. Steingräber, *Les fresques étrusques*, Parigi, 2005.

THIERMANN-ARNOLD: E. Thiermann e S. Arnold, *Der Magistrat und der Tod. Die Tomba dei Sarcofagi in Cerveteri als spätklassischer Kontext etruskischer Architektur, Malerei und Sarkophage*, Mitteilungen des Deutschen Archäologischen Instituts 119, 2013, p. 99-138.

THULIN 1905-1909: C. O. Thulin, *Die etruskische Disciplin*, Göteborg, 1905-1909 (*Göteborg högskolas arsskrift*, 11, 12, 15).

TORELLI 1975: M. Torelli, *Elogia Tarquiniensia*, Florence, 1975 (*Studi e Materiali di Etruscologia e Antichità Italiche*, 15).

VAN TIEGHEM 1920: P. Van Tieghem, *Ossian et l'ossianisme dans la littérature européenne au XVIIIe siècle*, Parigi, 1920.

ZORZETTI 1990: N. Zorzetti, *The Carmina Convivalia*, in Murray 1990, p. 289-307.

ZORZETTI 1991: N. Zorzetti, *Poetry and Ancient City: The Case of Rome*, ClJ, 86, 1991, p. 311-329.

Pl. II

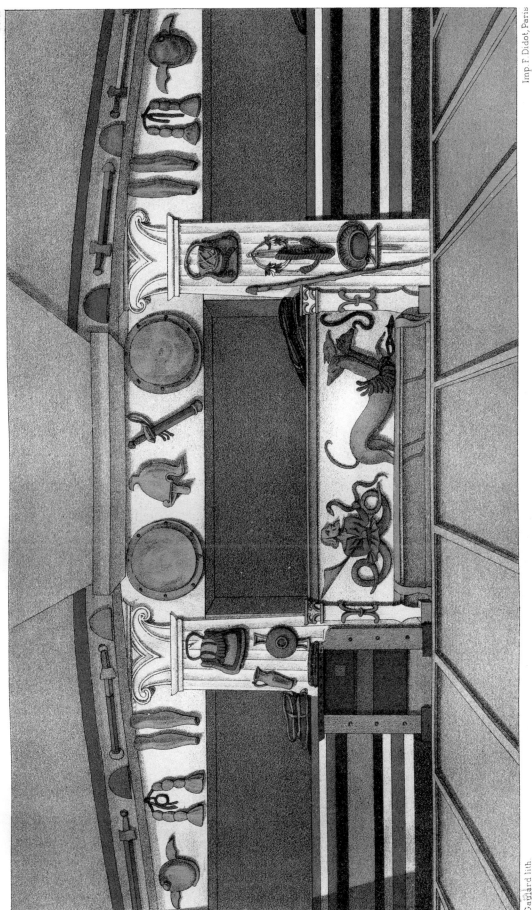

VUE INTÉRIEURE DE LA TOMBE DEI RILIEVI A CERVÉTRI (MARTHA 1889, pl. 3).

1. Vista d'insieme della parete di fondo della tomba dei Rilievi a Cerveteri (MARTHA 1889, pl. 3).

2. Dettaglio del tessuto piegato (BLANCK-PROIETTI 1986, fig. 7).

3. Dettaglio del coperchio del sarcofago del Magistrato, Museo Nazionale Tarquiniense (RONCALLI 1985, p. 23).

4. Statua-cinerario di Chiusi, Altes Museum, Berlino (RONCALLI 1985, p. 23).

Eremiti, pellegrini, mercanti. Le diverse vite dei luoghi etruschi

Luca Pesante (Roma)

La civilisation rupestre étrusque représente une partie essentielle du paysage archéologique du Latium antique. Encore aujourd'hui, la perception esthétique des campagnes du Viterbais est étroitement liée à la culture étrusque. Mais c'était aussi le cas dans le passé, en particulier au Moyen-Âge et au début de l'époque moderne, durant lesquels les lieux sacrés antiques furent couramment réutilisés, souvent avec de nouvelles formes de culte et de dévotion. Le cas de Grotte Scalina met en évidence différents phénomènes liés à un même lieu : la réutilisation des tombes étrusques, les mouvements des pélerins, les dévotions jubilaires, la transhumance, les marchés et les foires dans les campagnes. Au cours d'une phase cruciale des premières années du Moyen-Âge, cette région marqua la frontière entre Lombards et Byzantins, et cette situation suscita la construction de nombreux châteaux - devenus par la suite libres communes - et le déplacement frénétique des évêques d'un diocèse à l'autre.

The Etruscan rock-cut civilization is at the base of the archaeological landscape of Alto Lazio. Even today, the aesthetic perception of the Viterbo countryside is strictly connected with the Etruscan culture. The same happened in the past, particularly in the Middle Ages and in early Modern era, when the ancient sacred places were commonly reused, in many cases with new religious purposes. The Grotte Scalina case throws light on some phenomena: the re-use of Etruscan monuments, pilgrimages, jubilee devotions, transhumance, rural fairs and markets. During a crucial period of the beginning of the Middle Age, this regions was the border between Lombards and Byzantines, and this peculiar position lead to the construction of numerous castles - then turned to be free villages -, and to the frenetic movement of the bishops from a diocese to another one.

La cultura etrusca sviluppatasi nel Lazio settentrionale è intimamente connessa alla natura geologica del paesaggio. Il tufo vulcanico ha determinato, forse in modo più incisivo che altrove, una espressione materiale complessa, sia nella vita di ogni giorno che in ambito funerario. Tale determinismo geografico ha segnato ogni civiltà che si è avvicendata nel medesimo territorio, in molti casi disponendo analoghe scelte di fronte alle necessità comuni dell'abitare o delle manifestazioni della cultura religiosa. Il Medioevo, si sa, ha reimpiegato dove possibile le strutture ereditate dalle epoche antiche, non solo nell'ambito materiale: in moltissimi casi è lo spazio del sacro a rivivere nei medesimi luoghi, come se la nuova Era non avesse fatto altro che rivestire di nuove forme religiose luoghi che da tempi antichissimi si distinguevano per particolari vocazioni. Ripercorrere dunque i principali caratteri storici dell'Alto Medioevo in quest'area può essere utile per comprendere alcuni fenomeni che ricorrono nel tempo e che sembrano essere distintivi della storia altolaziale[1].

All'interno di un diploma di Innocenzo III del 1207 è tramandato un documento di Leone IV (847- 855) per il vescovo Virobono di Tuscania. Prima della donazione di Carlo Magno del 787 alla chiesa di Roma la diocesi di Tuscania rappresentava la punta più meridionale della dominazione longobarda. La linea confinaria sarebbe stata in larga parte modellata sui rilievi naturali e sulle antiche vie romane Cassia e Clodia. Nei pressi del lago di Vico fra la via Cimina e la via per Gallese e Viterbo il documento narra: *et venit in staphile qui dividit inter Ortem* (romana) *et comitatum Viterbiensis* (longobardo). La parola *staphile*, di difficile inquadramento cronologico indica "palo" o "segno" di confine, e non come proposto da alcuni "palizzata" o sbarramento confinario[2]. La presenza di una frontiera influenzò lo

---

[1] Si veda Bagnoli, Costantini, Giontella 2013, p. 399-406.

[2] Schneider 1914, p. 16-20.

sviluppo del popolamento rurale e urbano, l'economia e il tessuto sociale della regione. Ma come si era formata tale frontiera? Una breve digressione su un caso specifico può forse essere utile per la comprensione dello sviluppo del territorio alto laziale dei secoli successivi[3].

Vale qui la pena di citare il caso di Bagnoregio che si trova a metà strada tra il lago di Bolsena e il Tevere, a mio parere uno dei più interessanti per cogliere la complessità dei primi secoli medievali e per comprendere quanto la cultura longobarda abbia segnato la storia dei secoli seguenti. Il documento in cui compare per la prima volta il nome della città di Bagnoregio è una lettera di Gregorio Magno del 600 inviata al vescovo di Chiusi Ecclesio. Scrive il pontefice: «Il glorioso nostro figlio Ausfrit ci ha scritto dicendo che nel castello di Bagnoregio, insieme agli abitanti del luogo, è stato proposto per la carica di vescovo il diacono Giovanni, del quale attesta nel modo più assoluto la bontà della vita [...], ma poiché non osiamo imporre le mani alla leggera su inesperti e sconosciuti, la fraternità vostra con ogni sollecitudine e attenzione cerchi di raccogliere informazioni sulla vita e sulla condotta del diacono, bisogna cercare anche se ha zelo nel servizio divino e se conosce i salmi [...]. Se questi non è adatto, come ho notificato ugualmente al soprascritto figlio nostro Ausfrit, si elegga un altro che con la grazia di Dio sia idoneo a quest'ufficio»[4].

L'Italia in questi anni è un paese in guerra e in profonda crisi demografica, culturale e spirituale. Le campagne vengono abbandonate per lo più a favore di piccoli centri fortificati posti su ripide alture.

Per avere un'idea delle condizioni generali della vita materiale ascoltiamo di nuovo le parole del grande pontefice Gregorio (assoluta autorità militare, politica e spirituale) indirizzate al vescovo di Perugia nel gennaio del 604: «Abbiamo saputo che il fratello e coepiscopo nostro Ecclesio [di Chiusi, già citato nella lettera precedente] *soffre particolarmente il freddo per il fatto che non* ha vestito invernale. E poiché ci ha chiesto che gli mandassimo qualcosa, abbiamo inviato proprio per questo, tramite il latore della presente, alla tua fraternità una tunica-mantello, chiedendoti di

inviargliela senza indugio [...]. Fa' in modo di non tardare assolutamente, perché il freddo è molto intenso»[5].

L'aspetto più interessante è quell'*Ausfrit* citato nella lettera di Gregorio, *Ausfrit* è un longobardo, è anche la massima autorità civile e militare di Bagnoregio, ed è lui che come abbiamo visto si impegna a presentare al papa Gregorio (che lo chiama «figlio nostro») un candidato per la dignità episcopale.

Il 5 settembre del 1726 un tale Nicola Pompei, mentre ripuliva il pavimento di una piccola chiesa ormai distrutta nella contrada di Civita (a Bagnoregio), trova un grosso anello d'oro sotto pezzi di mattoni e frammenti di intonaco[6]. Si tratta di uno dei tipici anelli-sigillo longobardi, se ne conoscono per ora circa dieci simili, provenienti da Udine, Bergamo, Milano, Chiusi, Benevento, due dei quali da Trezzo d'Adda rinvenuti in "contesti chiusi" cioè all'interno di due sepolture intatte che contenevano un corredo con oggetti propri della cultura longobarda. Ma la cosa più interessante è che sull'anello c'è il nome del possessore, cioè *Ausfrit* (o Aufret) lo stesso personaggio citato nella lettera di Gregorio Magno e che si preoccupa di proporre un candidato per la carica di vescovo della città.

Come ben ricostruito da Wilhelm Kurze, Aufrid, o Ansfrid (o Ausfrit) è da identificare con un uomo di rango elevatissimo nell'ambito della società longobarda e l'anello serviva, in pratica, ad un uso identico a quello dei molti comuni anelli-sigillo utilizzati fino all'epoca contemporanea: la sua funzione era semplicemente quella di esprimere il segno di un potere su lettere o documenti[7].

Le informazioni a disposizione lasciano supporre che la parte occupata dai Longobardi fra la linea di difesa all'altezza del Lago di Bolsena e del fiume Mignone venisse conquistata definitivamente da re Agilulfo negli anni '90 del VI secolo, raggiungendo quel limite, tra le foci del Mignone nel Tirreno e il Tevere all'altezza della confluenza col torrente Vezza, che fino al regno di Desiderio segnò il confine tra la parte conquistata, e perciò detta *Tuscia Langobardorum*, e la parte meridionale rimasta all'Impero, e perciò detta

---

[3] Sul tema delle fontiere in Toscana e Lazio settentrionale una completa e approfondita disamina dei documenti noti si ricava in Citter, Kurze 1995, p. 180 e seg.

[4] *Gregorii I Papae Registrum epistolarum*, X, 13.

[5] *Ibid.*, XIV, 15.

[6] Pesante 2011, p. 53-63.

[7] Kurze 2005, p. 7-46.

Tuscia Romana. Non a caso a Tuscania nel periodo di più intensa presenza longobarda si trova un gastaldo, cioè un funzionario della corte regia a capo di una definita circoscrizione amministrativa[8].

La conquista del territorio fra il lago di Bolsena e il fiume Mignone ad opera di Agilulfo, compiuta con le forze longobarde dell'Alta Italia, trova conferma anche in una osservazione relativa al materiale pergamenaceo del fondo di S. Salvatore al Monte Amiata. Nei documenti di questo monastero si trova un numero piuttosto alto di transpadani, cioè di persone originarie della zona d'Oltre Po. Fra gli anni 765 e 808 sono menzionati ben sei di questi uomini. Tutti abitavano in una zona a sud-ovest del Lago di Bolsena fra Marta, Tuscania e Piansano[9]. Le località citate nei documenti sono da identificare: *Marano/Mariano* 2-3 km sud-ovest di Piansano; *Rofinano* fra Tuscania e lago di Bolsena; *Vicu Dianu* vicino Tuscania oltre il Marta; S. Ambrosio ancora da individuare[10].

Nella Maremma tarquiniese la frontiera col Mignone rispettava gli antichi confini territoriali. Nella zona di Ferento la nuova frontiera tagliava invece il territorio in due parti. Questo appare evidente con la riorganizzazione delle diocesi. Le due parti finirono infatti con l'orientarsi verso i nuovi centri di Tuscania e Bomarzo, sui due versanti della frontiera. Il continuo e frenetico spostamento dei vescovi da un centro all'altro in quest'area riflette in ogni caso un preciso episodio del confronto da Longobardi e papa Gregorio.

Questo nuovo *limes* determinava il tipo di sviluppo degli insediamenti dei dintorni. Nella parte Maremmana va ricordato il caso di Tarquinia. La città, già da lungo tempo in progressiva decadenza, come sappiamo dal poema di Rutilio Namaziano del 416, fu ancora penalizzata dalla presenza della nuova frontiera che correva molto vicino, fino a perdere proprio in questo periodo la sua antica posizione a vantaggio di uno dei futuri centri della Tuscia longobarda: prima del 595 la sede episcopale fu infatti trasferita da Tarquinia a Tuscania. Nell'*Itinerario* dell'Anonimo Ravennate (autore di una cosmografia nel VII secolo)[11] lungo l'Aurelia, ad un certo punto, parte un diverticolo all'altezza di *Ad Novas* diretto a Saturnia. Da qui poi un ulteriore segmento riconduce verso l'Aurelia ma all'altezza di *Cosa* (ed è il tratto riportato anche dalla *Tabula peutingeriana*). È evidente che egli aveva sotto mano ancora le sue due fonti: la *Tabula* e una anonima fonte imperiale più recente che riportava un diverticolo più arretrato.

In questo nuovo assetto viario Tuscania sembra il punto più arretrato, poiché da lì partono tutte le strade che attraversano l'area dei tufi. Sovana è invece il punto più avanzato: da lì inizia una strada già in uso in età preromana verso Chiusi.

Nella vita di Papa Zaccaria, Anastasio Bibliotecario narra come nell'anno 742 il pontefice e i messi di Liutprando nell'andare da Bomarzo a Blera scelsero, in quanto più breve, la strada che passava per il castello di Viterbo, situato, viene detto, nella Tuscia Longobarda (fig. 1)[12].

Il *castrum Viterbii* è menzionato per la prima volta in un documento dell'abbazia di Farfa del 767. In questi anni esso dovette costituire il centro di un distretto minore: vi si trovano infatti funzionari subalterni del gastaldo, come il *biscario curtis regie* e gli *sculdasci*. Il territorio di Viterbo doveva far parte della circoscrizione amministrativa comprendente i territori di Norchia, Ferento e Marta che aveva il suo centro nella *civitas* di Toscanella, sede di gastaldato.

Nel 775 un medio proprietario fondiario, *Aimo Voltarius*, insieme al figlio Pietro offriva all'Abbazia di Farfa tutti i suoi beni compresi nel territorio di Viterbo, Toscanella, Orchia e Castro, tranne una porzione dell'oratorio di San Salvatore nel territorio di Tuscania che era stato costruito dalla famiglia di sua moglie *Anstruda*[13]. Di grande interesse ques'ultimo riferimento poiché documenta il frequente impegno da parte di facoltosi possidenti nella costruzione di luoghi di culto all'interno delle loro proprietà rurali.

Riguardo la distribuzione degli insediamenti nel territorio tuscanese, nei secoli VIII-IX notiamo che la *civitas* ha una scarsa forza di attrazione per quanto concerne

---

[8] *Pauli Historia Langobardorum*, IV, 32.

[9] C.D.A., n. 12 (765) *havitator* in Marta; n. 34 (787) *havitator vico Mariano*; n. 34 (787) *de vico Rofinano*; n. 39 (791) *de vicu Dianu*; n. 42 (793) *de S. Ambrosio* - si tratta di beni in Marano; n. 63 (808) *habitator hic Tuscana*.

[10] CITTER-KURZE 1995, p. 167.

[11] *Anonimi Ravennatis Cosmographia*, 74, 17.

[12] *Per fines langobardorum Tusciae [...] id est per castro Biterbo*, v. *Liber Pontificalis*, I, p. 429.

[13] TURRIOZZI 1778, p. 76.

l'addensamento di popolazione, mentre i *vici* e i *casali* rappresentano i luoghi abitativi preferiti. Sia nell'VIII che nel IX secolo infatti solo su sette documenti fra i trentasette riguardanti il territorio di Tuscania compaiono menzioni di persone abitanti in quella città o da essa provenienti (sei) e riferimenti relativi ad abitazioni (due); inoltre solo tre volte nel secolo VIII e una volta nel secolo IX negli atti è indicato il luogo di redazione.

Che la *civitas* tuscanese non fosse centro di vita molto attiva è anche attestato dal fatto che l'abbazia di S. Salvatore sul Monte Amiata pose preferenzialmente le sue unità amministrative in località sparse nel territorio, istituendovi le celle di San Colombano e di San Salvatore in *Valle Rachana*, a cui facevano capo i livellari dell'abbazia stessa. A queste celle si aggiunsero la corte dell'antico monastero di San Saturnino, di fondazione laica, la cella e la corte di San Severo in Paterno, nonché sei chiese e un monastero di cui si ha menzione nel secolo XI. In una pergamena nel 1097 dell'Archivio della Cattedrale di Tuscania si parla dell'eremo di San Pantaleo:

«eremo beati sancti Pantalei ubi dominus Petrus est prior integram unam petiam de terra, quae est iuxta nostra et nos habemus iuxta viam quae ducit Tuscanam et sunt ei fines: ex primo latere est ei terra Albonetti, ex alio latere est ei terra Pagani, ex tertio latere currit flivius qui dicitur Martha, ex quarto latere es ei via publica [...]»[14]. Le numerose celle e i piccoli luoghi di culto che nell'alto medioevo sono ampiamente distribuiti sul territorio tuscanese trovarono in molti casi la loro sistemazione all'interno di cavità scavate nel tufo che ancora conservavano tracce della loro funzione originaria di sepolcri etruschi. La difficoltà nel reperire i materiali da costruzione e la generale regressione delle capacità tecniche spinse al naturale riuso dei numerosi ambienti antichi diffusi nel territorio. E in alcuni casi la continuità di vita dei luoghi di culto giunse fino all'epoca moderna.

Nella vita di San Paolo della Croce è scritto che nel 1748 partito dal Monte Argentario con alcuni confratelli si diresse verso Toscanella per fondare un luogo di preghiera:

«Il luogo designato alla fondazione era un piccolo santuario detto la Madonna del Cerro, situato fuori della città, dentro un ampio e folto cerreto; e a quello si congiungeva un antico eremo, quasi cadente per le ingiurie del tempo, e sfornito di ogni cosa necessaria alla vita»[15].

Nei più noti itinerari (*Tabula Peutingeriana*, Anonimo Ravennate, Guidone) Tuscania figura come una *statio* della Via Clodia tra Blera e Saturnia, ma anche un altro itinerario fu per lungo tempo (in specie dal basso medioevo in poi) di grande importanza per tutto il territorio: cioè il percorso che univa l'Aurelia all'altezza di Cosa-Ansedonia a Viterbo, passando per Tuscania e per il territorio di Macchia del Conte. Per due ragioni fondamentali: la prima, la maggior parte di chi fosse diretto a Roma, percorrendo la via Aurelia, deviava lungo questo percorso per raggiungere Viterbo, in particolare le terme di Viterbo, è nota infatti l'importanza della acque termali negli spostamenti di pellegrini, viandanti, viaggiatori. La stessa corte pontificia, per molti anni si trasferì a Viterbo proprio a causa della presenza di acque termali per la cura del corpo del papa e dei cardinali (come ha ben dimostrato Agostino Paravicini Bagliani[16]). Dopo mesi di duro viaggio la possibilità di dare sollievo al proprio corpo nelle acque di Viterbo (a solo un paio di giorni di cammino da Roma) era un motivo forse molto più rilevante di quello che oggi possiamo immaginare. Dermatiti, scabbia, pustole, gotta, fuoco di S. Antonio, carbonchio, parassiti di ogni genere costituivano un tormento continuo cha affliggeva ogni viaggiatore (interessanti a questo riguardo le parole di Francesco Pertarca contro i medici «cialtroni» che non riuscirono a curare la sua scabbia durante uno dei viaggi a Roma).

L'altra ragione d'importanza di tale percorso, forse ancora sottovalutata, è la transumanza. Fino a pochi anni fa erano moltissime le greggi che dalle Marche e dall'Umbria, area dei Monti Sibillini, attraversavano l'Appennino per trascorrere l'inverno sui pascoli della Maremma laziale. Cioè Tuscania-Orte-Amelia-Todi-Perugia-Gubbio.[17] E con ogni probabilità la fiera che il pontefice concede ai conti De Gentili da tenersi nella tenuta di Castel Cardinale il 20 giugno di ogni anno si spiega proprio in questo senso, cioè giugno era il mese in cui i transumanti lasciavano la maremma

---

[14] CAMPANARI 1856, vol. II, p. 113.

[15] *Vita del Beato Paolo della Croce...scritta dal Padre Pio nel nome di Maria*, Roma 1853, p. 82-84.

[16] PARAVICINI BAGLIANI 1994.

[17] BRAVETTI 2004, p. 15-19.

per tornare sui pascoli dell'Appennino[18]. Con chirografo di papa Clemente XIV del 15 gennaio 1773 oltre alla licenza di caccia e pesca, di istituire una fiera, i fratelli De Gentili ottengono il titolo di conti legato alla tenuta di Castel Cardinale, di seguito il passo centrale del chirografo:

«Desiderando essi Fratelli De Gentili esponenti di riportare per la loro famiglia e persona la decorazione di un simile onorifico titolo ci hanno supplicato degnarci non solamente di erigere in titolo di Contea la sudetta Tenuta di Castel Cardinale per essi loro figli e descendenti eredi e successori anche estranei in perpetuo, e che pro tempore possederanno detta Tenuta, colli soliti onori e Prerogative coll'Indulto inoltre della Bandita, o sia Caccia e Pesca riservata nella detta Tenuta e negli altri beni stabili che saranno per acquistare ed unirvi e con facoltà di poter fare in detta Tenuta una publica Fiera nel di 20 Aprile di ogni anno in perpetuo colli soliti Privilegi; ma anche di ridurre le spese della spedizione di simil titolo, come altre volte, da Nostri Predecessori è stato accordato ad altri particolari del Nostro Stato Ecclesiastico; quindi è che voi a cui rimettessimo una tal supplica per sentirne il vostro prudente parere ci avete susseguentemente riferito che dall'informazione datavi dal Governatore di Viterbo risulta pienamente sussistere tutto l'esposto e che gl'Oratori per il decoroso trattamento e ricchezze e per le di loro buone qualità si rendono meritevoli di una tal grazia, e potersi da noi quella concedere però colle due seguenti condizioni cioè che la Fiera debba celebrarsi nel di 20 Giugno di ogni anno e che la concessione della Caccia e Pesca riservata sia sempre ristretta sol tanto alli confini presenti secondo l'acquisto della detta Tenuta di Castel Cardinale e non mai estendersi alli Beni che in qualcunque tempo a venire essi De Gentili e loro successori vi potessero unire ed incorporare, ed essendo noi colle predette condizioni ben volentieri condescesi di accordare alli supplicanti la richiesta dell'anzidetto titolo».

Nel 1544 il cardinale legato della privincia Reginaldo Polo, mediante un breve di Paolo III Farnese concesse ai signori Ottaviano e Cristoforo Spiriti il diritto di pascolo nella tenuta che fino allora spettava alla comunità. Nel 1577 la tenuta fu donata da Francesca, figlia di Cristoforo, Spiriti di Viterbo al conte Lodovico di Marsciano suo nipote. Nove anni anni dopo si registra una controversia tra il conte Ludovico e il comune di Viterbo su Macchia del Conte.

Dal conte Lodovico la proprietà passò al conte Alessandro, da questi al conte Lorenzo, da questi al conte Ludovico che nel 1691 sposò Anna Maria Testa. L'ultimo Ludovico muore nel 1703 e per testamente istituisce un fidecommisso ossia primogenitura a favore di Alessandro suo figlio e dei suoi discendenti primogeniti. Nel 1743 muore la contessa Testa dopo aver nominato suoi eredi i figli Alessandro e Mons. Giuseppe vescovo di Orvieto.

Nel 1761 la tenuta viene affittata a Paolo Laurenti di Foligno per 210 scudi annui. Alessandro gravato di molti debiti decide di vendere Macchia del Conte ai fratelli Giulio e Giuseppe De Gentili (famiglia di mercanti originari di Monte Gallo, nelle Marche) il 3 giugno 1769 per la somma di 5500 scudi, la tenuta consisteva in «macchia, rinchiusa, terreni seminativi, prativi, casale, grotte et altro». Prima della vendita viene interpellato il S. Spirito di Roma per esercitare, eventualmente, il diritto di prelazione.

Nell'ottobre del 1779, morti prematuramente i due fratelli De Gentili, la tenuta è così descritta: «La tenuta di Castel Cardinale, che una volta di chiamava comunemente Macchia del Conte confinante con la strada della Leja che conduce verso Toscanella, colli beni delli padri di San Giovanni di questa città, con la Rocca Respampani detta Roccaccia appartanente al Ven. Spedale di S. Spirito di Roma, con un campo o cerqueto posseduto dai Padri di Gradi, con i beni di Muzio Ferrante, col fosso detto del Lupo, con i beni dell'illustrissima casa Bussi, della capacità di rubbia trecentosessanta, compreso il macchioso, il lavorativo, il prativo, l'ortivo, il canepinato, il ponte di materia edificato a proprie spese dal sig. Conte Giulio sopra il fosso nel medesimo anno essa viene di nuovo affittata con queste clausole: con annuo censo da pagarsi di sei mesi in sei mesi e che mai il pagamento possa ritardarsi per qualsiasi caso, benché insolito, fortuito: siccità, grandine, grilli, locuste, peste e guerra, che Dio non voglia, eccettuato il solo e unico caso della guerra guerreggiata in Viterbo e Toscanella». Nel contratto si specifica inoltre che «li terreni di questa tenuta sono assai poveri di terra scoprendosi in molti luoghi il tufo come sono

[18] Sulle fiere in Italia centrale nel XVI secolo si veda: *Poste per diverse parti del mondo et il viaggio di S. Iacomo di Galitia con tutte le fiere notabili che si fanno per tutto 'l mondo*, Venezia 1564, p. 34 e seg.

la maggior parte degl'altri terreni nel territorio di Viterbo specialmente da quella parte».

Vale la pena di rileggere un passo di uno dei diari che un esponente della famiglia scrive a proposito di come acquisirono il titolo di conti: «Nell'anno 1769 passò per questa città di Viterbo l'Imperatore di Austria Giuseppe II che si recava in Roma a visitare S.S. Papa Clemente XIV. Ora avvenne che nel passare che faceva il treno imperiale innanzi al negozio dei suddetti De Gentili si ruppe per accidentalità la carrozza ove era l'imperatore. Giuseppe e Giulio si fecero in dovere di correre alla carrozza e pregarono l'illustre viaggiatore di accordar loro l'onore di accettare l'ospitalità in loro casa fino a che fosse pronto un altro equipaggio. L'imperatore condiscese e si trattenne qualche ora e per testimoniare il suo gradimento per questa cortesia li creò Nobili del Sacro Romano Impero con tutte le più ampie sanatorie per concorrere ad aspirare a tutti gli ordini teutonici accordando loro altresì il diritto di caccia e pesca riservata nella tenuta di Castel cardinale creata a Contea»[19].

La tomba di Grotte Scalina, posta all'interno della tenuta di Castel Cardinale – si è visto – può essere riletta alla luce della storia e archeologia di un vasto ambito territoriale: cioè quella grande area segnata da alcune importanti vie consolari, la prossimità a Viterbo e a Roma, e la posizione centrale nel contesto dell'Etruria meridionale. Il suo reimpiego nel corso dell'Età medievale e moderna ci racconta di pratiche, tradizioni, culti e devozioni, che si ripetono da secoli in forme diverse, la cui origine affonda in epoche remote.

Appendice

La medaglia devozionale di Grotte Scalina

Ancora oggi si attende uno studio sistematico delle medaglie devozionali che attraverso i secoli hanno accompagnato molti aspetti della vita e della morte dei fedeli cristiani. In particolare i monili legati alla celebrazione dei giubilei meriterebbero un approfondimento puntuale proprio per ricavarne ogni tipo di

informazione storica che racchiudono in sé. Si tratta di oggetti che spesso si rinvengono negli scavi archeologici e nella ricerca di superficie e che rappresentano indizi importanti per la comprensione della storia sociale di un territorio[20]. Ma in particolare, più che ogni altro documento materiale, essi raccontano storie di uomini, dei loro viaggi, delle loro devozioni.

Erano prodotte dai *medagliari* o *coronari* (come la via omonima) romani, sulla base dei prototipi delle quadrangole indossate dai pellegrini del tardo Medioevo, e cominciarono a diffondersi in modo particolare dalla metà del XVI secolo[21]; oltre a Roma un altro centro dove venivano realizzati tali oggetti di devozione era Loreto, altro luogo di culto meta di importanti pellegrinaggi[22]. Recentemente nuova attenzione da parte degli storici e degli archeologi è stata dedicata a tali oggetti grazie al loro rinvenimento all'interno di sepolture postmedievali: le madagliette trovate sull'inumato erano attaccate ai rosari, posti tra le mani del defunto, che, solitamente in materiali deperibili, non sono giunti fino a noi[23].

Nella seconda metà del Seicento la tecnica di produzione delle medaglie era un misto di fusione e coniazione per battitura: l'ovale era ottenuto per fusione mentre la battitura era utilizzata per imprimere la decorazione. L'appiccagnolo era sempre ricavato tirando una parte del corpo stesso della medaglia. Nel secolo successivo si iniziò ad impiegare piccoli torchi per una produzione più rapida e seriale delle medaglie. Il simbolo giubilare più ricorrente è la Porta Santa, nonostante le Porte dei giubilei fossero quattro, corrispondenti alle quattro basiliche maggiori romane. Il giubileo o, come era chiamato comunemente, "il Perdono", era l'occasione per la remissione di tutti peccati, con papa Alessandro VI viene introdotto il rituale dell'apertura e chiusura della Porta Santa[24].

Già i pellegrini dei primi giubilei tornavano da Roma ostentendo scapolari di stoffa con simboli sacri o medagliette in piombo

---

[19] Tutti i documenti d'archivio citati sono contenuti nell'Archivio De Gentili – Siciliano, attualmente conservati presso l'Archivio di Stato di Viterbo.

[20] Testo fondamentale per l'introduzione allo studio delle medaglie devozionale rimane l'opera in tre parti di P. Gallamini (1989, 1990 e 1991).

[21] Cannata 1984, p. 46-53.

[22] Grimaldi 1977.

[23] Ciampoltrini-Spataro 2011.

[24] Palumbo 1999.

(quadrangole) con raffigurazioni sommarie dei santi Pietro e Paolo o il volto della Veronica. Proprio quest'ultimo simbolo distingueva i pellegrini romei dai pellegrini di ritorno dalla Terra Santa (palma) e dalla Galizia (conchiglia). Appese al collo, legate al rosario, attaccate agli indumenti tramite una spilla, l'uso delle medaglie era molteplice, rispondeva a diverse esigenze, a volte molto simili a quelle che ancora oggi sottendono l'uso più comune (superstizione, devozione, tradizione). L'effigie di un santo raccolta durante la visita di un santuario e indossata poteva assicurare protezione dalle avversità durante il viaggio; ma era al tempo stesso ricordo di una sosta, di una visita o di un pellegrinaggio (quello giubilare il più importante), o aiuto e conforto nella preghiera in particolare se applicata alla corona del rosario. Nel giubileo del 1650 nelle chiese principali di Roma medaglie con benedizioni particolari, estese anche alle anime del Purgatorio, erano distribuite gratuitamente a tutti coloro che si sarebbero comunicati: con la medaglia benedetta si guadagnano le indulgenze, anche quelle non richieste, ed è necessario averle addosso con sé[25]. Dunque in quest'ultimo specifico caso la medaglia diviene il *signum* del percorso effettuato per lucrare l'indulgenza: l'evidenza materiale della compiuta remissione dei peccati. A partire dal XVIII secolo, nel caso dei giubilei straordinari, indetti per celebrare un evento particolare o l'inizio di un pontificato, si concesse facoltà a numerose chiese, anche fuori le mura della città di Roma, di poter aprire la *Porta Santa*, così come in parallelo si moltiplicarono le concessioni di indulgenze *ad instar jubilaei* [26].

Se in molti rinvenimenti in depositi archeologici o ricognizioni di superficie di oggetti del genere è plausibile pensare ad una perdita involontaria, in molti casi medaglie devozionali erano intenzionalmente deposte in luoghi con significati devozionali o cultuali precipui: altari, tombe, sacelli, strutture consacrate, o luoghi che semplicemente infondevano un'idea religiosa per la loro forma o posizione. In Veneto sono attestate deposizioni rituali in grotte[27], in un gesto di "benedizione" dei ripari rupestri che come è noto vennero in moltissimi casi impiegati come luoghi di culto

o di ricovero e preghiera da parte di eremiti. Ciò sembra essere ricorrente quando si verifica un reimpiego di cavità che si sapeva essere proprie di una cultura "pagana" in epoche remote e indefinite. Celle, ripari, eremi che nell'alto medioevo sono ampiamente distribuiti sul territorio del viterbese trovarono la loro sistemazione all'interno di cavità scavate nel tufo che ancora conservavano tracce della loro funzione originaria di sepolcri etruschi. Nella vita di San Paolo della Croce è scritto che nel 1748 partito dal Monte Argentario con alcuni confratelli si diresse verso Toscanella (Tuscania) per fondare un luogo di preghiera: «Il luogo designato alla fondazione era un piccolo santuario detto la Madonna del Cerro, situato fuori della città, dentro un ampio e folto cerreto; e a quello si congiungeva un antico eremo, quasi cadente per le ingiurie del tempo, e sfornito di ogni cosa necessaria alla vita»[28].

In queste forme variabili di devozione privata e pubblica i simboli principali da Roma vengono trasferiti nei centri minori, nelle campagne, quasi a duplicare un eminente luogo di culto in provincia per chi non può recarsi a Roma. Se con grande frequenza ciò avviene in forma materiale con le reliquie, in modo simbolico accade con i simboli giubilari come la Porta Santa e la Scala Santa (fig. 2). Per raggiungere il luogo più sacro, scrigno delle più importanti reliquie della cristianità i pellegrini salivano in ginocchio (fig. 3) i gradini che si dicevano essere appartenuti al palazzo di Pilato e dunque gli stessi gradini calcati dal Cristo nella sua Passione.

Nel Viterbese si registrò, nel corso del XVIII secolo una forte devozione verso le cosiddette "Scale Sante" erette in due centri della provincia. La prima fu costruita a Viterbo presso il monastero di Santa Caterina edificata dall'architetto Prada di Viterbo nell'anno 1726. L'opera era stata voluta dalla badessa suor Maria Geltrude Salandri la quale approfittando di una visita a Viterbo di papa Benedetto XIII riuscì ad ottenere per i frequentatori della Scala Santa viterbese le stesse indulgenze che si avevano per quella di Roma e non solo per le religiose ma anche per tutte le abitatrici del Monastero. Narra la vita della Salandri che fin dal 1720 *sentissi spingere da interno impulso a fabricare nel suo Monistero la Scala Santa tal qual*

[25] RUGGIERI 1651, p. 254.

[26] BOCCOLINI 2016, p. 100-110.

[27] BALDASSARRI 2002, p. 97.

[28] *Vita del Beato Paolo della Croce... scritta dal Padre Pio nel nome di Maria*, Roma, 1853, p. 82-84.

godesi in Roma [...][29].

La stessa Salandri divenuta superiora fondatrice del monastero delle Domenicane di Valentano, avuta la concessione della grande Rocca Farnese nel 1732 da papa Clemente XII, fece realizzare anche a Valentano una Scala Santa utilizzando l'ampia e magnifica scalea dipinta nel 1500 per il Gran Cardinale Alessandro Farnese, facendo demolire gli affreschi esistenti e sostituendoli con altri dipinti con varie scene della Passione. Collocò sulla sommità della Scala un crocifisso ligneo portato dalla Venerabile Starnini di Valentano dalla chiesa abbandonata di Bisenzio.

Pertanto nel Viterbese si incrementò da quel momento in poi una venerazione particolare per la Scala Santa anche in considerazione del fatto che San Paolo della Croce fu padre spirituale di molte famiglie alto laziali e abitava a Roma nel convento dei Passionisti che avevano avuto dal pontefice l'incarico della custodia della Scala Santa di Roma.

In occasione degli anni Santi si ottenevano le indulgenze non solo oltrepassando la Porta Santa ma visitando la stessa Scala Santa di Roma e anche quelle fuori della città santa. Come avveniva per quelle di Viterbo e Valentano.

Allontanandoci un poco dal Viterbese non si può mancare di citare la Scala Santa del Sacro Speco a Subiaco (fig. 4), luogo di culto per moltissimi pellegrini, ritratta sovente da pittori giunti in Italia nel consueto Grand Tour; e la meno nota Scala Santa del romitorio settecentesco di Cetinale a Sovicille nel Senese (fig. 5).

In considerazione di quanto affermato finora apparirà tutt'altro che straordinario il rinvenimento di una medaglia, riferibile al Giubileo del 1675 o del 1700, sul sito delle tomba rupestre monumentale di Grotte Scalina. La rappresentazione della Porta Santa (fig. 6) e della Scala Santa (fig. 7) trovano sulle vestigia del sepolcro etrusco una corrispondenza materiale diretta, immediata, dalla manifesta potenza simbolica. La conservazione pressoché perfetta della medaglia sembra indicare una deposizione intenzionale sul sito subito dopo essere giunta da Roma, in un luogo dunque che senza dubbi oggi è possibile affermare come "naturale" replica dei due più rilevanti

monumenti della celebrazione giubilare. L'imponente scala che in antico serviva per accedere al portico al primo piano della tomba[30], vero elemento distintivo di tutto il complesso tanto da caratterizzarne il toponimo, ancora oggi presenta tracce che con ogni probabilità rimandano al culto giubilare: sul lato sinistro della scala, un incavo nel tufo sembra essere destinato all'alloggio di una statua, e ne esisteva forse un secondo sulla destra, in una parte oggi distrutta del monumento. A questo punto, secondo l'iconografia più diffusa della Scala Santa su medaglie devozionali, dovettero rappresentare i santi patroni di Roma, Pietro e Paolo. Quale migliore rappresentazione reale della scala del palazzo di Pilato percorsa dal Cristo prima della sua Passione? La facciata della tomba etrusca di IV secolo a.C. che certamente fino al Settecento dovette conservare gran parte della sua monumentalità ricalcava realmente l'aspetto degli antichi palazzi macedoni. Agli occhi di un uomo dei secoli passati non poteva esserci rappresentazione più evocativa: una enorme scala sulla facciata di un palazzo monumentale munito di colonne, loggia, frontone. Non si dimentichi il valore dei simboli che ha regolato la vita di ogni giorno degli uomini che ci hanno preceduti: è nel Medioevo che è stata inventata l'araldica, e grazie ad essa chiunque, anche se analfabeta, poteva cogliere le contrapposizioni tra le varie forme del potere pubblico e privato. Oppure si pensi ai simboli della liturgia cristiana, al valore dei gesti, dei colori, che dovevano con immediatezza essere comprensibili a tutti.

Nel corso della campagna di scavo del 2017 è stato rinvenuto, nei pressi del dromos della tomba, un quattrino di papa Clemente VIII, dove appare con buona evidenza la figura della Porta Santa e dentro di essa le lettere capitali della data giubilare «MDC» (fig. 8); al rovescio figurava lo stemma del pontefice, oggi scarsamente leggibile (fig. 9). Con ogni probabilità non si tratta di una coincidenza casuale, il quattrino, visti i simboli (figg. 10-11) che lo decorano (la Porta del giubileo e le insegne del Pontefice), fu certamente posseduto come segno di devozione, esattamente come se fosse una medaglia, e deposto nel luogo dove si poteva lucrare il *Perdono* nell'anno giubilare.

Vale la pena qui citare il caso dell'eremo di San

[29] *Vita della Ven. Serva di Dio Suor Maria Geltrude Salandri romana dell'ordine di S. Domenico fondatrice del monistero del santissimo rosario in Valentano*, Roma, 1774, p. 136 e seg.

[30] Si veda il contributo di V. JOLIVET e E. LOVERGNE in questo stesso volume.

Bartolomeo in Legio, in Abruzzo sui monti della Majella, di origini anteriori all'anno Mille e poi ricostruito nel 1250 ca. da Pietro da Morrone, e meta di pellegrinaggio (con tradizionale processione il 25 agosto) fino all'epoca contemporanea. Una scala di accesso all'eremo, scavata nella roccia, svolgeva la funzione di Scala Santa: ancora oggi è indicata in tal modo e viene percorsa dai pellegrini in ginocchio. In questo caso una scala funzionale all'ingresso al monastero viene caricata di un forte significato simbolico e trasformata essa stessa in un luogo di culto e penitenza.

Molto spesso le diverse forme della devozione popolare presentano caratteri che sfuggono alla ricerca storica, che si fonda invece sulla verità del documento scritto o materiale. L'irrazionalità della combinazione spirituale delle società del passato in molti casi ci presenta casi insoliti, apparentemente improbabili ma che nella realtà erano parte della vita quotidiana dei nostri predecessori. Il caso di Grotte Scalina mostra con chiara evidenza ciò che dovette accadere molto più frequentemente di quanto possiamo oggi ricostruire: una tensione religiosa che reimpiega le vestigia del passato dando forma e materialità alle immagini della devozione contemporanea. Ancora una volta Roma, il centro di tutto, è il punto di riferimento, di arrivo e di partenza. *Ubi papa ibi Roma*, si ripeteva nel Medioevo durante i continui spostamenti della corte pontificia, ma in una scala minore la riproduzione dei monumenti di culto romani nelle campagne e nelle cittadine fuori l'Urbe risponde ad una necessità simile: trovare Roma senza poterci arrivare.

Bibliografia

BAGNOLI-COSTANTINI-GIONTELLA 2013: P. E. Bagnoli, S. Costantini, G. Giontella, *Arte simbolica e testimonianze epigrafiche medievali e post-medievali nelle necropoli etrusche rupestre di Tuscania*, in *Papers XXV Valcamonica Symposium*, 2013, p. 399-406.

BALDASSARI 2002: M. Baldassarri, *Alica: medaglie devozionali, crocifissi e rosari post-medievali*, in P. Morelli (a cura di), *Alica. Un castello della Valdera dal Medioevo all'Età moderna*, Pisa, 2002.

BOCCOLINI 2016: A. Boccolini, *I giubilei di Clemente X: dallo straordinario all'ordinario*, in F. De Caprio (a cura di), *I giubilei straordinari in Età moderna (XVII-XVIII)*, p. 51-92.

BRAVETTI 2004: E. Bravetti, *La transumanza Umbro-Marchigiana nel '900*, Il Campanone di Montalto di Castro e Pescia Romana 1, 2004, p. 15-19.

CAMPANARI 1856: S. Campanari, *Tuscania e i suoi monumenti*, Montefiascone, 1856.

CANNATA 1984: P. Cannata, *Divisa ed insegne del romeo in Roma*, in M. Fagiolo e L. M. Madonna (a cura di), *L'arte degli Anni Santi. Roma 1300-1875*, I, cat. di mostra, Milano, 1984.

CIAMPOLTRINI-SPATARO 2011: G. Ciampoltrini e C. Spataro (a cura di), *I segni della devozione. Testimonianze da 'sepolture murate' tra Luca e la Valdera (XVII-XVIII secolo)*, Bientina, 2011.

CITTER-KURZE 1995: C. Citter e W. Kurze, *La Toscana*, in G. P. Brogiolo (a cura di), *Città, castelli, campagne nei territori di frontiera (fine VI-VII secolo)*, Mantova, 1995, p. 159-186.

GALLAMINI 1989: P. Gallamini, *La medaglia devozionale cristiana: secoli XVII, XVIII, XIX*, Medaglia 24, 1989, p. 35-78.

GALLAMINI 1990: P. Gallamini, *La medaglia devozionale cristiana: secoli XVII, XVIII, XIX*, 1989, Medaglia 25, 1990, p. 60-124.

GALLAMINI 1991: P. Gallamini, *La medaglia devozionale cristiana: secoli XVII, XVIII, XIX*, Medaglia 26, 1991, p. 93-120.

GRIMALDI 1977: F. Grimaldi, *Mostra delle medaglie lauretane*, Loreto, 1977.

KURZE 2005: W. Kurze, *Anelli a sigillo dall'Italia come fonti per la storia longobarda*, in S. Lusuardi Siena (a cura di), *I signori degli anelli. Un aggiornamento degli anelli-sigillo longobardi*, Milano, 2005, p. 7-46.

PALUMBO 1999: G. Palumbo, *Giubileo Giubilei. Pellegrini e pellegrine, riti, santi, immagini per una storia dei sacri itinerari*, Roma 1999.

PARAVICINI BAGLIANI 1994: A. Paravicini Bagliani, *Il corpo del Papa*, Torino, 1994.

PESANTE 2011: L. Pesante, *Storie di un anello tra "archeologie" e collezionisimo*, Medioevo 177, 2011, p. 53-63.

RUGGIERI 1651: G. S. Ruggieri, *Diario dell'anno del santissimo giubileo MDCL*, Roma, 1651.

SCHNEIDER 1975: F. Schneider, *L'ordinamento pubblico nella Toscana medievale*, ed. F. Barbolani di Montauto, Firenze, 1975 (1914).

TURRIOZZI 1778: F. A. Turriozzi, *Memorie storiche della città Tuscania che ora volgarmente dicesi Toscanella*, Roma, 1778.

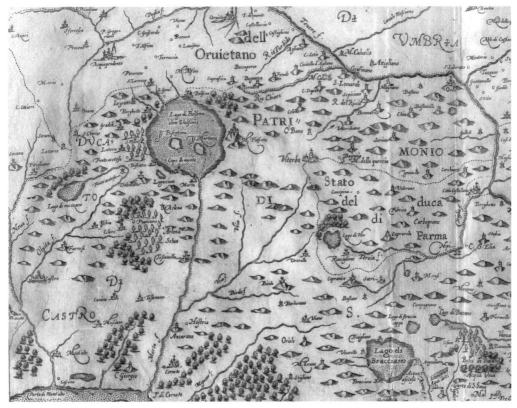

1. Particolare della carta di G.A. Magini, "Patrimonio di S. Pietro, Sabina e ducato di Castro", 1620.

2. Roma, la Scala Santa. Incisione di Felix Benoist, 1840 ca.

3. Roma, penitenti che salgono la Scala Santa. Xilografia, da un disegno di Crépon d'après Picart, 1880 ca.

5. Cetinale, Sovicille (Siena), Scala Santa.

4. Subiaco, Sacro Speco, Scala Santa. Dipinto di Jorgen Roed, 1857.

6. Grotte Scalina: medaglia devozionale del giubileo del 1675 o del 1700, diritto.

7. Grotte Scalina: medaglia devozionale del giubileo del 1675 o del 1700, rovescio.

8. Grotte Scalina: quattrino di Clemente VIII, coniato per il giubileo del 1600, diritto (foto G. Seiwerth).

9. Grotte Scalina: quattrino di rame di Clemente VIII, coniato per il giubileo del 1600, rovescio (foto G. Seiwerth).

10. Particolare del diritto di un quattrino analogo a quello rinvenuto a Grotte Scalina. Collezione privata.

11. Particolare del rovescio del quattrino nella fig. 10.

TERRE ETRUSCHE IN ETÀ MEDIEVALE E MODERNA

Il Medioevo di una tomba etrusca. Graffiti templari a Tarquinia

Gaetano Curzi e Carlo Tedeschi, Università di Chieti-Pescara

De nombreux graffitis réalisés sur les parois peintes de la Tombe Bartoccini de Tarquinia, datables de la première moitié du XIIIᵉ siècle, offrent un précieux témoignage d'une fréquentation médiévale, jusqu'à présent inconnue, de la nécropole tarquinienne, et d'une exceptionnelle réutilisation picturale de l'antique. L'analyse de ces documents, consistant en textes brefs, la plupart rédigés en langue vulgaire italienne, et celle d'un ensemble de figures fortement connotées sur le plan symbolique – étoiles et croix largement distribuées sur toutes les parois, mais aussi d'autres symboles – portent les auteurs aux conclusions suivantes: 1) ceux qui ont décidé de réaliser ce singulier corpus peuvent être identifiés comme des membres de l'ordre des Templiers; 2) les actes sexuels évoqués dans la plus grande partie de ces textes en langues vulgaire, réalisés dans la tombe accompagnés d'un serment, sont à considérer comme de nature rituelle; 3) les Templiers ont choisi la tombe Bartoccini en raison de ses caractéristiques iconographiques et décoratives particulières.

The painted walls of the Bartoccini Tomb in Tarquinia are characterized by the presence of graffiti dating from the first half of the 13th century. Such evidence is related to a so far unknown Medieval frequentation of the Etruscan necropolis and to an extraordinary reuse and repurposing of an ancient painting. The crossed analysis of the alphabetic graffiti – short texts in Italian vernacular – and of the figurative ones – crosses and stars, largely spread all over the walls, as well as other symbols – allow the authors to conclude that: 1) the people who arranged such a peculiar corpus were members of the Templar order; 2) the sexual intercourses reported by the graffiti as happened in the tomb, associated with an oath, should be interpreted as part of a ritual; 3) the Templars chose this tomb taking into account its peculiar architectural and decorative features.

Un singolare caso di culto cristiano in un preesistente ambiente etrusco è rappresentato da quello attestato all'interno della Tomba Bartoccini di Tarquinia, ubicata nella necropoli dei Monterozzi, precisamente nell'area denominata "del Calvario". Scoperta nel luglio del 1959 durante gli scavi condotti dalla Fondazione Lerici del Politecnico di Milano, l'ipogeo è costituito da quattro camere che compongono fra loro una pianta a croce (fig. 1); è inoltre caratterizzato da una ricca decorazione pittorica, in gran parte a motivi geometrici (scacchiere policrome sui soffitti, scacchiere bicrome rosse e bianche alternate a pannelli bianchi con fiorellini rossi lungo le pareti dell'ambiente centrale, fasce monocrome rosse e bianche lungo le pareti degli ambienti laterali), ma anche con scene figurate (banchetto funebre nel frontone dell'ambiente principale e figure animali nei frontoncini dei vani secondari). La datazione unanimemente attribuita alla decorazione pittorica – cui è stata riconosciuta una chiara matrice ionica – e con essa al sepolcro è fissata ai decenni finali del VI secolo a. C.

1. *Le iscrizioni (Carlo Tedeschi)*

Fin dalla scoperta, furono notate evidenti tracce di frequentazione post-antica, in graffiti dei quali – dato anche l'interesse in quel momento prevalente, se non esclusivo, per l'interpretazione della fase etrusca – non fu possibile indicare la datazione né l'attribuzione ad un preciso contesto sociale[1]. La campagna di restauro intrapresa, a partire dal 2000, per iniziativa della Soprintendenza ai Beni archeologici dell'Etruria meridionale, ha offerto a chi scrive, in collaborazione con Gaetano Curzi, l'occasione di avviare un'indagine sistematica dell'apparato grafico-testuale e figurativo-simbolico a sgraffio aggiunto, che ha portato, in

---

[1] Mario Moretti li segnalava come «graffiti a carattere religioso probabilmente databili intorno alla fine del gotico, esprimenti simboli ed invocazioni religiose», Moretti 1966, p. 9.

una pubblicazione del 2012[2], ad una proposta di datazione agli anni '20-'30 del Duecento e ad una precisa contestualizzazione nell'ambito di una ritualità di matrice senz'altro cristiana, ma deviante rispetto a quella propugnata dalla Chiesa cattolica.

Tutti i graffiti – alfabetici e non – si trovano nell'ambiente centrale e sono dislocati lungo le quattro pareti, ad altezze variabili (fig. 2). Le iscrizioni presentano una scrittura di base carolina, contrassegnata da evidenti elementi riferibili ad una cultura grafica documentaria, tipica dei primi decenni del Duecento e comunque non posteriore alla metà dello stesso secolo[3]. L'analisi paleografica evidenzia, inoltre, che tutte le iscrizioni sono riconducibili all'intervento di un solo scrivente[4], con l'unica possibile eccezione dell'iscrizione posta al centro della parete di fondo, di cui si parlerà poco più avanti.

Dal punto di vista contenutistico, all'interno del gruppo dei ventuno graffiti alfabetici, si distinguono tre tipi di testi. Il primo tipo è rappresentato da stringate attestazioni di presenza. Si tratta di semplici nomi maschili (Fausto o Faustino, Emanuel, Rainerio, forse Vincenzo), abbreviati per troncamento e introdotti dal pronome *ego*, secondo una modalità che richiama la sottoscrizione documentaria. Il secondo tipo (fig. 3) è attestato in una sola iscrizione, la cui posizione, al centro della parete di fondo, in corrispondenza dell'apertura che conduce all'ambiente laterale Est e della grande croce patente che, profondamente incisa, costituisce il vero focus visivo dell'intero ambiente, denuncia da sola la sua cruciale importanza. Un'importanza che è ulteriormente sottolineata dalla scelta linguistica, il latino, in un contesto altrimenti tutto volgare[5], come si vedrà tra poco. Il breve testo riporta la dichiarazione di appartenenza dell'ipogeo – chiamato *critta*, ovvero cripta – da parte di un personaggio di cui si precisano il nome e le qualifiche: *H(ec) critta frat(ris) Ioh(ann)is ma(gistri)*[6]. Giovanni, il de-

tentore della titolarità giuridica del sito, è *frater* e *magister*, dunque un religioso che è chiamato frate e al tempo stesso maestro. Tale doppia titolatura rappresenta già di per sé un elemento significativo, di cui tenere conto ai fini di una prima valutazione dell'ambiente sociale. Come è noto, infatti, nel panorama degli ordini religiosi della prima metà del XIII secolo, il titolo di *magister* è utilizzato soltanto in quelli militari – Teutonico, Gerosolimitano, Templare ed altri ancora – per indicare i superiori, generali e provinciali.

Il terzo tipo di testo, sempre in volgare, è destinato a descrivere il contenuto di azioni svolte nell'ambiente sotterraneo. In un caso, l'azione consiste in un giuramento (fig. 4). Il protagonista – il cui nome, abbreviato per troncamento dopo le prime due lettere, *V* e *I*, è presumibilmente *Vi(ncenço)* o *Vi(ncentio)* –, *iurà questa grota*, ovvero letteralmente "giurò in questa grotta"[7]. Vale la pena di rimarcare la singolare distribuzione del testo, per gruppi di lettere, all'incirca corrispondenti alle sillabe; ciascun gruppo occupa un quadrato rosso della pittura etrusca – mentre i bianchi sono lasciati vuoti –, alludendo ad una intenzionale, consapevole interazione fra scrittura e decorazione preesistente. Come Gaetano Curzi spiegherà meglio più avanti, tale interazione non è da intendersi come casuale, ma è uno degli indizi di una precisa scelta di appropriazione e di rifunzionalizzazione dell'antico, operata da chi riutilizzò la tomba nel Medioevo.

In altri sette casi l'azione riferita dalle iscrizioni appartiene alla sfera della sessualità: si dice, infatti, che *in questa grota* uomini e donne si unirono fra loro – il verbo alla terza persona del perfetto è invariabilmente *foteo* – compiendo atti sessuali. L'intero riquadro bianco a fiorellini rossi all'estremità destra della parete Sud è occupato da un'iscrizione (fig. 5) distribuita su cinque righe, in cui si legge: *Ego Meliosus sì f[o]-/teo in questa g[ro]-/ta Maria / de baligiu. Fece / a malgradu di Bernabo*[8]. Lo stesso *Meliosus* – la rarità del nome legittima la convinzione che si tratti della stessa persona – ricompare in un'altra iscrizione disposta su una sola, lunga riga sulla stessa parete: *Ego f[rater] Meliosus sì foteo in questa grota*[9]. Una terza iscrizione riporta entrambi i nomi delle persone coinvolte

[2] TEDESCHI 2012.

[3] *Ibid.*, p. 68-74.

[4] *Ibid.*, p. 74-78.

[5] L'analisi linguistica dei graffiti in volgare, condotta da Vittorio Formentin, chiarisce che il volgare è riferibile all'area "viterbese-maremmana": V. FORMENTIN, *I graffiti in volgare: uno studio filologico-linguistico*, in TEDESCHI 2012, p. 95-114.

[6] C. TEDESCHI, *loc. cit.* (nota 3), p. 58-59.

[7] *Ibid.*, p. 40-42.

[8] *Ibid.*, p. 63-65.

[9] *Ibid.*, p. 69-70.

nell'azione descritta: *Eg[o] Gregorio sì foteo Ga(n) freduça di Iacoma dadiso in questa grota*[10]. Un tale *Rainerius* è ricordato ben tre volte. Nell'ultimo riquadro bianco a fiorellini rossi della parete Nord si legge infatti *Rainerius ic foteo bel horrore* e poco più sotto *Foteo questa g[r]ota Rainerius s[ì f]oteo questa grota*, mentre sulla parete di fondo, nello spazio del timpano (fig. 6), su due righe distribuite al di sopra e al di sotto della *kline*, si aggiunge un'ulteriore informazione sullo stesso personaggio, che al pari di Melioso e di Giovanni è chiamato frate: *Sì foteo questa grota f(rate) / Raineri*.[11] Il nome è poi ripetuto in latino, *Rainerius* e seguito dalle quattro lettere *O, T, E* ed *M*, sulle quali sarà necessario tornare più avanti.

La lettura delle iscrizioni consente di evidenziare già qualche elemento significativo. Anzitutto, si riconosce la struttura ripetitiva e paraformulare dei microtesti: soggetto (*ego* seguito dal nome maschile), verbo (*foteo*) e stato in luogo (*in questa grota*) sono gli elementi indispensabili, ai quali si può aggiungere o meno il complemento oggetto (il nome femminile, seguito o meno da ulteriori dati identificativi), evidentemente considerato opzionale e secondario. Una simile uniformità strutturale e lessicale consente da un lato di confermare l'attribuzione delle registrazioni ad un solo scrivente – un'ipotesi già formulata in base alle osservazioni paleografiche –, dall'altro di individuare il fulcro del messaggio, che non è nell'azione in sé, ma piuttosto nell'azione in quanto compiuta in quel preciso luogo, come suggerisce l'immancabile espressione *in questa grota*[12], monotonamente aggiunta, con puntiglio quasi notarile.

Altri elementi contribuiscono a delineare i contorni di alcuni dei personaggi menzionati e con ciò anche a ravvisare i caratteri di un preciso ambiente sociale. Anzitutto, due dei protagonisti maschili, *Meliosus* e *Rainerius* sono *fratres*, dunque religiosi, appartenenti ad un ordine monastico, evidentemente lo stesso di *Iohannes magister*, incontrato sopra. Inoltre, una delle donne, Maria, viene associata ad un personaggio maschile chiamato *baligiu*, in italiano mo-

derno "balivo", un titolo attribuito a funzionari dell'organizzazione politico-amministrativa dei nascenti comuni italiani, ma anche ai capi delle suddivisioni territoriali intermedie – tra la precettoria e la provincia – dell'ordine Templare. La presenza, già accertata, di personaggi qualificati come religiosi ed in particolare di un frate e maestro (*Iohannes*), che rimanda ad un'affiliazione ad uno degli ordini militari, induce, ovviamente, a propendere per la seconda ipotesi. Dunque, attribuire a Maria l'appellativo *de baligiu* ("del balivo") equivale a dire che questa era riconosciuta come "la donna del balivo", il cui nome, *Bernabo*, è evocato alla fine del testo, come quello di colui *a malgradu* del quale, contro la volontà del quale, sarebbe stato compiuto l'atto riportato.

Un ultimo elemento atto a sostanziare ancor più l'ipotesi templare è costituito delle quattro lettere (fig. 7) *O, T, E* ed *M*, aggiunte dopo il nome *Rainerius*, al termine dell'iscrizione sopra riportata, dove lo stesso è definito frate. Il *titulus* al di sopra delle quattro lettere suggerisce senza dubbio la presenza di un'abbreviazione. Se si riflette sulla circostanza che il termine *frate*, anteposto al nome, presuppone l'appartenenza ad un ordine religioso, la locuzione abbreviata non potrà che indicare l'affiliazione istituzionale, normalmente espressa in genitivo. Dunque, *O* può ben essere considerata sigla di *o(rdinis)*, secondo un'abitudine grafica che, seppure non ancora diffusissima, è comunque attestata nella documentazione medievale fin dal XIII secolo[13]. Se il ragionamento fin qui condotto è corretto, per le rimanenti tre lettere, *T, E, M*, non resta altra possibilità di scioglimento che *Tem(pli)* o *Tem(plariorum)*.

Una simile lettura è destinata a fornire una valida conferma alle ipotesi già prospettate, relative all'appartenenza di frate Ranieri – e con lui dei suoi correligionari ricordati dai graffiti – al ben noto ordine militare. Sarà appena necessario aggiungere che l'espressione *ordinis Templi* è ampiamente attestata nella documentazione processuale a carico dei templari e non solo, a fianco di altre, quali *militiae Templi* o semplicemente *Templi*[14]. Vale a questo punto la pena precisare che a Corneto non soltanto una casa templare era presente, come attestato dagli Atti del processo contro i Templari del 1307[15], ma

---

[10] *Ibid.*, p. 66-68.

[11] *Ibid.*, rispettivamente p. 46-47, 43-45 e 55-57.

[12] Come si è visto, in un solo caso all'espressione *questa grota* si sostituisce *bel horrore*, da intendersi nel senso del moderno italiano "orrido", "luogo nascosto", reso "bello" dalle straordinarie decorazioni pittoriche etrusche.

[13] *Ibid.*, p. 50.

[14] Burgtorf 2008, p. 180-181.

[15] Gilmour-Bryson 1982, p. 89-90.

che quella stessa casa doveva godere di importanti dotazioni patrimoniali, all'interno e all'esterno delle mura cittadine, come efficacemente ricostruito da Giuliano Romalli[16].

L'interpretazione del ciclo di graffiti della tomba Bartoccini, quali testimonianze lasciate da un gruppo di templari legati alla precettoria – o baliato, se si presta attenzione al testo di una delle iscrizioni – cornetana, suggerisce una più precisa lettura del primo testo esaminato. L'appellativo *magister*, indicante il grado gerarchico ricoperto dal personaggio nell'ambito dell'organizzazione templare, può infatti fornire qualche appiglio per una più puntuale identificazione; scartando la possibilità che il personaggio evocato sia il gran maestro, la cui presenza sarebbe difficilmente giustificabile in questo contesto, è invece plausibile che sia riconoscibile con il maestro provinciale. Considerando gli elementi cronologici desunti dall'esame paleografico, e l'esistenza di un solo Giovanni fra i maestri conosciuti della provincia *Romae, Tusciae et Sardiniae*, il personaggio ricordato può dunque essere, seppure cautamente, identificato con quel *dominus frater Johannes Lunbardus domorum militie templi in Ytalia preceptor sive secundum vocabula Lonbardorum magister*, attestato dalle fonti negli anni 1218-1222[17].

In apertura di questo contributo si è accennato alla presenza di graffiti alfabetici, ma privi di contenuti testuali. Si tratta di tre serie alfabetiche e di diverse lettere isolate (*A*, *B*) o in nesso fra loro (*O* con *D*, *B* retroversa con *D*) disseminate senza un apparente ordine sulle pareti del vano centrale. Due serie alfabetiche dalla *A* alla *F*, di modulo piccolissimo (h media 1 cm), sono inserite all'interno di altrettanti quadrati, uno

rosso e l'altro bianco, lungo la parete Nord[18]. Una di esse è in evidente rapporto con la croce incisa al centro della parete, al di sopra dell'apertura che conduce al vano Nord, essendo tracciata nello spazio descritto dall'asta con il braccio destro. La terza sequenza[19], contenente le lettere dalla *A* alla *D*, di modulo medio-grande, occupa invece una porzione della zoccolatura sottostante il pannello contenente due dei graffiti menzionanti *Rainerius*. Le altre lettere sparse presentano caratteri cubitali, tanto da occupare interi riquadri bianchi a fiorellini o comunque estese aree della superficie dipinta. L'uso delle sequenze alfabetiche – soprattutto se reiterate, come in questo caso e se poste in rapporto con altri simboli sacri, *in primis* la croce –, ma anche di lettere isolate, rimanda chiaramente ad un atto di consacrazione dell'ambiente. È quanto si deduce dal confronto con la liturgia di consacrazione degli edifici religiosi, che prevede proprio il ricorso, da parte del vescovo celebrante, agli alfabeti latino e greco, e con la pratica epigrafica, diffusa fra XII e XIII secolo, di memorizzare il momento stesso della consacrazione attraverso l'apposizione di serie alfabetiche incise lungo il perimetro della chiesa[20]. Ciò, peraltro, è pienamente confermato dall'abbondante messe di simboli – croci, stelle, segni battesimali e di fecondità– che ricoprono le pareti della tomba e, seppure in modo meno abbondante, anche le superfici dei soffitti.

I graffiti della Tomba Bartoccini rappresentano la più precoce attestazione relativa alla frequentazione di una tomba etrusca in età post-antica, retrodatando di più di due secoli le prime notizie giunteci, finora risalenti alla seconda metà del XV secolo[21]. I dati sin qui esaminati attestano come già nella prima metà del Duecento – se si accetta l'identificazione di *frater Iohannes magister* con il precettore Giovanni Lombardo negli anni compresi fra il secondo e il terzo decennio – la tomba fosse stata scoperta e scelta da un gruppo di templari per essere trasformata in un luogo segreto (*bel horrore*). Quale la funzione conferita all'ipogeo? La risposta non può prescindere da una lettura integrata e

[16] G. ROMALLI, *Corneto* civitas pontificum. *I Templari, il palazzo papale e il progetto politico di Innocenzo III*, in TEDESCHI 2012, p. 155-232. Sulla base di un'esauriente analisi delle fonti disponibili, G. Romalli ha convincentemente concluso che la fascia di territorio suburbano corrispondente alla necropoli dei Monterozzi rientrasse in un grande latifondo, appartenente all'ordine Templare, che dalle mura urbane di Corneto giungeva fino alle saline e al porto di Gravisca. Una simile ipotesi offre una nuova chiave di lettura al graffito di *Iohannes*, lasciando comprendere come l'appartenenza della critta all'ordine da questi rappresentato contenesse un senso strettamente giuridico (*ibid.*, p. 176-177).

[17] R. PACIOCCO, *Atti insindacabili d'area templare*, in Tedeschi 2012, p. 249-251.

[18] C. TEDESCHI, *loc. cit.* (nota 3), rispettivamente p. 36-37 e 38-39.

[19] *Ibid.*, p. 48.

[20] *Ibid.*, p. 87; sull'uso epigrafico dell'*abecedarium* in Francia, cf. TREFFORT 2010.

[21] M. CATALDI e M. MICOZZI, *La Tomba Bartoccini e la necropoli di Tarquinia tra epoca etrusca e riscoperta umanistica*, in TEDESCHI 2012, p. 16.

incrociata di tutti gli elementi, grafici, testuali, figurativo-simbolici. Se letti in questa prospettiva, i graffiti cornetani ci restituiscono la realtà di un sepolcro etrusco trasformato, attraverso una precisa cerimonia di consacrazione, in *res sacra*; un luogo, insomma, reso idoneo alla celebrazione di rituali che, insieme al giuramento (*iurà questa grota*), prevedevano il compimento di atti sessuali. Cosa poté suggerire ad un gruppo di templari di scegliere proprio quella tomba e non un'altra delle tante – circa seimila – lasciate dalla Tarquinia etrusca alla Corneto medievale[22] è una questione che richiede una specifica trattazione. È l'argomento a cui Gaetano Curzi dedica la continuazione di questo contributo.

2. *Figure e simboli (Gaetano Curzi)*

Oltre ai testi esaminati nel paragrafo precedente, i graffiti eseguiti sulle pareti della tomba Bartoccini propongono anche figure e segni a forte connotazione simbolica che, attraverso alcune corrispondenze con il repertorio decorativo di edifici riconducibili con certezza ai Templari, avvalorano l'ipotesi di una frequentazione del complesso sepolcrale da parte di alcuni membri dell'ordine, che aveva estese proprietà nel territorio tarquiniese, in particolare nella zona prospiciente il litorale[23]. Queste testimonianze figurative sono strettamente connesse alle iscrizioni e pertinenti ad una fase unitaria di frequentazione dell'ipogeo[24] e si distribuiscono in modo prevalente sulle pareti della camera centrale, anche se va tenuto presente che negli ambienti laterali il rilevamento dei segni è ostacolato da una minore leggibilità delle superfici[25].

Si tratta di iconemi realizzati a sgraffio, caratterizzati da incisioni più o meno marcate a seconda degli strumenti usati, della resistenza dell'intonaco e dell'importanza dei soggetti, che in alcuni casi appaiono evidenziati ripassando i tratti principali. Le modalità con cui questo apparato iconografico si dispone sulle pareti suggeriscono una voluta interazione con la decorazione di epoca etrusca che, con la sua ordinata trama compositiva, scandisce l'intervento medievale, instaurando una relazione dialettica tra pittura e graffito, immagini e segni, colore e assenza di cromia.

Il punto focale è costituito senza dubbio dal muro di fondo del vano centrale (fig. 2, 8), sotto l'iscrizione che menziona *Iohannes magister*. Qui una croce potenziata è messa in evidenza da un solco profondo e regolare ed è circondata da croci greche e stelle a cinque punte eseguite con un tratto continuo, rispettando la griglia della scacchiera dipinta. Croci e stelle intorno ad un emblema cruciforme principale, probabilmente allusivo all'insegna dell'ordine compaiono d'altronde nelle celebri pitture delle chiese templari di Cressac[26] (Charente; fig. 9) e di S. Bevignate a Perugia[27] (fig. 10) o nell'iniziale di un manoscritto del primo quarto del Duecento, proveniente da una commenda francese[28] (fig. 11).

La stella a cinque punte tracciata con un *ductus* continuo, spesso impropriamente interpretata in chiave esoterica, costituisce infatti un simbolo cosmologico e cristologico diffusissimo nel Medioevo, riscontrabile anche in diversi contesti legati all'ordine[29], tra i quali acquistano particolare significatività per l'analogia esecutiva i graffiti delle cappelle di Auzon (Vienne)[30] e Cofita (Huesca)[31], e della *bastide* di Domme (Dordogne)[32], dove nel 1311 furono incarcerati settanta cavalieri dopo la loro deposizione davanti alla commissione d'inchiesta[33].

Sulla parete di fondo della tomba Bartoccini, la grande croce è inoltre affiancata in alto a destra (fig. 8) da un disegno di non facile com-

---

[22] Allo stato attuale delle conoscenze non è possibile fare una stima del numero di tombe visibili e fruibili nel Medioevo. Se, tuttavia, si considera che molte tombe erano segnalate in superficie dalla presenza dei tumuli e che il terreno su cui insiste la necropoli dei Monterozzi apparteneva verosimilmente al patrimonio fondiario dei Templari di Corneto (v. sopra, nota 16), si può quanto meno ipotizzare che la tomba Bartoccini non fosse l'unica a loro conosciuta.

[23] G. ROMALLI, in TEDESCHI 2012, p. 190-206; BAGNARINI 2014, p. 93-94.

[24] In alcuni casi, i tratti dei disegni si sovrappongono ai testi, mentre in altri la sequenza esecutiva è inversa.

[25] Per una dettagliata descrizione dei graffiti figurativi: G. CURZI, in TEDESCHI 2012, p. 115-123.

[26] CURZI 2002a, p. 23-31; AGRIGOROAEI 2016.

[27] CURZI 2002a, p. 39-51; CURZI 2005; CERRINI 2012.

[28] Roma, Biblioteca Casanatense, 1077, fol. 95v; CURZI 2002b

[29] G. CURZI, in TEDESCHI 2012, p. 117.

[30] La stella a cinque punte è graffita su una lastra erratica conservata all'interno.

[31] Il simbolo compare, insieme ad altri graffiti, sulla muratura esterna: Fuguet i Sans 2008.

[32] CURZI 2014, p. 53-54.

[33] GOINEAUD-BÉRARD 2000.

prensione, recentemente interpretato come un *trébu-chet* e confrontato con alcune miniature che raffigurano questa macchina da guerra, che in effetti descrivono una struttura simile[34]. L'esame dell'intonaco rivela tuttavia come tale immagine a Tarquinia sia costituita da una giustapposizione di segni e figure che, ritengo, vadano analizzati singolarmente e quindi ricomposti in una lettura unitaria.

In prima istanza si nota una base che sostiene un'asta, conclusa da una tabella contenente una doppia croce decussata, all'interno della quale gli spazi triangolari di risulta formano una croce patente. L'espediente di far emergere l'insegna dell'ordine tramite un gioco ottico basato sul contrasto tra pieni e vuoti trova riscontro nei già citati graffiti di Domme e soprattutto nella stauroteca templare di Cleveland, dove le trenta aperture dei fori che contengono le reliquie descrivono croci patenti[35]. Un riscontro alla singolare immagine nella tabella potrebbe essere fornito da una lastra inserita nella muratura esterna della chiesa di S. Salvatore a Tarquinia (fig. 12), probabilmente di pertinenza templare[36], contenente una croce decussata che potrebbe essere semantizzata, per sottrazione, in maniera analoga. Un'ulteriore versione – semplificata – della tabella è inoltre rintracciabile nella tomba Bartoccini, a destra dell'accesso dal *dromos*, mentre a sinistra è inciso un vessillo con al centro il *tau*, un segno che, rovesciato, nel regno di Gerusalemme era utilizzato per contrassegnare i possedimenti dei Templari[37].

La tabella potrebbe dunque costituire una stilizzazione frontale dell'insegna dell'ordine che costituiva un elemento in grado di suscitare nei cavalieri un sentimento fortemente identitario[38] e di cui, a mio avviso, si possono rintracciare versioni non troppo difformi in alcune lastre tombali di cavalieri templari[39] e nella croce-trofeo dipinta nella volta della prima campata della cappella di Montsaunès (Haute-Garonne), al centro di un importante presidio del Tempio[40]. Se dunque la tabella costituisce a Tarquinia un richiamo all'insegna dell'ordine, potrebbe non essere casuale la sua collocazione al

di sotto dell'iscrizione[41] che ricorda il possesso della cripta da parte di parte di *Iohannes magister* ed in particolare proprio in corrispondenza dell'appellativo di *frater*. A destra di questa figura inoltre sembrerebbe riconoscibile la sagoma di un pesce con occhio e bocca, un motivo cristologico di origine paleocristiana utilizzato in contesti templari nella cornice decorativa della parete sinistra di S. Bevignate (fig. 13) e nel sigillo di Dalmau de Timor, commendatore di Barberà in Catalogna[42].

Sopra la tabella spicca infine una sorta di cornucopia (fig. 8), replicata a sinistra in modo speculare ma con un tratto assai meno visibile, che sembrerebbe essere stato eseguito tramite la pressione di un bastoncino sull'intonaco ammorbidito dall'umidità; da entrambe fuoriescono dei rivoli verso la grande croce centrale conferendo, insieme al pesce, una connotazione lustrale che si armonizza con l'ipotesi di un ambiente utilizzato per scopi cerimoniali, suggerita anche dalla presenza di una formula di giuramento tra le iscrizioni[43]. Trattandosi di un ordine militare, la cerimonia per eccellenza dovrebbe coincidere con l'ingresso nel sodalizio. Secondo la Regola e gli Statuti in quell'occasione il candidato, prima in un ambiente isolato di fronte ad alcuni veterani, poi davanti all'intero capitolo, ribadiva la propria volontà di entrare nel sodalizio[44]. Bisogna tuttavia sottolineare che questo passaggio costituisce uno dei punti più controversi dell'intera storia dell'istituzione, anche perché tutte le informazioni in proposito ci giungono dall'inchiesta e quindi attraverso la lente deformata delle accuse e delle dichiarazioni rese a seguito di pesanti pressioni. È dunque possibile che la Bartoccini fosse uno degli ambienti dove si svolgeva un momento della cerimonia di iniziazione dei Templari di Corneto che poteva prevedere anche la prassi, forse solo pesantemente goliardica, degli atti sessuali, consumati o semplicemente evocati tramite le iscrizioni graffite sulle pareti[45]. Anche gli architravi dipinti delle porte che consentono l'accesso alla camera posteriore e a quelle laterali sono contrassegnati da grandi croci, circondate da altre di minori dimensioni e stelle che si dispongono all'interno dei qua-

[34] Pringle 2014.

[35] Cadei 2002; Klein 2010.

[36] G. Romalli, in Tedeschi 2012, p. 169.

[37] Boas 2006, p. 188-189.

[38] Curzi 2007.

[39] G. Curzi, in Tedeschi 2012, p. 118.

[40] Curzi 2002a, p. 31-39, fig. 18.

[41] Si veda il paragrafo precedente.

[42] Imperio 1996, p. 37.

[43] Si veda il paragrafo precedente.

[44] Molle 1995, p. 233-242.

[45] G. Curzi, in Tedeschi 2012, p. 125-128; R. Paciocco, *ibid.*, p. 233-252.

drati pertinenti alle fasce a scacchiera della decorazione di epoca etrusca.

Sulla parete destra una linea curva inoltre sembra alludere ad una rappresentazione schematica del Golgota, richiamando la forma di un graffito sulla parete della cappella di Sant'Elena nel Santo Sepolcro di Gerusalemme[46]. Il rimando alla Terrasanta sul muro opposto è invece affidato all'abbozzo di una nave, immagine ricorrente in ambiti legati alle crociate e al pellegrinaggio in generale, che compare anche nella controfacciata delle chiese templari di Cressac e S. Bevignate per sottolineare la necessità e i pericoli del viaggio per mare. Sempre nella parete sinistra della camera principale inoltre sono stati rilevati un *chrismon* e tre formule di consacrazione, costituite da una sequenza alfabetica[47], che si dispongono piramidalmente intorno alla porta laterale ; lettere di grandi dimensione si riscontano inoltre in diverse pareti della tomba, richiamando forse anch'esse, analogamente alle grandi croci incise sulle porte, una cerimonia di consacrazione[48] o una sua versione paraliturgica.

Sulla copertura invece è possibile osservare una croce al centro del *columen*, significativamente inserita nel motivo a dischi e *rotae*, una grande stella a otto raggi e un'altra meno visibile nella falda sinistra e due stelle a cinque punte sormontate da una croce all'interno della scacchiera che riveste lo spiovente destro.

Nella camera di fondo i graffiti si limitano ad una vistosa stella a cinque punte sull'intonaco rosso al centro del timpano (fig. 14), ad un'altra analoga (fig. 15) affiancata da circonferenze seguite da almeno tre croci lungo la parete destra, all'altezza della cornice, mentre sulla parete sinistra, si leggono una croce decussata e una potenziata. Croci e stelle a cinque punte sono inoltre visibili sullo spiovente destro, tracciate in rosso forse utilizzando un polpastrello sporcato di pigmento mediante il passaggio su una campitura antica dove il colore tende tuttora a spolverare. Infine è possibile osservare tre croci-stella sul timpano della parete di fondo della camera laterale destra e una in quella sinistra (fig. 16), anche se è probabile che non fosse isolata visto che tali simboli nell'ipogeo tarquiniese compaiono spesso aggregati in gruppi ternari come nelle pitture di S. Bevignate (fig. 17) e Montsaunès.

D'altronde tutti i segni rilevati e la loro dislocazione sulle pareti sembrano rispondere alla volontà di connotare la tomba Bartoccini in senso sacro e al tempo stesso quale luogo templare, rifacendosi alle consuetudini decorative delle chiese dell'ordine. La ripetizione quasi ossessiva di un repertorio circoscritto di simboli non credo infatti vada interpretata come un esito di semplificazione concettuale, quanto piuttosto come una forma di enfasi retorica, poiché la fase medievale della Bartoccini delinea un intervento complesso e assolutamente non casuale, che si sovrappone con consapevolezza alla decorazione parietale etrusca, non solo utilizzandola come substrato, ma risignificandola. È il caso delle stelle inserite al centro dei timpani (fig. 14, 16) che trasformano l'antico tema dei due animali affrontati nella composizione di origine paleocristiana costituita da due animali ai lati di un simbolo cristologico. Lo stesso vale per le croci sopra le porte di accesso agli ambienti secondari, le scacchiere riempite di croci e stelle o per il *columen*, dove tra i dischi si inserisce una croce graffita, tutti segni che assumono un valore ben diverso dall'intento verosimilmente esaugurale con cui speso nel Medioevo e in età moderna furono realizzate croci all'ingresso di cavità naturali o sepolcreti antichi.

La doppia vita della tomba Bartoccini, etrusca e medievale, trova quindi una inaspettata armonizzazione in questo caso eccezionale di reimpiego pittorico dell'antico, che segue tuttavia dinamiche non dissimili da quelle che caratterizzarono nel Medioevo il riutilizzo in un nuovo ordine funzionale di elementi costruttivi, sculture o materiali preziosi, dettato quasi sempre dalla volontà di valorizzare le qualità fenomenologiche e di significato del pezzo. Anche in questa occasione, il reimpiego, mediante reinterpretazione, dell'ipogeo dipinto assume i connotati di un'operazione ideologica, a cominciare proprio dalla selezione dell'elemento di riuso.

La Bartoccini è infatti l'unica tomba della necropoli ad avere una pianta a croce greca regolare, peraltro orientata (fig. 1), insomma è praticamente una cripta cruciforme. Inoltre, è l'unica a presentare nella decorazione una dominante rossa e bianca, i colori della divisa e delle insegne dei Templari ed in particolare è la sola a utilizzare questo accoppiamento cromatico per realizzare le scacchiere, motivo che ricorre anche nella decorazione di Montasaunès (fig. 18). Persino alcuni temi ornamentali

[46] PRINGLE 2007, n. 283.5.

[47] Si veda il paragrafo precedente.

[48] G. CURZI, in TEDESCHI 2012, p. 125.

che connotano il rivestimento pittorico antico, come i fiorellini rossi con petali puntiformi disposti a croce che rivestono le pareti della camera centrale o le terminazioni cruciformi dei pendenti dei fregi di quelle laterali, che in alcuni casi si approssimano, tramite i bracci desinenti della traversa, ad un giglio capovolto (fig. 15), potevano avere un'aria di famiglia per i Templari, richiamando soluzioni riscontrabili nelle cappelle dell'ordine[49], mentre il motivo a dischi e *rotae* del coronamento, con l'aggiunta di croci e stelle graffite, trova un parallelo nel tema cosmografico della volta di Monstaunès. L'unicità di tali caratteristiche iconografiche e la loro straordinaria adattabilità alle esigenze connotative di un ambiente dell'ordine, indicano dunque che i Templari abbiano letteralmente scelto questo complesso sepolcrale, documentando la frequentazione agli inizi del Duecento della necropoli dei Monterozzi, nell'ambito di una saldatura tra Corneto medievale e la Tarquinia etrusca prospettata, sempre all'inizio del secolo, anche dal reimpiego di diversi frammenti lapidei etruschi nel pavimento di Santa Maria di Castello[50]. Nello stesso giro di anni un analogo sguardo retrospettivo è attestato dalla presenza, nelle pitture della chiesa dell'Immacolata a Ceri[51], di una citazione della chimera, posta a margine di un ciclo a soggetto sacro insieme ad una scena di cucina che potrebbe aver ricavato una suggestione compositiva dalle immagini relative alla preparazione del cibo presenti in alcune tombe etrusche[52]. La possibilità che il repertorio zoologico etrusco in Italia centrale abbia influenzato il bestiario medievale sembra d'altronde ventilata dalle pitture di San Giovanni in Fosso a Perugia[53] dove, nel velario che borda le pareti, tra animali reali e immaginari compare anche il grifo, che divenne l'emblema della città umbra. Sfingi e delfini nella Tuscia popolano antichi sepolcri e capitelli di chiese, quali il duomo di Viterbo o S. Francesco a Vetralla[54], mentre a Fiesole, a

Corsignano, a Sovana e nel territorio aretino[55] la scultura architettonica di numerose pievi romaniche rivela un'analoga ispirazione.
Si tratta certamente di una trama sfilacciata che suggerisce tuttavia come la storia del rapporto tra Medioevo e antichità etrusca sia ancora in gran parte da scrivere.

Bibliografia

Aa.Vv. 1982: *Pittura etrusca a Orvieto. Le tombe di Settecamini e degli Hescanas a un secolo dalla scoperta. Documenti e materiali*, Roma, 1982.

Agrigoroaei 2016: V. Agrigoroaei, *Une lecture templière de l'Ancien Testament. Les peintures de Cressac à la lumière de la traduction anglo-normande du Livre des Juges*, in C. Girbea (a cura di), *Armes et jeux militaires dans l'imaginaire*, Parigi, 2016, p. 65-96.

Angelelli-Gandolfo-Pomarici 2003: W. Angelelli, F. Gandolfo e F. Pomarici, *La scultura delle pievi : capitelli medievali in Casentino e Valdarno*, Roma, 2003.

Bagnarini 2014: N. Bagnarini, *I Templari nella Tuscia Viterbese: vecchie considerazioni e nuove prospettive di ricerca. Storia e Architettura*, in M. Piana e C. Carlsson (a cura di), *Archaeology and Architecure of the Military Orders*, Aldershot, 2014, p. 83-106.

Boas 2006: A. Boas, *Archaeology of the Military Orders*, Londra, 2006.

Burgtorf 2008: J. Burgtorf, *The Central Convent of Hospitallers and Templars. History, Organization, and Personnel (1099/1120-1310)*, Leiden-Boston, 2008 (*History of Warfare*, 50).

Cadei 2002: A. Cadei, *Gli ordini di Terrasanta e il culto per la Vera Croce e il Sepolcro di Cristo in Europa nel XII secolo*, Arte medievale 1, 2002, 1, p. 51-69.

Cerrini 2012: S. Cerrini, *L'apocalisse dei Templari. Missione e destino dell'ordine religioso e cavalleresco più misterioso del Medioevo*, Milano, 2012

Curzi 2002a: G. Curzi, *La pittura dei Templari*, Cinisello Balsamo, 2002.

Curzi 2002b: G. Curzi, scheda nr. 95, in A. Cadei (a cura di), *Il trionfo sul tempo. Manoscritti illustrati dell'Accademia Nazionale dei Lincei*, Modena, 2002, p. 167-168.

Curzi 2005: G. Curzi, *I Templari e la pittura monumentale: vecchi problemi e nuove considerazioni*, in S. Merli (a cura di), *Milites Templi. Il patrimonio monumentale e artistico dei Templari in Europa*, Perugia 2005, p. 299-328.

Curzi 2007: G. Curzi, *La croce dei crociati: segno e memoria*, in B. Ulianich (a cura di), *La Croce. Iconografia e interpretazione. Atti del Convegno Internazionale di Studi*, Napoli 2007, p. 127-147.

---

[49] Motivi simili si riscontrano a S. Bevignate e nella cappella della commenda di Villemoison (Nièvre): Curzi 2002a, p. 56.

[50] M. Cataldi e M. Micozzi, in Tedeschi 2012, p. 20.

[51] Zchomelidse 1996; Maddalo 2012.

[52] Ad esempio nella decorazione della cosiddetta tomba Golini I, presso Orvieto, ma anche in diversi ipogei della necropoli tarquinese: Aa. Vv., 1982, p. 21-64.

[53] Scarpellini 1997.

[54] Gandolfo 2014.

---

[55] Angelelli-Gandolfo-Pomarici 2003.

CURZI 2014: G. Curzi, *La "condanna" dei Templari: tracce materiali e memoria negata tra Francia e Italia*, in E. Brilli, L. Fenelli e G. Wolf (a cura di), *Images and Words in Exile. Avignon and Italy in the First Half of the 14th Century (1310-1352)*, Firenze 2015, p. 39-55.

FUGUET I SANS 2008: J. Fuguet i Sans, *Pinturas, miniaturas y graffiti de los Templarios en la Corona de Aragón*, in A. Luttrell e F. Tommasi (a cura di), *Religiones militares: contributi alla storia degli ordini religioso-militari nel Medioevo*, Città di Castello, 2008, p. 237-264.

GANDOLFO 2014: F. Gandolfo, *La scultura architettonica*, in E. De Minicis e C. Tedeschi (a cura di) *La chiesa di S. Francesco a Vetralla*, Vetralla, 2014, p. 44-55.

GILMOUR-BRYSON 1982: A. Gilmour-Bryson, *The Trial of the Templars in the Papal State and the Abruzzi*, Città del Vaticano, 1982 (*Studi e testi*, 303).

GOINEAUD-BÉRARD 2000: A. Goineaud-Bérard, *Templiers incarcérés à Domme, amenés de Paris en 1311, après déposition devant la commission pontificale*, Bulletin de la société Historique et archéologique du Périgord 122, 2000, p. 272-285.

KLEIN 2010: H. A. Klein, scheda nr. 49, in M. Bagnoli, H. A. Klein e J. Robinson (a cura di), *Treasures of Heaven : Saints, Relics, and Devotion in Medieval Europe*, New Haven, 2010, p. 90-91.

IMPERIO 1996: L. Imperio, *Sigilli templari*, Latina 1996.

MADDALO 2012: S. Maddalo, *I santi Giorgio e Silvestro e l'ideologia politica della Riforma nel ciclo pittorico dell'Immacolata di Ceri*, in *Le plaisir de l'art du Moyen Âge. Commande, production et réception de l'œuvre d'art ; mélanges en hommage à Xavier Barral i Altet*, Parigi 2012, p. 678-685.

MOLLE 1995: J. V. Molle (a cura di), *I Templari. La regola e gli statuti dell'ordine*, Genova 1995.

MORETTI 1966: M. Moretti, *Nuovi monumenti della pittura etrusca*, Milano, 1966.

PRINGLE 2007: D. R. Pringle, *The Churches of the Crusader Kingdom of Jerusalem. A Corpus. III. The city of Jerusalem*, Cambridge, 2007.

PRINGLE 2014: D. R. Pringle, *A Medieval Graffito Representating a Trébuchet in an Etruscan Tomb in Corneto-Tarquinia*, in S. John e N. Morton (a cura di), *Crusading and Warfare in the Middle Ages: Realities and Representations. Essays in Honour of John France*, Farnham, 2014, p. 37-46.

SCARPELLINI 1997: P. Scarpellini, *Affreschi duecenteschi nell'ex chiesa perugina di San Giovanni del Fosso*, in G. Barbera, T. Pugliatti e C. Zappia (a cura di), *Scritti in onore di Alessandro Marabottini*, Roma, 1997 p. 33-40.

TEDESCHI 2012: C. Tedeschi (a cura di), *Graffiti templari. Scritture e simboli medievali in una tomba etrusca di Tarquinia*, Roma, 2012.

TREFFORT 2010: C. Treffort, *Opus litterarum. L'inscription alphabétique et le rite de consécration de l'église*, Cahiers de civilisation médiévale 53, 2, 2010, p. 153-180.

ZCHOMELIDSE 1996: N. M. Zchomelidse, *Santa Maria Immacolata in Ceri: pittura sacra al tempo della Riforma Gregoriana*, Roma, 1996.

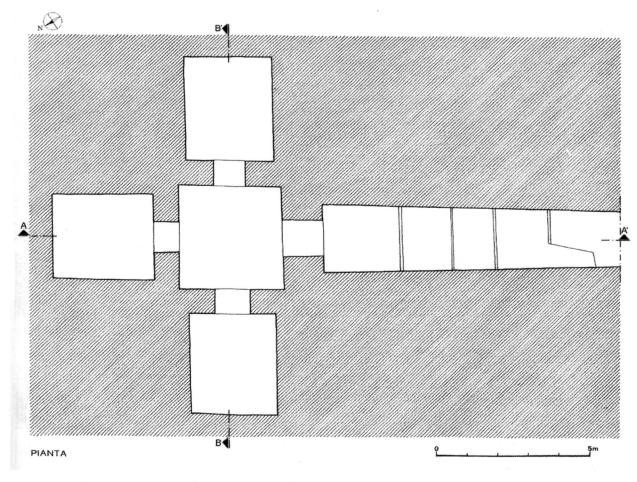

PIANTA

1. Pianta della tomba Bartoccini (da Tedeschi 2012).

2. Tarquinia, tomba Bartoccini, parete di fondo della camera centrale (C. Tedeschi).

3. Tarquinia, tomba Bartoccini, iscrizione di *frater Iohannes magister* (C. Tedeschi).

4. Tarquinia, tomba Bartoccini, iscrizione relativa al giuramento (C. Tedeschi).

5. Tarquinia, tomba Bartoccini, iscrizione di *Meliosus* (C. Tedeschi).

6. Tarquinia, tomba Bartoccini, iscrizione di *Rainerius* (C. Tedeschi).

7. Tarquinia, tomba Bartoccini, iscrizione di *Rainerius*, particolare delle lettere *O, T, E, M*. (C. Tedeschi).

8. Tarquinia, tomba Bartoccini, camera centrale, parete di fondo (G. Curzi).

9. Cressac (Charente), cappella templare, parete sinistra (G. Curzi).

10. Perugia, S. Bevignate, lunetta (G. Curzi).

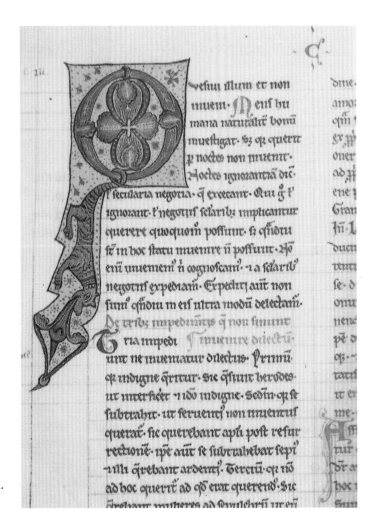

11. Roma, Biblioteca Casanatense, 1077, fol. 95v, iniziale decorata (da Curzi 2002b).

12. Tarquinia, S. Salvatore, lastra (G. Curzi).

13. Perugia, S. Bevignate, parete sinistra (G. Curzi).

14. Tarquinia, tomba Bartoccini, camera posteriore, timpano (G. Curzi).

15. Tarquinia, tomba Bartoccini, camera posteriore, parete sinistra (G. Curzi).

16. Tarquinia, tomba Bartoccini, camera laterale sinistra, timpano (G. Curzi).

17. Perugia, S. Bevignate, lunetta (G. Curzi).

18. Montsaunès (Haute-Garonne), chiesa templare, controfacciata (G. Curzi).

La riscoperta degli Etruschi nel Medioevo e nel Rinascimento

Julie Labregère, E.A. 6298, CeTHiS, Université François Rabelais de Tours

Après la conquête romaine de l'Étrurie et la disparition de la civilisation étrusque, une longue période d'oubli de cette culture débute avec les premiers siècles de notre ère. Certains noms, événements historiques et légendes étrusques survivent au travers des écrits d'auteurs anciens étudiés à l'époque médiévale. Les chroniques toscans du XIVe siècle exploitent cet héritage littéraire, mais aussi les légendes populaires nées de la superstition face aux multiples tombes demeurées visibles dans de nombreuses localités, et confèrent aux Étrusques un rôle de premier plan dans le passé antique de l'Italie. La véritable découverte de la civilisation étrusque se produit à partir de la fin du XVe siècle, avec la diffusion des premières explorations archéologiques et la curiosité croissante pour l'écriture et la langue étrusque. Au cours du XVIe siècle, les objets découverts fortuitement - statues, petits bronzes, bijoux - acquièrent le statut d'œuvres d'art et sont toujours plus recherchés par les collectionneurs, comme la célèbre Chimère d'Arezzo, symbole du lien idéologique étroit entre la dynastie médicéenne et les anciens Toscans.

After the Roman conquest of Etruria and the decline of the Etruscan civilization during the first centuries after Christ felt this culture in a long period of oblivion. Some names, historic events and Etruscan tales survived through the works of ancient writers that medieval scholars later studied. The Tuscan chroniclers of the 14th century not only used this literary heritage but also popular legends resulting of the superstition linked to the numerous, in many towns still visible tombs, they gave to the Etruscans a leading role in Italia's antique past. The true rediscovery of the Etruscan civilization occurred in the second half of the 15th century with the spread of the first archaeological finds and the growing curiosity for the Etruscan language and writing. During the 16th century, fortuously discovered objects - statues, bronze, vases, jewels - acquired the status of artwork and were more and more sought by collectors. A well-know example is the famous Chimera of Arezzo, symbol of the close relationship between the Medici dynasty and ancient Tuscans.

La fine dell'indipendenza dell'Etruria, segnata nel 264 a.C. dalla conquista di Volsinii, l'ultima città indipendente, segna l'inizio del declino della cultura etrusca. Tuttavia, durante secoli, gli autori antichi testimoniano la sopravvivenza di pratiche religiose etrusche nel mondo romano, fino agli ultimi giorni del paganesimo.

La scomparsa della cultura etrusca: ultime testimonianze

Nel 392 Teodosio promulga un editto che vieta la pratica dei culti pagani nell'Impero, ma gli aruspici sono ancora presenti a Roma e in altre città del Mediterraneo, come ne testimonia Sant'Agostino all'inizio del V secolo nelle sue *Confessioni*. L'autore riporta un episodio della sua giovinezza, prima della sua conversione al cristianesimo nel 386, quando insegnava retorica a Cartagine. In occasione di un concorso di poesia drammatica, un aruspice propone la propria candidatura al giovane professore affermando che i sacrifici degli animali avrebbero potuto assicurargli la vittoria[1].

Un altro episodio ci riporta agli ultimi giorni dell'Impero romano, quando Alarico assedia la città nel 409. Due autori, il pagano Zosimo[2] e il cristiano Sozomeno, riportano che il prefetto dell'*Urbs* aveva mandato aruspici etruschi

---

[1] SANT'AGOSTINO, *Confessioni* 4.2.3. Vd. BRIQUEL 1997, p. 188.

[2] ZOSIMO, *Storia nuova* 5.41.

specializzati nell'osservazione dei fulmini, chiamati in latino *haruspices fulguratores*: questi sostenevano di aver cacciato l'esercito dei Goti da Todi, grazie al loro potere d'invocazione dei fulmini, e di essere in grado di fare la stessa cosa per Roma.

L'ultima testimonianza della sopravvivenza della pratica dell'antica scienza divinatoria etrusca, un breve passo di Procopio, risale al VI secolo[3].

La fine del periodo antico vede l'abbandono delle grandi città etrusche marittime. Le rovine dello splendore etrusco così appaiono a Rutilius Namatianus[4], che compie un viaggio lungo le coste italiane da Roma alla sua terra materna, la Gallia: Pyrgi, Caere, Gravisca, Cosa e Populonia sono ormai ridotte a pochi abitanti, se non totalmente deserte, i loro territori incolti e abbandonati alle epidemie e alla malaria.

I primi secoli del Medioevo precipiteranno la civiltà etrusca, e in particolare le sue metropoli meridionali, in un oblio quasi completo. Dell'antica civiltà rimarranno conosciuti soltanto accenni in alcuni passi di autori latini, pochi oggetti e iscrizioni che fuoriescono dalla terra all'improvviso e, in certe zone, leggende su tesori nascosti custoditi da spiriti terrificanti. Tuttavia, a partire dal XII secolo, i cronisti toscani e viterbesi cominciano a interessarsi di nuovo al passato etrusco: poco a poco emerge la coscienza dell'antichità e dello splendore dei loro antenati. Occorrerà aspettare il Quattrocento per osservare la nascita di una vera curiosità antiquaria che pone le prime basi sulle quali si costituirono, nel secolo seguente, due nuovi campi di ricerca fondati sullo studio delle vestigia materiali: l'archeologia e l'epigrafia. Quest'interesse nuovo per gli Etruschi: oggetti, monumenti, opere d'arte, iscrizioni, si traduce con la nascita delle prime collezioni ed il commercio antiquario.

Fonti letterarie e rielaborazione della storia antica.
La memoria della civiltà etrusca durante i secoli medievali si fonda principalmente sugli scritti di Livio e Virgilio, e su alcuni passi di altri autori antichi, come Cicerone o Plinio.

Nell'*Eneide*, il tiranno di Caere, Mezenzio, dichiara guerra ai Troiani, ma non è seguito dal popolo etrusco, alleato di Enea. La descrizione virgiliana degli eserciti alleati contro Mezenzio ed i Rutuli, nel libro X, permette di evocare la potenza e la diversità delle città etrusche, fra le quali Mantova, la sua città natale. Nella *Storia romana* di Livio sono narrate le vicende delle guerre tra Romani ed Etruschi[5] (soprattutto i Veienti) e l'episodio dell'impresa del re di Chiusi Porsenna contro Roma, nel 508 a. C., secondo la tradizione annalistica romana.

Il re Porsenna è il personaggio più famoso della storia etrusca: come guerriero e uomo politico, ma anche attraverso le leggende che circondano il suo mitico mausoleo, descritto da Plinio citando un passo oggi perduto di Varrone[6], ispirato direttamente da tradizioni etrusche. Le sue dimensioni fantastiche e l'inestricabile labirinto che custodiva un tesoro prodigioso vicino al defunto re di Chiusi hanno colpito l'immaginario dei lettori di Plinio attraverso i secoli.

La frase di Livio che descrive gli Etruschi come «i più religiosi degli uomini[7]» colpisce le menti cristiane: la religiosità, anche se pagana, appare come la principale qualità del popolo etrusco.

Cronache medievali: la tradizione viterbese.
Goffredo da Viterbo (1120-1195/97), autore dello *Speculum Regum* e del *Pantheon*, racconta come Iafet, figlio di Noè, fondò numerose città in tutta Europa e in Italia, dando nascita ad una stirpe di eroi antenati dei diversi popoli. Ricordiamo anche l'impronta di questa tradizione della venuta di Noè o di suoi figli nel nome popolare dell'arco di Nerva a Roma, conosciuto come *Arca di Noè*, e distrutto all'epoca di Paolo V[8].

Francesco D'Andrea da Viterbo (1400-1455) e Nicola della Tuccia (1400-1473) riprendono questa trama, attraverso un sincretismo tra tradizioni bibliche ed antiche (in particolare Virgilio e Livio). I figli di Noè appaiano già come i capostipiti della civiltà etrusca. Nicola della Tuccia, all'inizio delle sue *Cronache di Viterbo e di altre città*[9], racconta come i figli di Iafet, dopo aver fondato Londra e Camelot in Inghilterra dopo il Diluvio, scesero in Italia dove i loro discendenti fondarono diverse città di origine etrusca. La prima fu Fiesole, fondata da Corinto, poi Tusco fu all'origine di Arezzo. Iaseo, nel

---

[3] Procopio, *De bello gothico*, 4.21.

[4] Rutilius Namatianus, *De Reditu* 1.

---

[5] Livio 2.9-15.

[6] Plinio il Vecchio, *Storia naturale*, 36.19.91-93.

[7] Livio 5.1.6.

[8] Piale 1826, p. 79.

[9] Unica opera a noi pervenuta (oggi disponibile nell'edizione di Ignazio Ciampi del 1872).

Viterbese, fece "Moserna" (località Musarna tra Tuscania e Viterbo), ed Italon una città chiamata "Sorrena" ("Surrena" era il nome etrusco di Viterbo). Ritroviamo quasi la stessa versione nelle *Croniche* di Fra Francesco d'Andrea da Viterbo[10], scritte intorno al 1450:

«Un altro Barone, parente di Corinto, chiamato Italon, con uno suo fratello chiamato Savio, capitando nel Patrimonio nel dicto paese de Viterbo per li molti acasamenti che vi stavano si chiamava el Cayro della Grecia grande, ferono dui città l'una chiamata Sorena, presso al Bullicame di Viterbo, e un altra chiamata Cività Muserna, e altri palazzi e casamenti nel dicto paese; poi edificorno in campagna molte città e castella, et allagarsi assai in Italia, per lo quale Italia fu poi nominata, come ancora si chiama. Si vede come l'origine etrusca di numerose città italiane sia evidente poiché fondate da eroi eponimi del popolo etrusco come Tusco o Tirreno».

Annio da Viterbo (1437 ?-1502)

Se l'interesse antiquario per gli Etruschi cresce poco a poco nel corso del Quattrocento, un'opera a stampa segna un cambiamento radicale e l'inizio del periodo dell'«etruscofilia» rinascimentale e modifica per tutto il secolo seguente la visione degli Etruschi e della loro storia: è conosciuta come le *Antiquitatum variarum* o *Antichità*[11] di Annio da Viterbo, pubblicate per la prima volta a Roma nel 1498 (fig. 1). Il frate domenicano, oggi famoso per le sue falsificazioni ed invenzioni sul passato antico di Viterbo e dell'Italia, era divenuto un personaggio importante alla corte papale di Alessandro VI Borgia fin dal 1492, anno in cui comincia a lavorare sul programma iconografico degli Appartamenti Borgia[12]. Nel 1494, Alessandro VI, di passaggio a Viterbo, scopre durante una partita di caccia, nella località della Cipollara (a metà strada tra Viterbo e Tuscania), una tomba con quattro sarcofagi, e Annio da Viterbo si fa l'interprete delle iscrizioni, trascritte e commentate in un opuscolo manoscritto, la *Borgiana Lucubratio*[13].

Nel 1499, appena un anno dopo la pubblicazione delle *Antichità*, venne nominato Maestro del Sacro Palazzo Apostolico.

Le *Antichità* conoscono fin dalla loro prima edizione uno straordinario successo in tutta Europa: è composto da commenti su frammenti inediti di autori antichi (che nessuno ha mai potuto vedere), che egli pretende di aver scoperto durante la sua permanenza a Genova, alcuni anni prima. Si tratta in realtà di uno dei più clamorosi falsi storici mai scritti, che propone una visione delle origini dell'Europa basata sulla contestazione dell'eredità classica dei pensatori della Grecia antica, e sul sincretismo tra tradizioni medievali, autori antichi pagani e cristiani, interpretazioni cabaliste, etimologie inventate e interpretazioni teologico-storiche delle vestigia archeologiche. Il risultato di tale compilazione è la creazione di un nuovo mito europeo ed italiano, in cui gli Etruschi sono gli eredi diretti della sapienza antidiluviana di Noè. Stampato in caratteri gotici, l'*editio princeps* delle *Antichità* assume l'apparenza di una bibbia[14], e si presenta di fatto come un complemento alla cronologia biblica. Nello stesso anno 1498 una versione senza commento dei frammenti è stampata a Venezia. Seguiranno poi, nel secolo seguente, numerose edizioni in tutta l'Europa: Parigi (1511, 1512, 1515, 1518), Strasburgo (1511), Lione (1550, 1552, 1555, 1560), Venezia (1543, 1550, 1583), Basilea (1530), Anversa (1552), Heidelberg (1599), Wittenberg (1612).

I commenti di Annio propongono una ricostruzione della storia dell'Europa direttamente ispirata alla ricca tradizione dei cronisti viterbesi, che insieme ai nuovi interessi antiquari della fine del Medioevo avevano attribuito un ruolo crescente agli Etruschi nella tradizione storiografica. Il mito della venuta di Noè in Italia non è un'invenzione anniana: questo motivo si ritrova in molte cronache medievali, come l'abbiamo menzionato prima. Ma la novità delle sue teorie sta nella filiazione diretta tra il patriarca (conosciuto in Italia sotto il nome di Giano) ed il popolo etrusco. La forma stessa delle *Antichità* è inedita: il discorso di Annio non è in lingua volgare ma in latino, la lingua degli eruditi, e si presenta come commenti e considerazioni pseudo-scientifiche sulla storia e la filologia.

---

[10] Biblioteca Angelica di Roma (Ms 7 B. 23). Edizione moderna : Cristofori 1888.

[11] Titolo originale : *Commentaria fratris Joannis Annii Viterbiensis super opera diversorum auctorum de antiquitatibus loquentium*, Roma, Eucharius Silber, 1498.

[12] Mattiangeli-Saxl 1982, p. 85-104; Rowland 2004, p. 59.

[13] Bayerische Staatsbibliothek, *Codice Monacense lat.* 716.

---

[14] Rowland 2004, p. 58.

Vestigia antiche: dalle leggende all'archeologia
Per tutta la durata del Medioevo non esiste ancora l'idea di scavare per scoprire vestigia antiche. I ritrovamenti sono sempre fortuiti, nell'occasione di lavori agricoli o di frane di terreno. Sono diffuse nei luoghi etruschi leggende su fantastici tesori nascosti sotto terra, custoditi da terrificanti demoni. In questi racconti popolari, chi riesce ad avvicinarsi all'oro dei morti è colpito da una maledizione che gli impedisce di tornare nel mondo dei vivi. Le tombe antiche suscitano fascinazione e paura, perché appartengono ai riti religiosi di un mondo pagano considerato come demoniaco.

Fin dall'epoca bizantina, la legislazione vieta la profanazione delle tombe e dei corpi dei defunti[15]. Ma a partire dal VI secolo, sarà il potere civile, e non la Chiesa, a giudicare e punire i sacrileghi. Il saccheggio di tombe è un crimine assai frequente nelle fonti giuridiche medievali[16], qualche volta assimilato alla necromanzia, cioè le pratiche magiche che evocano gli spiriti, i defunti ed i demoni.

Nancy Thomson de Grummond ricorda nel 1986[17] un passo del *De gestis Regum Anglorum* (1125-1140) di Guglielmo di Malmesbury[18], a proposito del primo soggiorno a Roma di quello che fu in seguito il papa dell'anno Mille (999-1003), Silvestro II. Gerbert d'Aurillac, erudito e scienziato, era in anticipo sul suo tempo e le sue conoscenze gli portarono una fama di negromante e di mago; alcuni pensavano che aveva ottenuto successi nella sua carriera politica grazie ad un patto con il diavolo. L'episodio più famoso, a questo proposito, successe in Campo Marzio a Roma. Scoprendo l'entrata di un sotterraneo indicato dal dito di una statua antica, Gerbert, con un suo servo, si ritrova in un palazzo sotto terra, riempito di oro e pietre preziose, dove due personaggi stanno banchettando: una coppia regale, tutta di oro anch'essa. La stanza è custodita da un arciere, pronto a difendere i tesori dall'avidità dei due intrusi.

«Vedono una enorme reggia, pareti d'oro, tutto d'oro; soldati d'oro che sembrava si divertissero a giocare con dadi d'oro; un re di quel metallo che stava a tavola con la regina, con le portate poste davanti, servi che stavano in attesa, piatti di molto peso e valore, dove l'arte vinceva la natura. Nella parte più interna del palazzo un carbonchio, gemma fra le più nobili e piccola da vedersi, fugava le tenebre della notte. In un angolo, di fronte, stava uno schiavo, che teneva un arco con la corda tesa e la freccia puntata. Ma di tutte quelle cose, mentre l'arte preziosa rapiva gli occhi di chi guardava, non c'era nulla che si potesse sfiorare, sebbene se li potesse guardare; immediatamente, infatti, appena uno allungava la mano per toccare, si vedevano tutte quelle figure alzarsi e scagliarsi contro l'audace».

Il domestico di Gerbert non può astenersi di toccare uno dei coltelli, le tenebre calano allora sulla scena, e i due uomini escono dal sotterraneo ormai nel buio. La descrizione del palazzo non è priva delle leggende popolari che avvolgono le scoperte di tombe etrusche: la fascinazione per l'oro, la coppia aristocratica in atto di banchettare, la straordinaria bellezza del vasellame antico, la maledizione che aspetta i tombaroli.

Malmesbury, sempre a proposito dei tesori nascosti sotto terra, prosegue e riporta le parole di un monaco spagnolo[19]. Durante la sua giovinezza passata in Italia, questo monaco avrebbe tentato, insieme ad amici, di ritrovare il tesoro di Ottaviano nei sotterranei di una montagna utilizzando un gomitolo di filo, come fece Arianna aiutando Teseo ad uscire dal labirinto di Creta e come Plinio dice che si usava all'interno del mausoleo di Porsenna.

«Tutto era buio e pieno di orrore; i pipistrelli, uscendo dalle cavità, ci aggredivano al volto e agli occhi; i sentieri erano stretti e paurosi, alla sinistra c'era un precipizio e un fiume che vi scorreva sotto. Vedemmo un sentiero coperto di nude ossa: piangemmo su cadaveri che ancora si stavano decomponendo, evidentemente persone travolte dalla nostra stessa speranza, incapaci di trovare l'uscita dopo essere entrate nel monte. Ma alla fine, e dopo molte paure, arrivando ad uno sbocco interno, vedemmo uno stagno tranquillo, con acque che si increspavano, dove l'acqua spegneva sul lido le sue dolci onde. Un ponte a mezz'aria collegava ambedue le rive: al di là del ponte si vedevano cavalli d'oro di meravigliosa grandezza, con palafrenieri ugualmente d'oro, e tutte quelle altre cose che già si dissero a proposito di Gerberto; e lo splendore di Febo, riversandosi su di essi

---

[15] *Codice teodosiano* 428 : *persino spostare una pietra, disturbare il sacro, strappare l'erba* è una violazione del sacro.

[16] RAMPTON 2013, p. 568.

[17] GRUMMOND 1986, p. 20.

[18] MALMESBURY 1992, II, 169, p. 202-203.

[19] *Ibid.*, 170, p. 203-205.

a metà del giorno, abbagliava gli occhi di chi guardava, raddoppiando il fulgore. E noi, che, vedendo queste cose da lontano, volevamo goderle più da vicino, per portar via, se la fortuna ci assistesse, qualche scaglia dello splendido metallo; datici coraggio con vicendevoli esortazioni, ci preparammo ad attraversare lo stagno. Ma inutilmente. Quando, infatti, uno più temerario degli altri, pose il piede sul margine del ponte da questa parte, subito (ed è stupefacente a sentirlo narrare) quello si abbassò, e l'altra estremità si sollevò, facendo comparire un uomo di bronzo con un martello di bronzo con cui esso, colpendo le onde, annebbiò tanto l'aria che tolse la vista del giorno e del cielo. Tirato indietro il piede ci fu pace: questo tentativo fu fatto da molti e il risultato fu sempre il medesimo. Perciò, disperando di passare, ci fermammo lì per un po'; e per quanto potemmo, gustammo di quell'oro almeno solo con lo sguardo. Poi, mentre tornavamo indietro seguendo il filo, trovammo un piatto d'argento; lo dividemmo in parti, e con quei minuti frammenti facemmo solo il solletico alla nostra avidità, ma non saziammo certo la nostra fame».

L'Italia è il luogo di molte leggende fantastiche su tesori antichi sotterrati, leggende ispirate da scoperte reali e dalla paura del mondo pagano dei defunti, associato a potenze demoniache e malefiche. Nessun dettaglio in questa storia ci indica che tali racconti siano legati direttamente alle esplorazioni di tombe etrusche, ma sono molto simili a quelli accertati a Chiusi, per esempio, a partire dal XVI secolo, dove molti cercarono invano il mitico mausoleo di Porsenna. Le tombe etrusche, scavate nella roccia, furono chiamate "grotte" per secoli. Ma aldilà dei racconti e tradizioni locali, abbiamo pochissime attestazioni della conoscenza diretta di tombe etrusche durante il Medioevo.

L'oggetto etrusco all'epoca medievale

Prima della seconda metà del Quattrocento, il fenomeno del collezionismo antiquario non esiste: gli oggetti scoperti erano dispersi, alcuni (cippi, urne, sarcofagi) erano riutilizzati in campagna come fontanili per gli animali o basi per muri e scale. Lo stesso fenomeno di reimpiego esiste in diverse chiese di Toscana, Umbria o Lazio, ubicate sopra o vicino ad antiche necropoli etrusche. Ma in questo caso, l'oggetto antico acquisisce un nuovo valore simbolico: penetra lo spazio sacro della chiesa e viene utilizzato per i riti cristiani (come acquasantiera, ossuario o base di altare). L'urna, il sarcofago o il cippo etrusco sono percepiti come oggetti religiosi dei «gentili» che popolavano l'Italia prima della rivelazione cristiana. Integrare questi artefatti nella chiesa traduce una volontà di sottolineare una continuità spirituale tra paganesimo e cristianesimo, come avvenne con l'immagine delle Sibille, annunciatrici della venuta del Messia, o con la figura di Virgilio nella *Divina Commedia*.

Non presenteremo qui un catalogo esaustivo di tali rimpieghi (che tutt'ora non esiste), ma soltanto tre esempi scelti che permettono di capire la loro diversità.

Sant'Antonio Abate, Deruta (Umbria)

La chiesa, consacrata nel Trecento, è famosa per i suoi affreschi della fine del Quattrocento. Sul muro di controfacciata, un'urnetta cineraria etrusca, con iscrizione e motivi decorativi, ha funzione di acquasantiera (fig. 2). La presenza di necropoli etrusche non è attestata nelle vicinanze, ma tutta la regione tra Perugia, Todi e Città della Pieve è ricca di insediamenti e necropoli etrusche, conosciuti da secoli (come l'ipogeo di San Manno, ubicato sotto una chiesetta medievale). L'epigrafe etrusca non è stata cancellata ed è ancora in parte leggibile (almeno il cognome maschile, *Larth*), come se quest'elemento avesse suscitato più orgoglio che paura superstiziosa, in una zona dove la scoperta di urne iscritte era assai frequente, nel corso di lavori agricoli o edilizi. Durante secoli, ogni fedele che entrava nella chiesa si segnava con l'acqua santa contenuta nell'urna etrusca, simbolo della coscienza della continuità tra passato etrusco e comunità cristiana.

Ossuario di San Clemente, Volterra (Toscana)

Quest'oggetto è oggi conservato nella Pinacoteca comunale di Volterra, insieme ad altre urne etrusche ritrovate in diverse chiese della città[20]. Era collocato prima nella chiesa abbaziale di San Giusto, abbandonata nel 1861 a causa della minaccia delle balze sempre più vicine (e crollata nel 1893). L'abbazia era stata fondata nel 1034 da una comunità di monaci benedettini, sul luogo di un'antica necropoli villanoviana ed etrusca, diventata poi cimitero romano e paleocristiano, dove erano venerate le reliquie di san Giusto e san Clemente. Le ossa di san Clemente furono "scoperte" nel 1140 e subito trasferite nella chiesa, in un ossuario molto particolare: un'urna etrusca di

---

[20] BONAMICI 1982, p. 205-216.

alabastro, risalendo al IV secolo a.C., con un coperchio a doppio spiovente sul quale fu incisa un'iscrizione in onore delle reliquie del santo: *hic requiescit corpus Beati Clementis. Et inventum est sub temporibus Innocentii Papae II, MCXL* (fig. 3). L'urna mantenne questa funzione di reliquario fino al 1628[21].

Santa Maria in Castello, Tarquinia (Lazio)

A Tarquinia, chiamata Corneto fino all'inizio del Novecento, la traccia del passato etrusco si trova ovunque. Possiamo osservare rimpieghi di colonne antiche, coperchi di sarcofagi e basso-rilievi in vari edifici medievali e rinascimentali del borgo, come è il caso in molte cittadine italiane di origine etrusca[22].

Nella chiesa di Santa Maria di Castello, il pavimento realizzato da artigiani romani all'inizio del Duecento integra numerosi frammenti lapidari iscritti di epoca romana e paleocristiana[23]. Fra tutti questi frammenti spicca un'epigrafe, notevole poiché l'unica ad essere scritta in etrusco (fig. 4). Possiamo leggere *larth velchas thui cesu* (qui giace Larth Velchas). Proviene da un sarcofago, ma non sappiamo a quale tomba o necropoli apparteneva: probabilmente fu trovato nelle vicinanze della chiesa. Il gentilizio *Velcha* è frequentemente attestato a Tarquinia, in particolare nelle iscrizioni dipinte della Tomba degli Scudi (con il famoso ritratto di Velia Spurinna, sposa di Arnth Velcha). La presenza di un'iscrizione etrusca in una chiesa medievale può sorprendere, per il suo aspetto pagano e misterioso. Le lettere etrusche allora non erano ancora decifrate ed erano spesso considerate come segni magici, tuttavia in molti casi figurano affiancati da croci cristiane. L'iscrizione etrusca in Santa Maria di Castello non è però un *unicum*: un'inchiesta attenta rivela la presenza di epigrafi etrusche in altre chiese del centro Italia[24].

L'oggetto etrusco in epoca rinascimentale

La prima descrizione affidabile della scoperta di una tomba etrusca che ci è pervenuta risale al 1466. Fu scritta da Antonio Ivani da Sarzana, notaio e cancelliere di Volterra dal 1466 al 1471, ma anche umanista e storico. In una lettera[25] indirizzata a Nicodemo Tranchedini di Pontremoli, ambasciatore della corte milanese degli Sforza a Firenze, descrive in dettaglio la scoperta di una tomba etrusca a poca distanza delle mura della città[26]. L'aneddoto è raccontato all'interno di un discorso più generale sulla morfologia particolare dei terreni geologici a Volterra: composti di argilla e di sedimenti sabbiosi, favoriscono le frequenti frane che sono all'origine del paesaggio spettacolare delle famose «balze» volterrane.

Una di queste frane ebbe luogo nel 1466, rivelando agli occhi degli abitanti di Volterra l'interno di una tomba etrusca intatta. Antonio Ivani descrive i *sepulcra* di marmo, cioè le urne cinerarie in alabastro, con i defunti rappresentati sul coperchio: *quorum sculpta tegmina iacentum varias effigies et vetustos corporum habitus representant*, e nota che alcune portano ancora tracce di colore rosso e di oro.

La sua attenzione si pone poi sui vasi di ceramica, di varie fatture: «*plura etiam vasa fictilia, sed semifracta in eodem antro extabant, quorum quidam varie species me satis oblectarunt.* Ivani suppone che tutti i personaggi rappresentati sulle urne sono i membri di una stessa famiglia, osservazione molto giusta e pertinente che quasi stupisce, se pensiamo all'interpretazione di Annio da Viterbo, trent'anni dopo, che vedrà nelle effigie sdraiate dei sarcofagi della Cipollara la rappresentazione di divinità antiche. Il suo sguardo da umanista è moderno, quasi scientifico, e si stacca totalmente dalle leggende medievali. La sua descrizione segna la nascita di un nuovo atteggiamento di confronto all'Antichità e alla civiltà etrusca: prende forma in tal modo una coscienza storica, come lo

---

[21] Puglia 2010, p. 220, nota 41.

[22] Il caso di Chiusi è stato studiato in dettaglio da G. M. Della Fina (1983).

[23] De Rossi 1875, p. 85-131; Belcari 2014, p. 19-33.

[24] Possiamo citare il frammento di sarcofago iscritto murato nel paramento interno del muro di facciata della chiesa abbaziale di San Giusto a Tuscania (Maras 2014, p. 105-116), o l'urna iscritta (*CIE* 803) che fino al Settecento era visibile nella chiesa di Santa Mustiola a Chiusi, prima di essere trasferita nella facciata del palazzo Bucelli a Montepulciano (Della Fina 1983, p. 24).

[25] Lettera del 18 novembre 1466 conservata presso la Biblioteca Riccardiana di Firenze (Ms 834, folia 212 r et 212 v.). Il testo fu tradotto in inglese da J. R. Spencer (Spencer 1966, p 95-96). Una seconda traduzione inglese fu poi proposta da Nancy Thomson de Grummond (Grummond, p. 25-26 e nota 51, p. 44.

[26] Antonio Ivani era il precettore del figlio di Nicodemo Tranchedini; essi scambiarono una corrispondenza amichevole più che ufficiale, conservata nel fondo *Epistolae Tancredini* della Biblioteca Marucelliana.

spiega molto bene Eugenio Garin.

Proprio l'atteggiamento assunto di fronte alla cultura del passato, definisce chiaramente l'essenza dell'umanesimo. E la peculiarità di tale atteggiamento non va collocata in un singolare moto di ammirazione, né in una conoscenza più larga, ma in una ben definita coscienza storica. I "barbari"non furono tali per avere ignorato i classici, ma per non averli compresi nella verità della loro situazione storica. Gli umanisti scoprono i classici perché li distaccano da sè. Perciò l'umanesimo ha veramente scoperto gli antichi, siano essi Virgilio o Aristotele pur notissimi nel Medioevo: perché ha restituito Virgilio al suo tempo e al suo mondo, e ha cercato di spiegare Aristotele nell'ambito dell'Atene del quarto secolo avanti Cristo[27].

Il tumulo di Montecalvario a Castellina in Chianti, 1507

Una delle scoperte che ebbe un largo impatto sul mondo intellettuale all'inizio del Cinquecento avvenne a Castellina in Chianti il 29 gennaio 1507. Le circostanze precise del ritrovamento ci sono conosciute attraverso diverse fonti: la prima è la copia di una lettera datata del 10 febbraio, cioè soltanto pochi giorni dopo la scoperta, conservata nel *Codex Pighianus* a Berlino[28] (fig. 5). Ma saranno molti gli autori a ricordare l'evento negli anni seguenti: Sigismondo Tizio[29], Santi Marmocchini[30], Pier Francesco Giambullari[31], Gabriello Gabrielli[32] e poi, nel Settecento, Anton Francesco Gori e Filippo Buonarroti[33].

La tomba fu scoperta da un contadino che piantava pali nel suo vigneto. La lettera del *Codex Pighianus*, probabilmente scritta da Marcello Virgilio Adriani (cancelliere della Repubblica di Firenze), e indirizzata a Franceco Soderini (cardinale di Volterra), è accompagna da schiz-

zi: la pianta a croce della tomba, un'urna e diverse iscrizioni etrusche. Il testo riporta le misure della tomba, il tipo di muratura utilizzato, la descrizione del corredo funebre, in parte spogliato al momento della scoperta: frammenti minuscoli di oro, urne di alabastro figurate, urne di terracotta chiuse da tegole, tracce di cenere e di ossa. L'accento è messo sulla presenza di urne iscritte: è di fatto questo l'elemento che colpisce le menti e suscita interesse per la scoperta. Abbiamo conservato la trascrizione di queste iscrizioni, ma le urne sono state disperse poco tempo dopo la loro scoperta. La fascinazione per gli Etruschi è fortemente legata al mistero della loro lingua e scrittura. All'inizio del Cinquecento, le nozioni di stile e di datazione delle produzioni artistiche etrusche non esistono. L'unico "sigillo" di autenticità per gli oggetti etruschi è la presenza di un'iscrizione. Quest'elemento si unisce al mito sempre più affermato, creato intorno a Firenze e ai Medici, della superiorità della cultura toscana, unica erede della civiltà etrusca, valorizzata come esperta nelle arti e tecniche e creatrice delle più antiche istituzioni politiche e religiose d'Italia. L'aspetto misterioso della lingua etrusca, con la nascita dell'Academia Fiorentina sotto il governo del granduca Cosimo I, assume una nuova dimensione, come lingua delle origini, sorella dell'aramaico e depositaria della più alta antichità e sacralità.

La Chimera di Arezzo, 1553

Come non evocare la Chimera di Arezzo (fig. 6), il famoso bronzo simbolo del nuovo interesse antiquario per gli Etruschi? La notizia della sua scoperta ad Arezzo, il 15 novembre 1553[34], si sparse rapidamente, e il Gran Duca Cosimo

---

[27] GARIN 1993, p. 21-22.

[28] *Codex Pighianius*, Staatsbibliothek de Berlin (fol. 56).

[29] SIGISMONDO TIZIO, *Historiae senenses*, libro I, p. 50.

[30] Santi Marmocchini, *Dialogo in difensione della lingua Toschana*, ms Magliabechiano, XXVIII, 20, fol. 11.

[31] GIAMBULLARI 1546, p. 45.

[32] GABRIELLO GABRIELLI, *Raccolta d'iscrizioni etrusche in un manoscritto dell'Archivio Storico di Gubbio* (Archivio Armanni, II, A.20), 1580-1585.

[33] GORI 1737 (classe II, tavola III); BUONARROTI 1723-1724, p. 96-97.

---

[34] Archivio di Stato di Arezzo, *Deliberazioni del magistrato, dei Priori, e del Consiglio Generale*, anno 1553 : ...*mentre fuori le mura della città di Arezzo, presso Porta San Lorentino, veniva scavata terra destinata a realizzare un nuovo bastione, fu scoperto un insigne monumento etrusco. Si trattava di un leone di bronzo, di grandezza naturale, eseguito in modo elegante e ad arte, feroce nell'aspetto, minaccioso per la ferita che aveva nella zampa sinistra, con le fauci aperte e i peli della schiena eretti, che portava sul dorso, a guisa di trofeo, la testa di un capro sgozzato, morente e insanguinato. Nella zampa destra del leone erano iscritte le lettere TINSCVIL. Il nostro Principe comandò che quest'opera così eccellente fosse portata a Firenze assieme a molte statuette di bronzo di fanciulli, uccelli e animali rozzi, fra i quali anche un cavallo, alte un piede ciascuna, trovate assieme* ». CHERICI 1992, p. 5-6.

fece portare a Firenze la statua, identificata fin da subito come il mostro mitologico affrontato da Bellerofonte[35]. A partire dal 1556 sarà esposta al centro della sala di Leone X a Palazzo Vecchio, come simbolo «di tutte le Chimere» (Giorgio Vasari)[36] domate da Cosimo durante la sua attività politica. Lo scultore ed orafo Benvenuto Cellini, incaricato di restaurare le parti danneggiate del bronzo, ci racconta come il Granduca si dilettava a pulire i bronzetti scoperti insieme alla Chimera nello stesso deposito votivo:

«Essendosi in questi giorni trovato certe anticaglie nel contado d'Arezzo, in fra le quali si era la Chimera, ch'è quel lione di bronzo, il quale si vede nelle camere convicino alla gran sala del Palazzo: e insieme con la detta Chimera si era trovato una quantità di piccole statuette, pur di bronzo, le quali erano coperte di terra e di ruggine, e a ciascuna di esse mancava o la testa o le mani o i piedi; il Duca pigliava piacere di rinettarsele da per se medesimo con certi cesellini di orefici.[...] Così passando innanzi parecchi sere, il Duca mi misse in opera, dove io cominciai a rifare quei membri che mancavano alle dette figurine. E pigliando si tanto piacere sua Eccellenzia di quel poco di quelle coselline, egli mi facieva lavorare ancora di giorno, e se io tardavo all'andarvi, sua Eccelenzia illustrissima mandava per me»[37].

Se già all'epoca le dimensioni del bronzo e la virtuosità tecnica e stilistica dell'opera colpivano le menti, un altro elemento era molto importante agli occhi degli uomini del Rinascimento: la presenza di un'iscrizione incisa sulla zampa anteriore: *tinscvil*. Queste lettere etrusche sono oggetto di interrogazione sul loro possibile significato, ed incontriamo in diversi testi dell'epoca il disegno dell'iscrizione isolata, o della zampa con i caratteri etruschi. La rappresentazione dell'intera scultura è più rara. Il disegno più antico di cui disponiamo risale al 1583: è stato eseguito da Agostino Fortunati, cioè trent'anni dopo la scoperta[38]. Invece, conosciamo più disegni dell'iscrizione, come quello di Tommaso Bracciolini (1538-1607), conservato nella biblioteca dell'Accademia etrusca di Cortona[39].

Quest'ultima scoperta dimostra la nascita di un nuovo atteggiamento di fronte all'oggetto etrusco: la dimensione estetica e la nozione di stile o di "maniera etrusca", come la definisce Vasari, mette allo stesso livello i grandi artisti fiorentini del Rinascimento con i loro predecessori etruschi. L'oggetto etrusco non è più soltanto traccia o vestigia, ma diventa un'opera d'arte.

Bibliografia

BARTOLONI-BOCCI PACINI 2000: G. Bartoloni e G. Bocci Pacini, *Tentativi di lettura dell'etrusco nella Toscana del Cinquecento: in alfabeto 'dal Vasari'*, Annali della Facoltà di Lettere e Filosofia, Università di Siena 21, 2000, p. 143-178.

BELCARI 2014: R. Belcari, *In mille modi diversi segate e mutilate. Giovanni Battista De Rossi e gli spolia epigrafici del pavimento di Santa Maria di Castello a Corneto*, Maritima 4, 2014, p. 19-33.

BONAMICI 1982: M. Bonamici, *Urne etrusche come reliquiari*, in B. Andreae e S. Settis (a cura di), *Colloquio sul reimpiego dei sarcofagi romani nel Medioevo*, Pisa, 1982, p. 205-216.

BRIQUEL 1997: D. Briquel, *Chrétiens et haruspices*, Paris, 1997.

BUONAROTTI 1723-1724: F. Buonarotti, *Explicationes et conjecturae al De Etruria regali di Thomas Dempster*, Firenze, 1723-1724.

CELLINI 1985: B. Cellini, *Vita*, Milano, 1985.

CHERICI 1992: A. Cherici, *La Chimera di Arezzo*, Arezzo, 1992.

CRISTOFANI 1979: M. Cristofani, *Per una storia del collezionismo archeologico nella Toscana granducale. I grandi bronzi*, Prospettiva, 17, 1979, p. 4-15.

CRISTOFORI 1888: F. Cristofori, *Cronaca inedita di Fra Francesco d'Andrea da Viterbo*, Foligno, 1888.

DE ROSSI 1875: G. B. De Rossi, *Il pavimento di Santa Maria in Castello di Corneto-Tarquinia*, Bullettino di Archeologia Cristiana 1875, p. 85-131.

DELLA FINA 1983: G. M. Della Fina, *Le antichità di Chiusi. Un caso di «arredo urbano»*, Roma, 1983.

GARIN 1993: E. Garin, *L'umanesimo italiano*, Bari, 1993.

GIAMBULLARI 1546: P. F. Giambullari, *Il Gello*, Firenze, 1546.

GORI 1737: A. F. Gori, *Museum Etruscum*, Firenze, 1737.

GRUMMOND 1986: N. Th. de Grummond, *Rediscovery*,

---

[35] CRISTOFANI 1979, p. 13.

[36] VASARI 1973, I, seconda giornata, Ragionamento terzo, p. 164.

[37] CELLINI 1985, p. 591-592.

[38] Archivio di Stato di Gubbio Fondo Armanni, II, A 20, fol. 30.

---

[39] Ms 729, c. 47. Citato da BARTOLONI-BOCCI PACINI, 2000, p.155 .

in L. Bonfante (a cura di), *Etruscan Life and Afterlife. A Handbook of Etruscan Studies*, Detroit, 1986, p. 18-46.

MALMESBURY 1992: Guglielmo di Malmesbury, *Gesta Regum*, 1992, Pordenone, 1992.

MARAS 2014: D. Maras, *Tuscania: tre nuovi documenti epigrafici da San Giusto*, in *Tuscania tra antichità e valorizzazione. Un patrimonio da riscoprire*, Atti del IV Convegno sulla storia di Tuscania, Viterbo, 2014, p. 105-116.

MATTIANGELI-SAXL 1982: P. Mattiangeli e F. Saxl, *La storia delle immagini*, Bari, 1982.

PIALE 1826: S. Piale, *La ville de Rome ou Description de cette superbe ville et de ses environs*, Roma, 1826.

PUGLIA 2010: A. Puglia, *Dedicazioni e culto dei santi a Volterra in età precomunale e comunale tra istituzioni ecclesiastiche e civili*, in A. Giani (dir.), *La santità nella Toscana medioevale (secoli XI-XV) tra città, territori e ordini religiosi, la prospettiva istituzionale*, Pisa, 2010, p. 157-202.

RAMPTON 2013: M. Rampton, *Il ritorno dalla morte: magia e miracolo*, in A. L. Trombetti Budriesi (a cura di), *Un Gallo ad Asclepio: Morte, morti e società tra antichità e prima età moderna*, Bologna, 2013.

ROWLAND 2004: I. D. Rowland, *The Scarith of Scornello. A Tale of Renaissance Forgery*, Chicago, 2004.

SPENCER 1966: J. R. Spencer, *Volterra, 1466*, Art Bulletin 48, 1966, p. 95-96.

VASARI 1973: G. Vasari, *Le opere di Giorgio Vasari*, Firenze, 1973 (reed.1906).

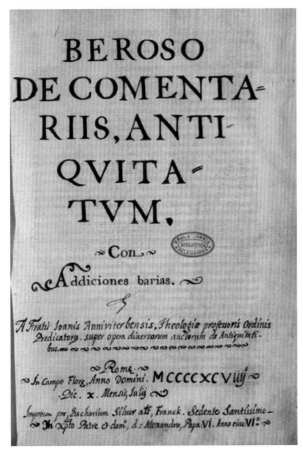

1. *Editio princeps* delle *Antichità* di Annio da Viterbo (Roma, Eucharius Silber, 1498).

2. Urna etrusca rimpiegata come acquasantiera. Chiesa di Sant'Antonio Abate, Deruta.

3. Urna di San Clemente, Pinacoteca di Volterra.

4. Iscrizione etrusca nel pavimento di Santa Maria di Castello, Tarquinia.

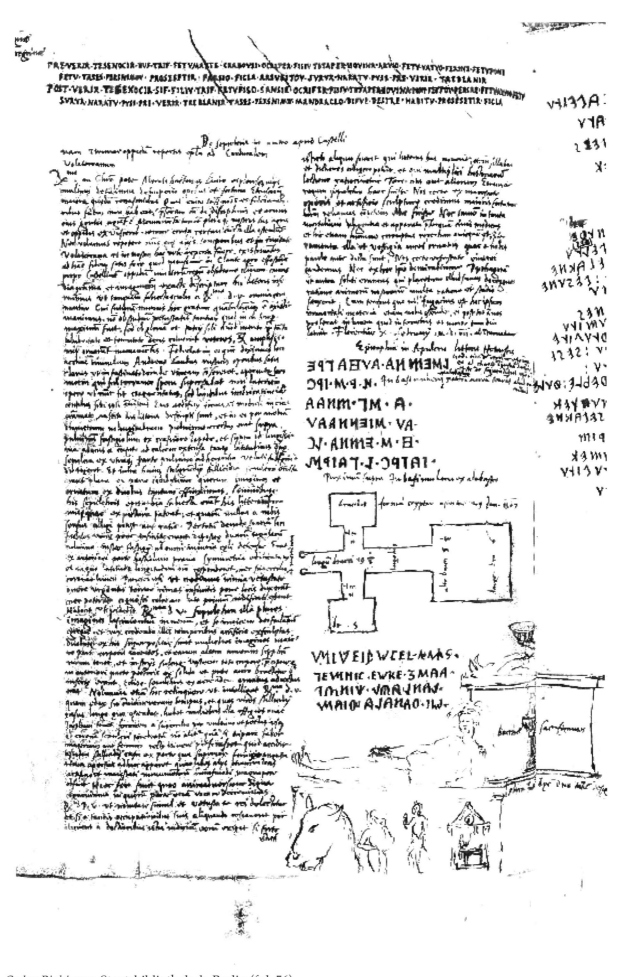

5. *Codex Pighianus*, Staatsbibliothek de Berlin (fol. 56).

6. Disegno della Chimera di Arezzo, Agostino Fortunati, Archivio di Stato di Gubbio, Fondo Armanni, II, A 20, fol. 30.

Giovanni Francesco Tinti a Monte Giovi: un eccentrico erudito del XVI secolo tra le vestigia etrusche[1].

Luca Cappuccini, Dipartimento SAGAS, Università degli Studi, Firenze

Les recherches menées par l'Université degli Studi de Florence à Monte Giovi (Pontassieve, Vicchio di Mugello, FI) ont mis au jour un site étrusque pluri-stratifié. Après une première phase caractérisée par la présence d'un lieu de culte, probablement lié à des pratiques divinatoires étrusques en relation avec l'étude ds phénomènes atmosphériques comme les éclairs, le site est détruit à la fin du Ve siècle a.C., puis réoccupé dans la seconde moitié du IVe siècle a.C., pour être définitivement abandonné au début du IIIe siècle a.C., lorsque la Fiesole étrusque perd sa fonction défensive. Au cours de ces recherches, nous avons récupéré plusieurs médaillons de terre cuite vitrifiée ayant appartenu à Giovanni Francesco Tinti, un personnage excentrique qui vécut à la fin du XVIe siècle. Né à San Miniato, poète, astronome, probablement graveur et architecte, puis père franciscain, avant de devenir ermite et gyrovague, Giovanni Francesco Tinti a laissé ses médailles dans différents lieux de Toscane, en souvenir de son passage, en cherchant ainsi à immortaliser son nom.

The research carried out by the University of Florence in Monte Giovi (Pontassieve, Vicchio di Mugello, FI) has discovered a multi-stratified Etruscan settlement. After a first phase characterized by the presence of a place of worship, probably connected with divination practices and the study of atmospheric phenomena such as lightning, the settlement was destroyed at the end of the 5th century BC, and subsequently re-occupied in the second half of 4th century BC; it was definitively abandoned at the beginning of the 3rd century BC, at the end of the defensive function of Etruscan Tiesole. During our researches, some of the terracotta medallions created by Giovanni Francesco Tinti, an eccentric man lived in the late 16th century. Born in san miniato, poet, astronomer, probably engraver and architect, then friar, hermit and wandering, Giovanni Francesco Tinti left his medals in various places in Tuscany, in memory of his passage, in an attempt to eternate his name.

Tra il 2010 e il 2015, l'insegnamento di Etruscologia dell'Università di Firenze ha condotto una serie di campagne annuali di scavo archeologico nel sito etrusco di Monte Giovi, posto al confine tra il territorio fiorentino e la valle del Mugello[2] (fig. 1).

Le evidenze archeologiche, emerse all'interno del breve pianoro di vetta, a 992 m s.l.m., testimoniano varie fasi di frequentazione a partire dall'età orientalizzante fino agli inizi dell'ellenismo. Nella seconda metà avanzata del VI sec. a.C. alcune strutture con copertura in laterizi sembrano sorgere in rapporto con un luogo di culto preesistente: l'area, di forma rettangolare, prima delimitata da un *agger* di terra, è ora perimetrata da un muro di pietre e mattoni crudi. Distrutto da un incendio sul finire del V sec. a.C., l'insediamento viene sostituito, nella seconda metà del IV sec. a.C., da una fortificazione realizzata a scopi militari: un possente muro di circa 2,5 metri di spessore sfrutta parzialmente le fondazioni del precedente muro tardo arcaico. La munizione della vetta di Monte Giovi, forse operata per provvedere alla difesa del territorio fiesolano

---

[1] Il presente testo ha rappresentato la base di partenza per una più approfondita ricerca inerente Giovanni Francesco Tinti e le vicende connesse a questo personaggio che riprende e precisa molti degli aspetti e delle considerazioni qui presentate, L. CAPPUCCINI, F. FINESCHI, *"Èxegì monumèntum àere perènnius": note su Giovanni Francesco Tinti*, in CAPPUCCINI 2017, p. 199-203.

[2] Sul sito etrusco di Monte Giovi, oltre varie comunicazioni (ad es. CAPPUCCINI-PELACCI 2016, con bibl. prec.; CAPPUCCINI-TURCHETTI 2015), v. adesso CAPPUCCINI 2017.

dalle incursioni celtiche transappenniniche, viene definitivamente abbandonata agli inizi del III sec. a.C., quando varie città dell'Etruria settentrionale entrano nell'orbita di Roma.

Nell'angolo nord-ovest del perimetro segnato dal rilievo del muro difensivo, alcune indagini condotte nel 2011 misero in luce una grande fossa circolare di oltre 2,5 metri di diametro, profonda circa 50 cm. La fossa non conteneva reperti di epoca etrusca, ma era riempita con terra scura al cui interno sono stati recuperati vari reperti di epoca medievale e rinascimentale[3] (fig. 2). Sul fondo della fossa, a contatto con la roccia, giacevano cinque medaglioni di terracotta invetriata, quattro integri e uno frammentario; altri due medaglioni dello stesso tipo sono venuti in luce nel 2012, durante la ripulitura del sentiero che attraversa la vetta e che ripercorre la direttrice di ingresso al pianoro sommitale.

Le medaglie sono di terracotta invetriata, in ottimo stato di conservazione: hanno un diametro di 44 mm e circa 8 mm di spessore. I due esemplari recuperati in prossimità dello stradello e quattro di quelli provenienti dalla fossa presentano, sul dritto, il busto di un uomo di profilo, volto a sinistra con la testa leggermente reclinata all'indietro, ritratto nell'osservazione di tre stelle disposte al margine della cornice sopra la sua fronte (fig. 3, a-b). Sulla cornice si legge la stessa iscrizione: IOANNES.FRANCISCUS.TINCTIUS.MINIATENSIS.P. Nel rovescio è invece rappresentato uno scudo attraversato sull'asse verticale da una fascia

entro la quale si dispongono le solite tre stelle a sei punte. Su questo lato, l'iscrizione sulla cornice recita: SIGNUM.TINCTIORUM.MINIATENSIUM. AN.M.D.LXXXI.

Un'unica medaglia, dello stesso tipo, forma e dimensione delle altre, ma fornita di un piccolo foro nella cornice funzionale al passaggio di un cordino o di un filo, presenta una decorazione completamente differente (fig. 4, a-b). Sul dritto è raffigurato il busto di San Francesco, ritratto però nel medesimo atteggiamento del personaggio delle altre medaglie. Gli occhi rivolti verso l'alto sembrano fissare in una sorta di estasi una serie di raggi sottili che si dipartono dal bordo perlinato della cornice. I lembi del saio del frate entrano all'interno dello spazio della cornice e l'iscrizione recita: SANTI.FRANCISCE.ORA.PRO.NOBIS. Sul rovescio trova spazio uno scudo analogo a quello delle altre medaglie, occupato però da quello che sembra essere lo stemma dell'Ordine dei Frati Minori: due braccia coperte dal saio che si incrociano e tengono sollevato il palmo della mano sul quale sono indicati i fori delle stimmate da cui escono delle goccioline di sangue, mentre tra le due braccia, sta una croce[4]. L'iscrizione di questo lato è: SIGNUM.ORDINIS.MINORUM.AN.MDLXXXII.

La singolarità del ritrovamento ha spinto immediatamente ad una ricerca di informazioni sul nome citato nell'iscrizione apposta su sei delle sette medaglie recuperate: Giovanni Francesco Tinti. Di questo bizzarro personaggio si conoscono in realtà numerose medaglie dello stesso tipo e alcune tavolette con brevi iscrizioni, sempre in terracotta invetriata, recuperate in vari siti della Toscana. Grazie ai ritrovamenti di Monte Giovi e quelli ancora più recenti di Montaccianico[5], si può adesso aggiungere qualche altro tassello per la ricostruzione della sua vita e delle sue molte peregrinazioni.

Dagli studi di Fiorenza Vannel Toderi[6], sappiamo che la famiglia Tinti viveva a San Miniato ma era originaria del vicino paese di

---

[3] Su oltre 400 mq di scavo, gli unici frammenti riferibili ad epoca post-classica provengono dal riempimento della fossa: oltre a due fibbie di bronzo, un falcetto in ferro, e frammenti di un boccale in zaffera a rilievo, sono stati recuperati frammenti di due boccali e un catino ad orlo rientrante tutti in ceramica smaltata. Tali ceramiche sono decorate con motivi fitomorfi tracciati con linee di manganese e campiti di verde, e sono forse riconducibili alle produzioni di Montelupo e Bacchereto, che ripetono pedissequamente, nel tardo Quattrocento, stile e motivi della maiolica arcaica. Per il catino, con quattro foglie in croce e fiori polilobati nei riquadri, cfr. ad es. AA.VV. 1988, p. 67-69, n. 137-140; CIAMPOLTRINI-MANFREDINI 2010, p. 95-96, fig. 15. Del riempimento della fossa facevano parte anche i frammenti di due boccali in impasto privi di vetrina e con ansa a nastro con croce resa da due solcature, che sembrano riferibili ad un orizzonte ancora più antico (per questi reperti, v. F. FINESCHI, *Dopo il periodo etrusco*, in CAPPUCCINI 2017, p. 180-186).

[4] È forse una svista dell'incisore la riproduzione del saio su entrambe le braccia sollevate. Lo stemma dell'Ordine dei Frati Minori prevedeva infatti la rappresentazione di un braccio nudo, quello del Cristo, e di un altro coperto dal saio.

[5] AA.VV. 2013; sul sito, MONTI-PRUNO 2015 (per le informazioni sul ritrovamento delle medaglie ringrazio Elisa Pruno).

[6] VANNEL TODERI 2010, p. 55-56.

San Donato a Isola; lo stemma della famiglia[7] sembra corrispondere a quello replicato sul rovescio delle medaglie, ovvero uno scudo con una fascia verticale bianca su campo verde entro la quale si dispongono tre stelle gialle (o d'oro). Lo stemma non trova alcun riscontro nell'araldica ma era comunque conosciuto se è riprodotto graficamente e con attenta descrizione dei colori nel manoscritto del 1874 di Antonio Vensi[8] (fig. 5). Insito nel carattere della famiglia, e non solo del Tinti, doveva essere il desiderio di eternare la propria memoria: se resta dubbia l'autenticità storica dello stemma, è comunque certo che la moglie di Giovanni Francesco lasciò per lo stesso motivo una serie di beni al convento di San Francesco[9].

Non sappiamo se Giovanni Francesco si dilettasse di medaglistica o se commissionasse ad una delle numerose fornaci attive nell'area tra Montelupo e San Miniato le tavolette e le sue medaglie. Il ritrovamento del medaglione di Cafaggiolo fornisce qualche dato in merito: qui, sotto il busto della Madonna, una sigla I F T M F è stata facilmente ricondotta alle iniziali della frase I(OANNES) F(RANCISCUS) T(INTUS) M(INIATENSIS) F(ECIT)[10]. Pertanto, è probabile che questa sorta di firma testimoni che lo stesso Tinti fosse avvezzo a lavorare la cera e realizzasse lui stesso le matrici. L'attenta osservazione di alcune medaglie rivela dettagli nitidi con rilievi molto definiti, con profilo netto e deciso, che sembrano testimoniare l'esistenza di valve in bronzo. Ciò non implica che il Tinti partecipasse al processo successivo, dato che nessun documento prova una qualche esperienza tecnica del procedimento o qualche tipo di rapporto con una fornace del territorio. Si conoscono quattro differenti date per i medaglioni, 1570, 1576, 1581 e 1582, corrispondenti a differenti tipi:

I tipo (1570)[11] (fig. 6)

Diam. 45 mm. Dr.: busto virile di profilo, volto a destra, laureato e paludato, con quattro stelle davanti alla fronte; sulla cornice: IOANNES. FRANCISCUS.TINCTIUS.MINIATENSIS.A.P.Rov.: stemma a scudo con fascia e tre stelle; sulla cornice: INSIGNA.TINCTIORUM.MINIATENSIUM.AN.MD.LXX.

II tipo "San Miniato" (1576)[12] (fig. 7)
Diam. 42 mm. Dr.: busto di San Miniato; iscrizione sulla cornice: SANCTUS.MINIATUS. MARTIR.IESU.CHRISTI.Rov.: stemma a scudo con fascia e tre stelle; sulla cornice: IO.FRAN.TINTUS MINIATE(NSIS.AN).MDLXXVI.

III tipo, var. A (1581)[13] (fig. 3)
Diam. 44 mm; sp. 5-6 mm. Dr.: busto virile simile al tipo I ma tre stelle davanti alla fronte; sulla cornice: IOANNES.FRANCISCUS.TINCTIUS. MINIATENSIS.P.Rov.: stemma a scudo con fascia e tre stelle; sulla cornice: SIGNUM.TINCTIORUM. MINIATENSIUM.AN.M.D.LXXXI.

III tipo, var. B (1581)[14] (fig. 8)
Diam. 42 mm; sp. 4 mm. Dr.: busto virile di profilo, vòlto a sinistra, laureato e paludato, senza stelle; sulla cornice: IOANNES.FRANCISCUS. TINCTIUS.MINIATENSIS.P.Rov.: stemma a scudo con fascia e tre stelle; sulla cornice: SIGNUM. TINCTIORUM.MINIATENSIUM.AN.M.D.LXXXI.

IV tipo, var. A, "San Francesco" (1582)[15] (fig. 4)
Diam. 44 mm. Dr.: busto di San Francesco: occhi rivolti verso una serie di raggi sottili

---

[7] *Ibid.*, *eo loco* e fig. 6.

[8] VENSI 1874, p. 753.

[9] VANNEL TODERI 2010, p. 55-56.

[10] *Ibid.*, p. 54.

[11] Un esemplare al Museo del Bargello (Firenze), dep. inv. foto 8105/8106, VANNEL TODERI 2010, Anno XXII, n. 230, p. 54, fig. 3. Altri dieci esemplari (di cui 8 esemplari andati perduti) da Santa Maria a Ripa (Empoli), TINAGLI 1980, p. 425-426. Quattro esemplari dalla torre di Porcari (Lucca), CIAMPOLTRINI-SPATARO-ZECCHINI 2006, p. 36-37, fig. 2, con errata indicazione dell'anno.

[12] Un esemplare nella collezione Maurice Cope (Newark, Delaware), MIDDELDORF 1979, p. 274-278, tav. XCI, c-d. Un altro esemplare è pubblicato in LOTTI 1980, p. 19, figg. 14-15.

[13] Sei esemplari da Monte Giovi (Pontassieve, FI), AA.VV. 2012, p. 225, fig. 54; CAPPUCCINI 2017, tav 16, a-m. Tre esemplari dal castello di Montaccianico (Scarperia, FI), AA.VV. 2013, p. 295. Un esemplare nella collezione Middeldorf (Firenze), FLATEN 2012, p. 23, n. 15; TODERI-VANNEL TODERI 2000, n. 1713; ATTWOOD 2003, n. 914; MIDDELDORF 1979, p. 269, tav. XCI, a-b. Un esemplare alla National Gallery of Arts di Washington (dono Riddick), inv. 2015.178.1 (inedito).

[14] Un esemplare è conservato al Museo del Bargello, inv. 10293, VANNEL TODERI 2010, p. 54-55, fig. 4; un altro esemplare proviene da Sant'Ilario di Montalto (Montopoli Valdarno), DANNI-VANNI DESIDERI 1983, p. 81, n. 10, fig. 2, n. 9.

[15] Unico esemplare da Monte Giovi, da Monte Giovi (Pontassieve, FI), AA.VV. 2012, p. 225; CAPPUCCINI 2017, tav. 16, n-o.

che si dipartono dal bordo della cornice; sulla cornice: SANTI.FRANCISCE.ORA.PRO.NOBIS. Rov.: nello scudo, una croce separa due braccia coperte dalle maniche di un saio, incrociate e con palmo della mano aperto. Su entrambe i palmi, foro delle stimmate da cui cadono gocce di sangue; sulla cornice: SIGNUM.ORDINIS. MINORUM.AN.MDLXXXII.

IV tipo, var. B, "Gesù-Maria" (1582)[16]
Diam. 49,5 mm; sp. 6,4 mm. Dr.: busto nimbato di Gesù Cristo vòlto a destra; sulla cornice IESU. CRISTE.FILI.DEI.MISERERE.NOBIS. Rov.: busto velato vòlto a destra della Madonna; sulla cornice: SANCTA.DEI.GENITRIX.ORA.PRO.NOBIS.AN.MDLXXXII.

L'analisi delle medaglie permette qualche considerazione. La produzione del Tinti sembra iniziare nel 1570: questi esemplari raffigurano il busto del poeta intento a osservare quattro stelle. Nel 1576 appare il secondo tipo, con l'effige di San Miniato. Nelle nuove medaglie del 1581 riappare il poeta, volto però a sinistra e intento ad osservare le stelle, tre come nello stemma. In questo anno, si ha una seconda "emissione": lo stampo fu probabilmente ricavato da una medaglia dato che la variante ha dimensioni minori per diametro e spessore, frutto della riduzione in cottura della ceramica; non sono presenti le stelle sul dritto, forse già consumate e comunque non rilevabili nella matrice e nelle successive riproduzioni.

Seguono poi i due esemplari unici del San Francesco e di Gesù e Maria, che riportano la stessa data e sono entrambi forniti di foro per il passaggio di un cordino, probabilmente portati come ciondoli al collo[17].

Dai documenti di archivio del convento dell'Ordine dei Frati Minori di Santa Maria a Ripa ad Empoli si conosce un fra' Giovanni Francesco da San Miniato padre guardiano della chiesa tra il 1573 e il 1576[18]. Proprio

in questa chiesa, durante dei lavori per il rifacimento della pavimentazione del portico, vennero in luce alcune medaglie del 1570 (tipo I) e una tavoletta di 9x3 cm in ceramica invetriata dello stesso tipo di quella utilizzata per le medaglie. La tavoletta, che riporta un'iscrizione resa da uno stampo, è rotta ma il testo in latino è stato facilmente integrato da Mauro Ristori e Giuliano Lastraioli e dovrebbe recitare: «deposi questa (tavoletta) per esempio ai posteri: Giovanni Francesco Tinti da San Miniato fece il portico davanti la chiesa nel 1576»[19].

Al di là dei dubbi determinati dal carattere mitomane del personaggio e dalla supposta presenza di tavolette analoghe a Montepulciano (Siena), perdute e non verificabili[20], non credo sia dubitabile l'appartenenza del Tinti all'Ordine dei Frati Minori, confermata ora dal ciondolo/medaglione di San Francesco a Monte Giovi, e neppure la realizzazione del portico di Santa Maria[21]. Anche le stelle dello stemma - emblema che, ricordiamo, non trova alcun riscontro nell'araldica - potrebbero essere lette in questa direzione, dato che è noto come le stelle d'oro a 5 o 6 punte abbiano uno stretto rapporto con le gerarchie e le organizzazioni ecclesiastiche.

Credo che, a questo punto, mi sia permesso di raccontare una storia, ipotetica, forse fantastica, suscettibile di tanti cambiamenti quanti saranno i dati provenienti da nuove scoperte e da studi in corso, ben più approfonditi.

Figlio dell'eclettismo culturale del tardo Cinquecento, poeta, erudito, astronomo, incisore e probabilmente artefice degli stampi

---

[16] Unico esemplare da Cafaggiolo (Borgo San Lorenzo), VANNEL TODERI 2010, p. 54, fig. 2.

[17] Per la presenza di questi ciondoli religiosi, merita ricordare come, ancora nel Seicento, l'appartenenza sociale ad una comunità era ammessa non senza aver ricevuto la comunione pasquale e i sacramenti (primo tra tutti il battesimo); pertanto, un viaggio affrontato senza alcuna insegna poteva determinare, nel caso di morte improvvisa, la sepoltura in terra sconsacrata.

[18] PAGNI SIEMONI 1988, p. 42 (Arch. Prov. Tosc. O.F.M., *Camp. A*, c. 242); PULINARI 1913, p. 478.

[19] RISTORI-LASTRAIOLI 1980, p. 422-424.

[20] LOTTI 1980, p. 19.

[21] PAGNI-SIEMONI 1988, p. 43: la rispondenza di un Giovanni Francesco Tinti da San Miniato nell'elenco dei fratelli di Santa Maria di quegli anni (Arch. Prov. Tosc. O.F.M., *Libro del SS. Rosario* dal 1577 al 1833, c. 2) sembra chiarire la posizione del Tinti da identificare dunque con il "fra' Giovanni Francesco da San Miniato al Tedesco". La testimonianza dimostra che, nel 1577, il Tinti fa sì parte dell'Ordine del SS. Rosario del convento, ma non ha più alcun titolo, dato che il padre guardiano è adesso fra Silvano da Castelfranco di Sotto (Pagni-Siemoni 1988, p. 46 con riferimenti). L'usanza di murare o sotterrare medaglie in occasione della fondazione di edifici religiosi o laici sembra tra l'altro molto diffusa tra XV e XVI secolo: su questa pratica v. BERNARDELLI 2011 (che cita anche le medaglie di terracotta del Tinti, p. 359 e p. 363, nota 9).

dei suoi medaglioni, avvezzo delle discipline cabalistiche di Marsilio Ficino e di Giovanni Pontano, Giovanni Francesco Tinti, poco prima del 1570, entra nell'Ordine dei Frati Minori. È forse la morte della moglie, con il conseguente lascito al convento di gran parte dei suoi averi, che lascia il marito privo di scelte: le sue astrazioni e le sue ricerche non portano alcun giovamento economico e trova così una sorta di rifugio nell'Ordine, tra l'altro vicino al suo luogo natale, che gli assicura una retta e la possibilità di coltivare in pace i suoi studi. Pieno come è di sé, per nulla sprovveduto, aspira al massimo grado dell'Ordine. Il titolo di priore si concretizza tra 1573 e 1576. È l'anno in cui fissa il suo nome nella realizzazione del portico della chiesa di Santa Maria; così come il lascito di sua moglie al convento di San Francesco, l'opera ci appare come un altro tentativo di eternare sé stesso.

Di lì a poco, però, Tinti lascia il convento, forse espulso, o probabilmente in preda ad un'estasi mistica, verosimilmente frutto delle sue teorie e del suo contatto con il divino. Inizia a vagare per la Toscana. Con ancora alcune medaglie del 1570, arriva alla superstite torre del castello di Porcari, forse utilizzata come primo osservatorio. Nel 1581 la sua mitomania e la volontà di eternare il suo nome è giunta, per l'appunto, alle stelle. Realizza una prima serie di nuove medaglie. Le peregrinazioni nel medio e basso Valdarno sembrano confermate da notizie del ritrovamento di altre medaglie a Cerreto Guidi e a Vinci[22]: ma queste si esauriscono rapidamente, bisogna farne delle altre. Con sé non ha più lo stampo, forse si è rotto o lo ha perso. Torna e, utilizzando una delle medaglie superstiti, ne fa delle repliche. Con l'occasione realizza due stampi per medaglie da portare al collo che provino la sua fervente fede, quella di San Francesco e quella con Gesù e Maria. Riparte. Poco dopo inizia a risalire il corso dell'Arno per eleggere poi il Mugello come sede privilegiata del suo vagare e, chissà, dei suoi studi. Cafaggiolo, Montaccianico, Monte Giovi. Qui, sulla vetta, difeso dai resti crollati delle antiche mura etrusche, più vicino che mai al cielo, realizza una specola, una fossa poco profonda che riempie d'acqua: nel riflesso del cielo osserva le stelle. Poi scompare: ma di sicuro sta studiando, forse scrive nella sua San Miniato. Scrive il *Terreum Volumen* dove racconta le sue incredibili teorie frutto dei suoi

studi. Nel 1586 sembra chiudere il suo viaggio dove lo aveva cominciato: a Porcari, nei resti della torre del castello, lascia l'ultimo segno: una delle sue tavolette, una di quelle ricordate e trascritte dal Lami[23] dove oramai si identifica con la sua opera, il suo libro, il frutto di una vita[24].

Bibliografia

AA.VV. 1998: Aa. Vv., *Tavola e dispensa nella Toscana dell'Umanesimo*, cat. di mostra, Firenze, 1988.

AA.VV. 2012: L. Cappuccini, B. Ficcadenti, L. Poggiali e M. Sofia, *Pontassieve-Vicchio di Mugello (FI). Monte Giovi, Notiziario della Soprintendenza per i Beni Archeologici della Toscana* 8, 2012, p. 222-225.

AA.VV. 2013: G. Vannini, E. Pruno, C. Marcotulli, L. Somigli, R. Bargiacchi, F. Cheli e E. Vannacci, *Scarperia (FI). Castello di Montaccianico: le indagini del 2012, Notiziario della Soprintendenza per i Beni Archeologici della Toscana* 9, 2013, p. 291-296.

ATTWOOD 2003: P. Attwood, *Italian Medals C.1530-1600 in British Public Collections*, Londra, 2003

BERNARDELLI 2011: A. Bernardelli, "*Ancho si buttò di molti medaglie di più sorti... È stata una bella e alegra solennità". Aspetti dell'uso di medaglie nei rituali di fondazione. Il XVI secolo, Rivista Italiana di Numismatica* 112, 2011, p. 341-378.

CAPPUCCINI 2017: L. Cappuccini (a cura di), *Monte Giovi. "Fulmini e saette": da luogo di culto a fortezza d'altura nel territorio di Fiesole etrusca*, Firenze, 2017 (*Insediamenti d'Altura*, 2).

CAPPUCCINI-PELACCI 2016: L. Cappuccini e C. Pelacci, *Pontassieve-Vicchio di Mugello (FI). Monte Giovi, Notiziario della Soprintendenza per i Beni Archeologici della Toscana* 12, 2016, p. 109-110.

CAPPUCCINI-TURCHETTI 2015: L. Cappuccini e M. A. Turchetti, *Abitati d'altura dell'ager Faesulanus*, in G. Baldini, P. Giroldini (a cura di), *Dalla Valdelsa al Conero. Ricerche di archeologia e topografia storica in ricordo di Giuliano de Marinis, Notiziario della Soprintendenza per i Beni Archeologici della Toscana* 11, suppl. 2, 2015, p. 177-186.

---

[22] LOTTI 1980, p. 19.

---

[23] LAMI 1739, p. XXIV.

[24] Un altro esemplare della tavoletta con otto versi in latino (quindi probabilmente una copia di quella rinvenuta a Porcari) era conosciuta da Castel Franco a San Miniato, ricordata da VENSI 1874, p. 277 (VANNEL TODERI 2010, p. 55). Da questo o da altre copie deriva probabilmente la trascrizione del Lami e non è escluso che le tavolette di Montepulciano, ricordate dal LOTTI 1980, p. 19, fossero copie dello stesso tipo e non, come riportato dall'Autore (che purtroppo non dà alcuna menzione della fonte), della tavoletta del portico di Santa Maria a Ripa.

CIAMPOLTRINI-MANFREDINI 2010: G. Ciampoltrini e R. Manfredini, *I colori del Quattrocento. Le maioliche del monastero dei santi Jacopo e Filippo*, in G. Ciampoltrini, R. Manfredini (a cura di), *Castelfranco di Sotto nel Medioevo. Un itinerario archeologico*, Bientina, 2010, p. 85-104.

CIAMPOLTRINI-SPATARO-ZECCHINI 2006: G. Ciampoltrini, C. Spataro e M. Zecchini, *Porcari (LU). Prime indagini nell'area del castello (località La Torretta)*, in *Notiziario della Soprintendenza per i Beni Archeologici della Toscana* 2, 2006, p. 36-37.

DANI-VANNI DESIDERI 1983: A. Dani e A. Vanni Desideri, *Memorie storiche ed archeologiche sul Castello di Montalto*, Erba d'Arno 13, 1983, p. 77-86.

FLATEN 2012: A. R. Flaten, *Medals and Plaquettes in the Ulrich Middeldorf Collection at the Indiana University Art Museum*, Bloomington, 2012.

LAMI 1739: G. Lami, *Deliciae Eruditorum*, Firenze, 1739.

LOTTI 1980: D. Lotti, *San Miniato. Vita di un'antica città*, Genova, 1980.

MIDDELDORF 1979: U. Middeldorf, *Medaglie di terracotta e altri insoliti materiali*, in *Bollettino del Museo Internazionale delle Ceramiche in Faenza* 65, 1979, p. 274-278.

MONTI-PRUNO 2015: A. Monti e E. Pruno (a cura di), *Tra Montaccianico e Firenze: gli Ubaldini e la città. Atti del Convegno di Studi*, Oxford, 2015.

PAGNI-SIEMONI 1988: L. Pagni e W. Siemoni, *La chiesa e il convento di Santa Maria a Ripa. Storia, architettura e patrimonio*, Tirrenia, 1988.

PULINARI 1913: D. Pulinari, *Cronache dei Frati Minori della provincia di Toscana, secondo l'autografo di Ognissanti*, Arezzo, 1913.

RISTORI-LASTRAIOLI 1980: M. RISTORI E G. LASTRAIOLI, *"Patacca" o verità a Santa Maria a Ripa? (Un altro mistero irrisolto di Giovanni Francesco Tinti)*, Bullettino Storico Empolese 7, 1980-1982, p. 422-424.

TINAGLI 1980: P. Tinagli, *Un medaglione cinquecentesco in terracotta*, Bullettino Storico Empolese 7, 1980-1982, p. 425-426.

TODERI-VANNEL TODERI 2000: G. Toderi e F. Vannel Toderi, *Le medaglie italiane del XVI secolo*, Firenze, 2000.Vannel

TODERI 2010: F. Vannel Toderi, *Le rare e curiose medaglie di Giovanni Francesco Tinti*, Cronaca Numismatica 22, giugno 2010, n. 230, p. 53-56.

VENSI 1874: A. Vensi, *Materiali raccolti per formare il Tomo P° e Secondo dei Documenti per la Storia di San Miniato da Antonio Vensi L'anno 1874*, Manoscritto, Accademia scientifico-letteraria degli Euteleti, San Miniato, 1874.

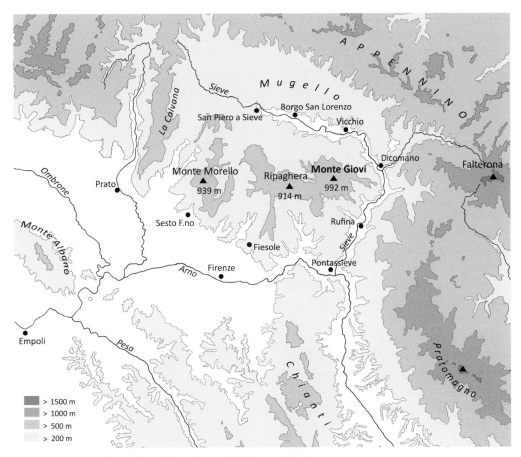

1. Carta del territorio fiesolano e localizzazione di Monte Giovi.

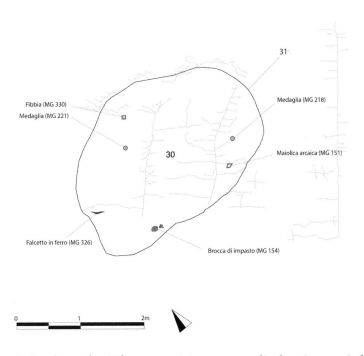

2. Monte Giovi, saggio C. La fossa (US 31) con posizionamento di alcuni reperti di epoca medievale e rinascimentale (CAPPUCINI 2017, p. 35, fig. 43).

3, a-b. Monte Giovi: medaglia di Giovanni Francesco Tinti (tipo III, var. A, MG 220).

4, a-b. Monte Giovi: medaglia raffigurante San Francesco (dr.) e stemma dell'Ordine dei Frati minori (rov.), (tipo IV, var. A, MG 218).

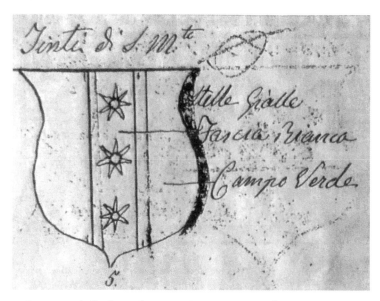

5. Stemma della famiglia Tinti di San Miniato (da VENSI 1874, p. 753).

122

6. Porcari. Medaglia di Giovanni Francesco Tinti (tipo I).

7. Medaglia di Giovanni Francesco Tinti raffigurante, sul dritto, San Miniato (tipo II, da MIDDLEDORF 1979, p. 274-278, tav. 91, c-d).

8. Medaglia di Giovanni Francesco Tinti (tipo III, var. B, da DANI-VANNI DESIDERI 1983, fig. 2, 9).

123

La Tuscia rupestre. Eredità dell'antico, le nuove realtà rupestri e il tempo dei *castra*, l'età moderna.

Elisabetta De Minicis, Università della Tuscia (Viterbo)

Depuis l'Antiquité, et particulièrement à l'époque étrusque, l'architecture rupestre a connoté le paysage de la Tuscia méridionale avec ses nécropoles, et avec toute une série de réalisations hypogée placées au service d'un territoire. Le Moyen-Âge a su utiliser cet héritage non seulement en se réappropriant des structures déjà existantes, mais aussi en en creusant de nouvelles; ainsi s'est perpétuée la tradition de "construire en négatif", bien connue de tous les peuples qui occupent un milieu où le sol, parce qu'il peut être travaillé, prend une place de protagoniste. Lieux de culte et d'ermitage, agrégats ruraux, sites défensifs, lieux de production, infrastructures: au travers d'exemples qui vont de l'Antiquité à l'époque moderne, on se propose d'illustrer ici cette réalité rupestre, encore peu connue et valorisée.

Since pre-classical Antiquity, and in particular in the Etruscan age, rock-cut architecture has shaped the rural landscape of southern Tuscia, as many monumental necropolis and underground works testify. In the Middle Ages, not only such a heritage continued to be used, but new caves were realized, side by side with the ancient ones. The tradition of "building in negative", typical of those societies whose environment offers an easily workable ground, was thus preserved through centuries. In this paper, little known rupestrian sanctuaries and hermitages, rural, defensive and productive settlements, and infrastructures are illustrated through examples dating from Antiquity to the modern age.

Il territorio della Tuscia ben si presta, per le sue caratteristiche geologiche, ad essere plasmato dall'uomo attraverso un'opera di escavazione. Fin dall'antichità, dunque, l'architettura rupestre ha connotato il paesaggio di quest'area con manifestazioni di tipo monumentale ed insediamenti di piccole e medie dimensioni, serviti da infrastrutture, spesso anch'esse scavate nella roccia. Si è andato determinando così, con il tempo, una situazione di osmosi tra il paesaggio naturale, costituito da profonde forre che si sono formate attraverso l'erosione degli strati geologici provocata dal corso delle acque, e le opere fatte dall'uomo che sfruttano di volta in volta questa caratteristica del suolo evidenziandone le potenzialità.

L'eredità dell'antico

Per organizzare una serie di osservazioni sulla realtà rupestre della Tuscia meridionale, oggetto privilegiato di studi ormai da molti anni, si partirà dall'età medievale[1], che, però, aveva con le preesistenze ed in modo particolare con la realtà etrusca, ancora così evidente in questo territorio, un filo diretto. Molte sono, infatti, le strutture scavate di origine antica che sono state riutilizzate, adattandole in modi diversi e a seconda delle esigenze, nelle realtà insediative

---

[1] Le ricerche sull'area laziale in età medievale hanno interessato un folto gruppo di lavoro, legato agli insegnamenti di Archeologia e Topografia medievale presso l'Università di Roma La Sapienza e, dal 2004, presso l'Università della Tuscia, sotto la guida di chi scrive (De Minicis 2003, 2008 e 2011b); si cercherà, quindi, nell'esposizione, che interessa la Tuscia viterbese, di seguire le principali problematiche che hanno concorso a chiarire i tempi ed i modi del popolamento di quest'area tra antichità ed età moderna. Una prima sintesi in De Minicis 2011a.

della lunga età medievale e che si possono suddividere in due gruppi principali: le strutture a carattere funerario e le infrastrutture[2].

Nella casistica che si è potuto verificare (fig. 1), un primo dato prende in considerazione l'esistenza di strutture ecclesiastiche all'interno di necropoli preesistenti dove si continuano ad accogliere, nell'aula di culto o nelle immediate vicinanze, strutture funerarie (tombe terragne o ad arcosolio), con una evidente continuità d'uso dello spazio sacro. Esemplificativo il caso di Sutri, con le chiese di S. Fortunata, dove una tomba a camera e una galleria, costeggiata da arcosolii appartenenti alla vasta necropoli etrusco-romana che costeggia la via Cassia, si trasformano in una primitiva aula di culto e dove l'elemento più importante è senz'altro rappresentato dalla presenza di una fonte cultuale alla quale attingevano le partorienti[3]; d'altronde è l'acqua anche l'elemento caratterizzante della chiesa semipogea di Santa Restituta (Tarquinia), martire legata alle acque, posta sui margini del pianoro della Civita e pertinente al monastero di San Salvatore di Monte Amiata. Qui, la parte ipogea dell'edificio vede un canale al centro dell'ipogeo che potrebbe riferirsi, anche in questo caso ad un culto più antico[4]. Tornando a parlare di Sutri, allo sviluppo delle presenze ecclesiastiche devono aver contribuito non poco la Cassia/Francigena, con il suo percorso che, con il tempo, va ad interrompere la continuità della necropoli a ridosso della città antica ed il traffico dei pellegrini a cui è legato il fiorire di luoghi di culto e assistenza; ricordiamo, infatti, la chiesa di S. Maria del Parto già dedicata all'Arcangelo Michele e meta di pellegrinaggio, la quale, nonostante le importanti incertezze sulle origini[5], è anch'essa un edificio ecclesiastico situato in una necropoli antica.

Queste chiese, generalmente di piccole dimensioni, possono essere oratori di proprietà privata o al servizio della comunità, ma possono anche nascere in associazione con eremi o altre strutture monastiche; non sempre è evidente il collegamento tra edificio di culto e realtà insediativa di tipo monastico né possiamo escludere, come si è detto, che alcune di queste chiese rupestri, o semirupestri, nascessero in collegamento con gli insediamenti sparsi che caratterizzavano, tra tardo antico e altomedioevo, l'intera comunità agricola di questo territorio. E' un tema ancora da esplorare, ma qualche prima considerazione si può fare sugli esempi studiati tenendo conto anche che in alcuni casi sembra esserci, quando una tomba è trasformata in un luogo di culto, una volontà di connotare in senso cristiano un'entità pagana; emerge molto bene quest'aspetto nell'esempio dell'oratorio di S. Simone, posto in un tumulo etrusco della necropoli a Est di S. Giuliano (Barbarano Romano), dove, non lontano, è stata rinvenuta anche una fossa votiva di un tempio pagano[6]. Si tratta, quindi, di una struttura di tipo funerario inserita in un contesto cultuale pagano. In questo caso si potrebbe pensare alla presenza *in loco* di una comunità monastica; come non ricordare, infatti, l'attenzione che Benedetto mise nella scelta del luogo dove, su uno sperone del Monte Cairo soprastante il centro romano di *Casinum* , eresse il suo cenobio, trasformando l'antico *fanum* dedicato ad Apollo nell'oratorio di S. Giovanni, un processo di exaugurazione del profano attraverso l'entità cristiana[7]. Per citare ancora qualche esempio, si ricorda la chiesa di S. Giovanni a Pollo (Bassano Romano), che s'insedia in una necropoli pertinente ad una villa romana ed ancora nella dedica al santo rimane il nome dell'antico culto ad Apollo, al quale sarebbe stata consacrata originariamente la grotta[8]; mentre nel comprensorio dell'anti-

---

[2] Prime considerazioni su questo argomento in Desiderio 2014, De Minicis 2014 e 2016.

[3] Cfr. G. Finocchio, *La chiesa di S. Fortunata a Sutri,* in De Minicis 2011b, p. 181-186.

[4] Cfr. Casocavallo-Stasolla 2014, p. 214-215.

[5] Diverse sono le posizioni degli studiosi sull'origine delle cavità che compongono la chiesa di S. Maria del Parto, individuata rispettivamente come sede di tomba etrusca (riferimenti bibliografici ottocenteschi), di mitreo romano (Morselli 1980, p. 42-45), o di chiesa costruita tra IV e VI secolo (Apollonj Ghetti 1986, p. 81-102); secondo le posizioni più recenti, la "frequentazione e utilizzo di questo ambiente come luogo di culto sembra invece ipotizzabile nel periodo immediatamente successivo alla caduta del Regno longobardo" (Susi 2006, p. 180-

181), attribuendo l'affresco dell'arcangelo Michele alla prima metà del IX secolo (Gandolfo 1997, p. 53).

[6] Cfr. P. Guerrini, *Il territorio di Barbarano*, in De Minicis 2003, p. 127-164; Ferracci-Guerrini 2014, p. 474-476.

[7] Su questo tema un'ampia letteratura; sul processo di cristianizzazione nell'ambito del popolamento altomedievale, cfr. Pani Ermini 1999, p. 90-93.

[8] Cfr. da ultimo C. Cippitelli, *L'insediamento rupestre di S. Giovanni a Pollo,* in De Minicis 2011b, p. 187-190, con bibliografia precedente.

125

co abitato di Luni sul Mignone (Blera), si può citare una chiesa cristiana, archeologicamente ben identificabile, che s'insedia sul luogo di un complesso cultuale risalente al 500 a.C.[9]

Accanto all'aspetto cultuale che riguarda, quindi, l'organizzazione religiosa del territorio vi è quello semplicemente insediativo; infatti, nei primi secoli dell'età post-classica e per tutto l'alto medioevo, nelle campagne, il popolamento si caratterizza per la presenza di piccoli nuclei abitativi rupestri a carattere rurale, che si affiancano alle altre forme insediative, riutilizzando, in alcuni casi, strutture preesistente (solitamente singole tombe a camera), alle quali si aggiungono cavità scavate *ex novo*. Questo tipo di insediamenti, definiti come "aggregati" rurali, sono stati individuati sia nella Campagna Romana[10] che in alcune aree della Tuscia[11], dove lo studio del contesto suggerisce una datazione tra VI e VIII-IX secolo.

Passando ad esaminare l'ampio contesto degli insediamenti che, già dall'altomedioevo, recuperano le alture per garantirsi una valida difesa, soprattutto nelle zone di "frontiera" come nella Tuscia viterbese segnata dalla presenza del *limes* longobardo/bizantino, si nota come l'abitato, occupi pianori spesso già precedentemente antropizzati, ma con un generale rispetto per le ricche necropoli monumentali (come Norchia o Castel d'Asso) dove il riutilizzo delle tombe avviene in modo molto marginale. Così

al confine tra la *Tuscia Langobardorum* e il Ducato di Roma, il sito di Corviano (Soriano nel Cimino), con le sue abitazioni parietali (fig. 2-3) è quello che rappresenta maggiormente la volontà di dotare i confini di un'adeguata difesa[12]. Tutte le osservazioni che seguiranno appartengono a studi condotti su insediamenti abbandonati che permettono di ipotizzare una successione cronologica senza dover affrontare le complicate problematiche che appartengono agli abitati a continuità di vita fino ai giorni nostri[13].

Nell'esempio di Norchia[14], si vede come le necropoli siano collocate difronte all'abitato, sui costoni delle profonde forre che circondano il pianoro antropizzato, fin dalle origini. Il medioevo recupera quell'area, naturalmente difesa, con un articolato insediamento composto da abitazioni rupestri, che vanno a potenziare un luogo inizialmente occupato solo per volontà monastica, sviluppandosi su diversi livelli lungo quei pendii scoscesi liberi dalle necropoli; tra XII e XIV secolo, Norchia, munita di mura e castelli diventa uno dei centri maggiormente fortificati di un vasto territorio; all'interno, strutture per l'accoglienza e chiese garantiscono l'esercizio cultuale. E' solo quando il *castrum* raggiunge la sua massima espansione che si osserva il reimpiego d'isolate sepolture (tombe a camera), ai margini delle grandi necropoli, utilizzate come magazzini, stalle e colombaie[15].

Dopo queste prime osservazioni possiamo fare alcune considerazioni sulle antiche infrastrutture, il secondo argomento che riguarda il rapporto tra antico e medioevo; appare evidente, infatti, come, nella scelta dei primi luoghi di altura dove andare ad insediarsi, in molti casi sia stata determinante la presenza di "tagliate", etrusche e romane, che vengono ora ad assu-

---

[9] Cfr. E. Ferracci, P. Guerrini, *Insediamenti rupestri nel comprensorio di Luni sul Mignone: notizie preliminari*, in De Minicis 2008, p. 616-617.

[10] Nella Campagna Romana, in particolare nell'area dei Colli Albani (Dalmiglio 2008; Dalmiglio 2010; N. Giannini, *Prime acquisizioni sul fenomeno rupestre altomedievale del bacino Nemorense*, in De Minicis 2008, p. 529-546) e nella zona della Bufalotta (P. Dalmiglio, *L'abitato del Fosso Formicola*, in De Minicis 2003, p. 35-62; id., *Le forme del trogloditismo demico alto medievale del Lazio*, in De Minicis 2008, p. 315-343; id., *Insediamenti rupestri e territorio nella campagna romana tra VII e X secolo. Dalle relazioni topografiche al contesto socio-economico*, in De Minicis 2011b, p. 7-10; N. Giannini, *Lo spazio e la sua organizzazione negli insediamenti rupestri altomedievali: il caso del Lazio*, ibid., p. 11-16).

[11] Una prima osservazione su queste problematiche in Desiderio 2014. Tra gli esempi studiati si segnalano i casi di Caiolo (cd. Tombe a Portico) e di Chiusa Cima, presso Serignano, nel territorio di Barbarano, e parte delle cavità rinvenute nella Valle Caiana, presso Vetralla: si vedano gli studi riuniti in Ferracci-Guerrini 2014.

[12] Cfr. S. Di Calisto, *Corviano*, in De Minicis 2003, p. 87-208; Romagnoli 2006.

[13] Per affrontare lo studio della realtà rupestre laziale è stata elaborata una metodologia che prevede un minuzioso protocollo per la documentazione di ogni cavità, si rimanda a De Minicis 2003, p. 13-32; De Minicis 2008, p. 293-314 e De Minicis-Pastura 2016.

[14] Cfr. D. Moscioni, *Norchia*, in De Minicis 2003, p. 63-101.

[15] Cfr. V. Desiderio, *La colombaia rupestre nel Lazio Settentrionale: un esempio di attività economico-produttiva*, in De Minicis 2008, p. 481-528, con bibliografia specifica.

mere un nuovo significato trasformandosi in fossati di difesa a ridosso degli abitati.

Particolarmente significativo è l'esempio di Palazzolo (Vasanello)[16], sito d'altura sorto lungo un diverticolo della via Amerina, dove un primo nucleo dell'abitato si colloca nella parte centrale del pianoro, ai margini di una "tagliata" di epoca romana (fig. 4), asse di collegamento veloce tra le due vallate che delimitano l'altipiano tufaceo dove si svilupperà l'insediamento; il limite della parete rocciosa diventa anche un punto di riferimento per costruire, sul ciglio, il primo muro di cinta, quando l'insediamento raggiunge una certa consistenza[17]. Infine, va segnalato nell'ambito dello sfruttamento delle antiche infrastrutture un caso particolarmente interessante per un duplice riutilizzo di una "tagliata" viaria romana, prima come fossato a difesa del castello di Bolsignano (Soriano nel Cimino), documentato nel XII secolo e collocato ai margini della via cava, lungo uno dei diverticoli della *via Ferentensis* a servizio del territorio, e poi come luogo produttivo con l'istallazione di un grande apiario, importante attività produttiva costituita da una serie di nicchie lungo i versanti delle pareti rocciose della via (fig. 5); questa attività era sicuramente in vita prima della trasformazione del castello in dimora signorile avvenuta per mano della famiglia Altemps alla fine del XVI secolo[18].

Le nuove realtà rupestri e il tempo dei castra

Accanto alle strutture reimpiegate, nelle diverse forme insediative che caratterizzano il territorio della Tuscia meridionale emerge in maniera molto chiara il ruolo dello "scavato", cavità di nuova costruzione che convivono con evidenze "costruite", sia nelle strutture ecclesiastiche che in quelle civili.

Molti sono i luoghi di culto rupestri o semi-rupestri presenti in questo territorio; spesso di difficile interpretazione (chiese rurali, oratori privati, eremi o piccoli insediamenti monastici), a volte dotati di cimiteri e. in alcuni casi, con una lunga vita che li vede inglobati in chiese romaniche, oppure semplicemente affiancati da altri edifici ecclesiastici costruiti in muratura, specialmente nella fase matura dell'incastellamento (*ecclesiae castri* di XI-XII secolo). Pochissime sono le fonti storiche che attestano la nascita di una vera e propria struttura monastica, come nel caso del complesso dei monasteri della Valle Suppentonia (Castel S. Elia) o di S. Giovenale ad Orte[19], mentre è ampiamente documentata la politica assunta dai grandi monasteri (come S. Maria di Farfa e San Salvatore dell'Amiata, ma soprattutto gli enti di Roma come S. Silvestro in Capite, S. Lorenzo fuori le mura e, più tardi, S. Spirito in Saxia) per controllare questi territori rivestendo un ruolo non indifferente nelle dinamiche insediative dell'area[20]. L'impulso dato da questi monasteri, accanto al semplice controllo economico e produttivo dei siti già esistenti all'interno delle loro proprietà, portò alla creazione di nuovi luoghi di aggregazione tra cui castelli, *cellae* monastiche o piccole comunità che facevano capo ad una chiesa o ad un oratorio.

Come si è detto, le strutture ecclesiastiche rupestri di età altomedievale sono di vario tipo e molto si deve ancora indagare per capire meglio le funzioni di ciascuna. A titolo esemplificativo, e sulla base delle prime ricerche, si è notata la presenza di alcune cavità che, dalle caratteristiche strutturali, potrebbero aver ospitato un luogo di culto nella prima fase di vita dei *castra*, identificabile, come vedremo, tra IX-X secolo; così accade a Norchia (probabile identificazione della chiesa di S.Angelo)[21], ma anche a Torre dell'Isola, a Castel Porciano,

---

[16] Cfr. G. Pastura, *L'abitato rupestre di Palazzolo*, in De Minicis 2011b, p. 47-58.

[17] La presenza di muri di cinta, databili tra IX e X secolo, è stata attestata in molti casi; si citano qui: Castel di Salce/ Viterbo (N. Egidi, *Castel di Salce*, in De Minicis 2003, p. 102-126), S. Giuliano/Barbarano Romano (P. Guerrini, *loc. cit.* a nota 6); Montecasoli/ Bomarzo (C. Cippitelli, M. Screpante, *L'abitato rupestre di Monte Casoli*, in De Minicis 2011b, p. 37-46). Vedremo più avanti anche gli esempi lungo la via Amerina e la Valle del Treia.

[18] Cfr. Luchetti 2016, p. 88-91; sugli apiari vedi anche, da ultimo, De Minicis 2018.

[19] Il complesso di S. Elia, a cui si fa riferimento, è già citato nei *Dialoghi* di Gregorio Magno (593-94), ma ebbe la sua massima espansione nel XII secolo (privilegio di Alessandro III, 1177), cfr. T. Fiordiponti, *L'insediamento rupestre di Castel S. Elia*, in De Minicis 2008, p. 27, con bibliografia; mentre S. Giovenale ad Orte, fondato dal generale Belisario, nel VI secolo, passò poi sotto l'egida del monastero di S. Silvestro in Capite di Roma.

[20] Cfr. Pastura 2016, p. 107-130; si veda anche Pastura 2017.

[21] Cfr. D. Moscioni, *loc. cit.* a nota 14, p. 80.

a Castel d'Ischi e a Castelvecchio[22]. Di contro gli edifici ecclesiastici a carattere prevalentemente cimiteriale sono per lo più costruiti in muratura, pur essendo in stretto rapporto con insediamenti a carattere rupestre; così, ad esempio, la chiesa funeraria nei pressi di Palazzolo (loc. Morticelli-Vasanello), dove rimane ancora una vasta necropoli con tombe a "loggette" (fig. 6) quella fuori dalle mura di Corviano (Soriano nel Cimino) e la chiesa di S. Cecilia (Soriano nel Cimino)[23]. Vi sono, infine, strutture ecclesiastiche rupestri o semirupestri, in associazione con un numero limitato di cavità che potrebbero appartenere a piccole comunità monastiche (*cellae*) o semplicemente ad "aggregati" di nuova edificazione (insediamenti rurali simili a quanto visto sopra nel caso del reimpiego di strutture funerarie preesistenti). Di un monastero sembra trattarsi, anche perché citato chiaramente nelle fonti, il complesso della Grotta del Salvatore, presso Vallerano, benchè mostri un numero limitato di celle per i monaci, il complesso è ben organizzato e su più livelli; a questo esempio si possono forse accostare, ma con qualche riserva, i complessi di San Leonardo, sempre a Vallerano (fig. 7), e di San Valentino, presso Gallese. In altri casi la chiesa sembra essere il nucleo di un piccolo aggregato rurale, come nei casi di San Cesareo e S. Ippolito, presso Civita Castellana[24].

Per quanto riguarda, invece, l'organizzazione degli insediamenti, come si è già accennato, a seguito delle guerra gotico/bizantina vi è un gran fiorire di siti d'altura; alcuni di questi sono identificabili soprattutto come postazioni a difesa della grande viabilità, una esigenza ancora più pressante con la discesa dei Longobardi.

Lungo la via Amerina, le alture che costeggiano la strada diventano luoghi di importanza strategica per il controllo della strada stessa e dei suoi ponti. Qui un sistema fortificato complesso coinvolge un'area abbastanza ampia che vede insediamenti d'altura, già fortificati tra IX e X secolo, a contatto visivo tra di loro e collocati in modo da formare uno schieramento a controllo del territorio che si sviluppa tra la via Amerina e, verso la via Flaminia, la Valle del Treia[25]. In un primo momento questi stanziamenti ospitano al loro interno un numero limitato di strutture abitative tanto da suggerire, in alcuni casi, una loro occupazione saltuaria, mentre è nella fase del vero e proprio incastellamento, tra XI e XII secolo, che molti di questi insediamenti mostrano un ulteriore sviluppo sia dal punto di vista abitativo che nell'apparato fortificatorio con l'aggiunta di nuovi fossati in modo da creare un sistema di difesa più efficace. Così avviene a Palazzolo, dove l'insediamento altomedievale, delimitato dall'antica "tagliata" fortificata già da un primo muro di cinta, supera di gran lunga, nello sviluppo dell'abitato, l'area iniziale fino ad occupare l'intero pianoro. Qui si dispongono le nuove difese, intervallate da più fossati, l'*ecclesia castri* ed, ai limiti, le attività produttive, in un articolato sistema che vede il suo massimo sviluppo tra XII e XIII secolo per poi ricevere un'importante ridimensionamento alla fine del XIV secolo, a seguito di uno scontro bellico ad opera di Giovanni di Vico[26].

Senza voler tornare nuovamente ad affrontare le diverse dinamiche che hanno caratterizzato il periodo dell'incastellamento nell'area della

[22] Per Torre dell'Isola, P. DIGIUSEPPANTONIO DI FRANCO e S. ORAZI, *Insediamenti fortificati e abitati rupestri: il caso di Torre dell'Isola (Vt)*, in DE MINICIS 2008, p. 345-445; P. DIGIUSEPPANTONIO DI FRANCO, *Insediamenti e territorio: Valle Nepesina*, in DE MINICIS 2011b, p. 241-250. Per Castel Porciano, G. MAGGIORE, F. TERRACCIANO e F. VERDE, *Castel Porciano*, in DE MINICIS 2008, p. 583-591. Per Castel d'Ischi, E. MARIANI, *L'incastellamento nella valle del Treia: Castel d'Ischi ed il suo abitato rupestre*, in DE MINICIS 2008, p. 577-582. Per Castelvecchio, R. TOZZI, *Il castrum di Castelvecchio e il suo abitato rupestre*, in DE MINICIS 2008, p. 551-561; id., *La valle del Treia nel Medioevo*, in DE MINICIS 2011b, p. 233-240.

[23] Per Palazzolo, PASTURA 2013, p. 25. Per Corviano, S. DI CALISTO, *loc. cit.* a nota 12. Per S. Cecilia, POMA 2016.

[24] Molte di queste strutture sono state segnalate e studiate, molti anni fa, da J. RASPI SERRA (1976). Più recentemente, per la Grotta del Salvatore, T. FIORDIPONTI, *Analisi dei luoghi di culto rupestri nella Tuscia medievale. Chiese e insediamenti monastici nel territorio tra la via Cassia e il Tevere*, in DE MINICIS 2011b, p. 31-34; PASTURA 2016, p. 119-121. Per San Leonardo, AA.VV. 2016. Per San Valentino, DI LALLO-ZANETTI 2016. Per i due casi di San Cesareo e S. Ippolito, T. FIORDIPONTI, *loc. cit.*, p. 27-31, con bibliografia precedente. Analisi dell'apparato decorativo in PIAZZA 2006.

[25] Sistema di difesa della via Amerina: per Torre dell'Isola, cit. nota 22. Per Castellaccio di Ponte Nepesino, C. CARLONI e D. NATALUCCI, *Castellaccio di Ponte Nepesino. Un insediamento di frontiera*, in DE MINICIS 2008, p. 593-601. Per Castel Porciano e Castel d'Ischi, cit. nota 22. Per Filissano, E. MARIANI, *Il castrum di Filissano ed il suo abitato rupestre*, in DE MINICIS 2008, p. 569-575. Nella Valle del Treia: per Castel Paterno, C. MOSETTI, *Castel Paterno*, in DE MINICIS 2008, p. 564-568; per Castelvecchio e Castel dell'Agnese, R. TOZZI, *loc. cit.* a nota 22.

[26] Cfr. PASTURA 2013, p. 28-38.

Tuscia, su cui ci si è già espressi in altra sede[27], si vuole qui ricordare solo alcuni aspetti che mettono in evidenza il ruolo che l'architettura in negativo ha continuato ad avere, sia all'interno dei *castra* che nella più ampia organizzazione del territorio, con la creazione di un accurato sistema di comunicazione che spesso si avvale delle caratteristiche naturali del suolo. Così gli insediamenti che vanno ad occupare le alture, sviluppandosi su pianori tufacei che si affacciano su ripide forre, risolvono il problema dell'isolamento con la creazione di una viabilità "di servizio" che, a seconda dei casi, supera i naturali dislivelli attraverso gradonate scavate nella roccia (mulattiere per gli animali o semplici sentieri con gradini per la percorribilità solo pedonabile). Il fitto reticolo di queste strade di servizio agli abitati riflette la nuova abitudine del trasferimento delle merci a dorso di animale che si diffonde per tutta l'età medievale, ma non mancano esempi in cui la viabilità tiene conto anche del trasporto su carro con la creazione di strade, in parte scavate nella roccia e in parte costruite, che superano i dislivelli con l'uso di tornanti[28]. La complessità della viabilità di servizio ai *castra* riflette, chiaramente, il livello organizzativo che raggiungono questi insediamenti; là dove, tra XII e XIII secolo, si assiste ad uno sviluppo importante dell'abitato, questo è spesso legato alla presenza di una residenza signorile che determina anche un nuovo impulso economico e, quindi, una maggiore preoccupazione nel garantire l'innesto con le principali vie di collegamento del territorio. Inoltre, con il potenziamento o la costruzione ex novo della fortificazione/residenza, anche la superficie interna dell'insediamento si dispone in aree caratterizzate dalla funzione che ogni luogo va ad assumere; il distacco tra l'area signorile ed il resto dell'abitato è ben definito dalla costruzione di un fossato; una viabilità interna mette ordine tra le aree della convivialità (spazi abbinati ai luoghi di culto e di mercato) e quelle delle attività legate al mondo agricolo e artigianale (aree per lo stoccaggio delle derrate, l'allevamento degli animali con la proliferazione delle colombaie, le altre attività produttive).

In questo generale processo di sistemazione sono coinvolte anche le abitazioni che si mol-tiplicano e si notano diverse soluzioni; in molti casi, pur essendo costruite in muratura le fortificazioni (mura, torri o castelli/residenze) e la chiesa all'interno dell'insediamento, le strutture abitative continuano ad essere costruite "in negativo", a volte su più livelli, e denotano una maggior articolazione nella distribuzione dello spazio domestico (cavità con setto divisorio, cavità multiple) secondo le tendenze del periodo; anche le stalle, le fosse granarie, le colombaie ed altri luoghi legati alla produttività (calcare, lavorazione del cuoio, della canapa, della ceramica, ed altro) sono scavati nel banco roccioso. In altri casi, la fase di maggior sviluppo dell'insediamento castrense è caratterizzato dalla presenza, accanto alla residenza signorile, di una nuova fase di abitazioni in muratura che si vanno ad aggiungere all'insediamento rupestre iniziale. Così l'esempio del *castrum* di Filissano, dove una nuova serie di abitazioni si sviluppa lungo l'asse viario centrale dell'insediamento, inglobando nelle abitazioni in muratura alcuni degli ipogei precedenti trasformati in magazzini o stalle; questo però non ha precluso l'aggiunta di nuovi ipogei ancora ad uso abitativo (caratterizzati dalla presenza del setto divisorio)[29]. Inoltre vi è anche il caso di un insediamento castrense, come nel caso di Castel Torena, dove accanto alla fortificazione, inquadrabile tra XII e XIII secolo, si sviluppa un articolato abitato composto prevalentemente da abitazioni rupestri con setto divisorio[30].

Infine, per quanto riguarda le attività produttive che si sviluppano sempre ai margini degli abitati e nelle campagne, vi è, come si è detto un gran numero di colombaie (fig. 8), a cui si associano anche le stalle ed alcune stalle multiple[31]; particolarmente diffuse sono le vasche, strutture multifunzionali presenti in gran numero nel territorio della Tuscia viterbese e per un lungo periodo che sembra coprire anche l'età moderna. Oltre che per la raccolta dell'acqua, queste strutture, scavate anche in massi

---

[27] Cfr. in particolare DE MINICIS 2011a-b. Per l'area dell'Amerina, una puntuale analisi in P. DIGIUSEP-PANTONIO DI FRANCO, *loc. cit.* a nota 22.

[28] Cfr. DE MINICIS 2016.

[29] Cfr. E. MARIANI, *loc. cit.* a nota 25.

[30] Cfr. P. REGNI, *Il* castrum *di Torena*, in DE MINICIS 2003, p.165-186; ROMAGNOLI 2012.

31 Interessante il caso di Morrano (Pitigliano-Gr), dove è stata rinvenuta una stalla multipla ottenuta dall'accorpamento di una serie di cavità con setto (diffuse tra XII e XIII secolo): è un esempio che si discosta dalla tipologia delle grandi stalle, comunemente scavate in età moderna, e potrebbe appartenere ad un momento di passaggio forse da attribuire al XIV secolo, quando il feudo di Morrano

isolati, potevano essere utilizzate per varie altre attività, tra le quali si suggerisce la spremitura dell'uva, la macerazione della canapa e del lino o la lavorazione del cuoio. Queste attività sono spesso presenti nelle fonti documentarie dei XIII-XIV secoli, in modo particolare si ha una ricca documentazione per la coltivazione e lavorazione della canapa e lino nelle campagne viterbesi[32], ma le vasche per la marcitura dovevano essere abbastanza grandi e presso i corsi d'acqua (nello specifico per Viterbo si fa riferimento all'area del Bullicame) e, quindi, più facilmente riconoscibili. Ciò detto, nello Statuto di Orte, si fa un chiaro riferimento alla presenza di vasche per la lavorazione della canapa sulle rupi della città, ma si tratta di un caso molto particolare in quanto questa città possedeva un sistema idrico particolarmente efficiente tanto da garantire una lavorazione di questo tipo[33]. Assai più complesso è attribuire la funzione ad una gran quantità di vasche di piccola e media dimensione, organizzate per lo più a coppia su diversi livelli con un foro, munito o meno di canaletta di scolo, che le mette in comunicazione. Si trovano nella maggior parte dei casi lontano da qualsiasi fonte d'acqua, subito fuori dall'abitato o in piena campagna ed il loro utilizzo più probabile sembrerebbe associato alla pigiatura dell'uva (le cosiddette "pestarole"); notizie di questa pratica si hanno, ad esempio, sempre nel territorio di Viterbo, dove è testimoniata la presenza di *torcularia* scavati nel tufo[34] (fig. 9). Certamente quest'attività deve essere continuata a lungo anche in età moderna, visto l'interesse delle grandi famiglie che, come si vedrà, hanno investito nella coltivazione della vite.

L'età moderna

Gli studi sulla realtà rupestre devono misurarsi sulla lunga vita e la multifunzionalità delle cavità scavate dall'uomo nel corso del tempo.

Si tratta, quindi, di affrontare una complessa problematica che riguarda da un lato quegli insediamenti che fino ad oggi hanno continuato a svilupparsi e dall'altro l'organizzazione delle campagne che, a partire dal secolo XV, è fortemente mutata.

Molti centri storici della Tuscia sorgono su "rupi" tufacee che, data la grande familiarità con l'architettura in negativo, hanno continuato ad essere utilizzate, soprattutto nelle aree ai margini dell'abitato, con l'apertura di magazzini o luoghi di produzione. Il dato è prezioso per continuare a studiare e capire gli elementi di continuità o di discontinuità (tecniche di scavo, organizzazione degli spazi, volumetria) rispetto alle cavità di origine antica e medievale, ma in questo campo sia è ancora all'inizio. Le fonti documentarie in più occasioni attestano che in alcune di queste cavità si continua a vivere, a volte fino alla fine dell'800[35], ma nella maggior parte dei casi si fa riferimento, soprattutto negli Statuti cittadini, ad attività legate al mondo produttivo agricolo (cantine per la conservazione e lavorazione del vino e dell'olio). Un interessante esempio, che attesta anche archeologicamente l'investimento delle grandi famiglie baronali nella coltivazione e lavorazione della vite, è quello della città di Castro dove sono state rinvenute una serie di cavità, utilizzate come palmenti, che sono il risultato della trasformazione di precedenti abitazioni rupestri[36].

Sempre gli Statuti cittadini ci forniscono, inoltre, notizie precise sulla consuetudine di continuare ad utilizzare il sottosuolo nell'organizzazione delle abitazioni urbane; vi è, infatti , un chiaro riferimento al divieto, in città, di invadere i beni altrui nello scavare "cantine, cisterne, pozzi" o altro[37]; questo presuppone che nella costruzione delle nuove abitazioni vi era una parte scavata, da utilizzare secondo le proprie esigenze, ma rispettando la proprietà dei

---

dagli Aldobrandeschi passa a gruppi aristocratici locali (L. PERUZZI, *L'insediamento medievale di Morrano (Pitigliano-Gr)*, in DE MINICIS 2008, p. 627-628). Ancora nel '700 si parla di una "porcareccia".

[32] Sul tema, cfr . CORTONESI 2004, p. 123-129.

[33] Brani dello Statuto di Orte sono datati al 1380, ma la versione completa risale al 1584: *Statuti*; per la situazione idrica della città, cfr. PASTURA 2013, *passim*.

[34] Cfr. le fonti riportate da CORTONESI 2016, con aggiornamento bibliografico, p. 300-301.

[35] Tra le numerose testimonianze che parlano di vita nelle abitazioni rupestri ripropongo la testimonianza dell'Orioli che, nel 1854, descrive dettagliatamente questa realtà nelle campagne del viterbese (ORIOLI 1849).

[36] Attribuite alla presenza dei Farnese che avevano incrementato la coltivazione dell'uva nel territorio, queste grandi cantine confermano quanto riportato dalle fonti storiche (A. DORE, *Attività produttive e trasformazione dell'insediamento: il caso di Castro*, in DE MINICIS 2011b, p. 64).

[37] Cfr. Statuti cittadini di Vetralla (XV secolo) e

singoli (è facile vedere, nei centri storici della Tuscia, cantine che si sviluppano su più livelli seguendo un percorso a spirale proprio per restare all'interno del lotto costruito). Un'altra testimonianza, questa volta di tipo archeologico, di come il sottosuolo fosse ancora fortemente tenuto in considerazione viene dal rinvenimento di un ninfeo, datato al 1511, realizzato nel sottosuolo di Orte e che doveva essere in collegamento con un edificio soprastante[38] (fig. 10).

Infine, sempre localizzate ai margini della città o fuori dalle porte continuano ad esserci le colombaie, documentate almeno fino al XVII secolo[39], e le grandi stalle per l'allevamento intensivo[40].

In campagna, tra XV e XVI secolo, vi è la moltiplicazione dei casali appartenenti alle grandi famiglie baronali dell'epoca, ognuno con la sua cantina per la conservazione degli alimenti scavata al di sotto dell'abitazione o nelle immediate vicinanze, e delle grandi proprietà pertinenti spesso a istituzioni ecclesiastiche romane che, come l'ospedale di S. Spirito in Saxia, investono nell'organizzazione agricola del loro patrimonio fondiario anche con l'allestimento di grandi stalle per l'allevamento intensivo. Un esempio si può vedere nel complesso della Porcareccia (Monte Romano), costituito da una serie di grandi ambienti rettangolari, a volta ribassata, utilizzati come stalla dove il ricambio dell'aria era garantito dalla presenza di un lucernario posto a metà della loro lunghezza (tra i 50 ed i 28 m. circa)[41]. In alcuni casi nello scavo di queste strutture produttive che si trovano in campagna, vengono "intercettate" strutture funerarie preesistenti, come si è già accennato, dove la presenza di una struttura funeraria d'età etrusca è tradita dal segno di un *columen* rimasto su una parte del soffitto e dalla forma delle mangiatoie che ricordano i letti di deposizione per i defunti[42].

Come si è visto c'è ancora molto da studiare per avere un'idea più complessiva della realtà rupestre in età moderna, ma qualche considerazione di carattere generale si può cominciare a fare almeno sull'aspetto "archeologico" di strutture, come sono ad esempio le stalle, che si distinguono nettamente dalle cavità antiche e medievali per alcune chiare caratteristiche: la forma delle planimetrie (di solito rettangolare regolare), l'aspetto architettonico degli ambienti (con volte a botte ribassata e spigoli vivi), la loro dimensione (assai maggiore delle stalle di epoca più antica) e la tecnica di scavo (utilizzo generale di strumenti anche per la rifinitura delle pareti).

A chiusura di questa serie di considerazioni, molto generali, sulla realtà rupestre della Tuscia, frutto di studi eseguiti direttamente sui manufatti, si vuole nuovamente sottolineare l'importanza di questa presenza così forte, in ogni epoca, su cui sarebbe oltremodo urgente e proficua un'azione di valorizzazione e fruizione in modo da fermare un degrado che diventa ogni anno più grave: mi si conceda un solo accenno alla necropoli monumentale di Norchia ed allo splendido insediamento rupestre che potrebbe essere ancora valorizzato.

Bibliografia

AA.Vv. 2016: G. Pastura, R. Pavan, L. Piermartini e F. Tonella, *Il complesso rupestre di San Leonardo a Vallerano, Spolia, Journal of Medieval Studies* 22, 2016-2, p.131-152.

APOLLONJ GHETTI 1986: B. M. Apollonj Ghetti, *Notizie su tre antiche chiese in quel di Sutri: la cattedrale, S. Michele Arcangelo (la Madonna del Parto), S. Fortunata, Rivista di Archeologia Cristiana* 62, 1986, p. 61-107.

CASOCAVALLO-STASOLLA 2014: B. Casocavallo e F. R. Stasolla, *La cristianizzazione dell'area di Tarquinia: il complesso di Santa Restituta*, in L. Mercuri e R. Zaccagnini (a cura di), *Etruria Progress. La ricerca archeologica in Etruria Meridionale*, Roma, 2014, p. 213-220.

CORTONESI 2004: A. Cortonesi, *Orticultura e linicultura*

Sorano (1556), già citati in DE MINICIS 2003, p. 27.

[38] Descrizione puntuale della struttura: P. SCHIANO, *Il ninfeo*, in PASTURA 2013, p. 61-76.

[39] Cfr. V. DESIDERIO, *loc. cit.* a nota 15, p. 507-509.

[40] Così a Castro, già citata, *loc. cit.* a nota 36, p. 65.

[41] Cfr. L. BELLITTO, *Il complesso della "Porcareccia" (Monte Romano-Vt)*, in DE MINICIS 2011b, p. 207-210; stalle simili si possono vedere anche nei pressi di S. Maria di Sala (V. MASSIERI, *Allevamenti intensivi presso S. Maria di Sala (Vt)*, in DE MINICIS 2011b, p. 217-220) e fuori dall'abitato di Castro nei pressi dell'accesso principale (*loc. cit.* a nota 36).

---

[42] Una situazione simile a Grotta Porcina (Vetralla) dove all'interno del sepolcro si trovano tre tombe a camera in asse con le pareti divisorie distrutte, certamente in età moderna, per ottenere un unico grande ambiente da utilizzare come stalla (osservazione di chi scrive).

a Viterbo nel Duecento e nel primo Trecento, in A. Cortonesi e P. Mascioli (a cura di), *Medioevo viterbese*, Viterbo, 2004, p. 97-148.

CORTONESI 2016: A. Cortonesi, *Vite e vino nell'alto Lazio nei secoli XIII-XV*, in A. Cortonesi e A. Lanconelli, *La Tuscia pontificia nel medioevo. Ricerche di storia*, Udine, 2016 (*Edizioni CERM, Collana Studi*, 14), p. 281-318.

DALMIGLIO 2008: P. Dalmiglio, *Abitazioni rupestri altomedievali nel vallone sotto l'Abbazia di S. Nilo a Grottaferrata*, Bollettino dell'unione Storia e Arte 3 terza serie-C, 2008, p.89-94.

DALMIGLIO 2010: P. Dalmiglio, *Prima panoramica sugli insediamenti rupestri dei Colli Albani*, Archeogruppo 6, 2010.

DE MINICIS 2003: E. De Minicis (a cura di), *Insediamenti rupestri medievali della Tuscia I. Le abitazioni*, Roma, 2003 (*Museo della città e del territorio*,17), p. 5-33.

DE MINICIS 2008: E. De Minicis (a cura di), *Insediamenti rupestri di età medievale : abitazioni e strutture produttive*, Spoleto, 2008 (*CISAM, Incontri di Studio*, 5).

DE MINICIS 2011a: E. De Minicis, *Aree rupestri del Lazio: una realtà insediativa poco conosciuta*, in E. Menestò (a cura di), *Le aree rupestri dell'Italia centro-meridionale nell'ambito delle civiltà italiche. Conoscenza, salvaguardia, tutela*, Spoleto, 2011 (*CISAM, Atti Fondazione San Domenico*, 4), p. 11-26.

DE MINICIS 2011b: E. De Minicis (a cura di), *Insediamenti rupestri di età medievale nell'Italia centrale e meridionale: l'organizzazione dello spazio nella mappatura dell'abitato*, Roma, 2011 (*Museo della città e del territorio*, n.s. 1).

DE MINICIS 2014: E. De Minicis. *Antiche cavità riutilizzate nel Medioevo. Cenni introduttivi*, in *L'Etruria rupestre dalla Protostoria al Medioevo. Insediamenti, necropoli, monumenti, confronti*, Roma, 2014, p. 465-469.

DE MINICIS 2016: E. De Minicis, *Archeologia delle strade: la viabilità rupestre nella Tuscia medievale*, Spolia, Journal of Medieval Studies 22, 2016-2, p. 37-53.

DE MINICIS 2018: E. De Minicis, *L'apicoltura rupestre nella Tuscia*, in in R. M. Carra Bonacasa, E.Vitale (a cura di), *Studi in memoria di Fabiola Ardizzone,2. Scavi, Topografia e Archeologia del paesaggio* (Quaderni Digitali di Archeologia Postclassica, 11), Palermo 2018, p. 93-110.

DE MINICIS-PASTURA 2015: E. De Minicis e G. Pastura, *Insediamenti rupestri e popolamento: l'area della Tuscia tra monti Cimini e il Tevere*, in P. Arthur e M. L. Imperiale (a cura di), *VII Congresso Nazionale di Archeologia Medievale*, Firenze, 2015, I, p. 411-417.

DESIDERIO 2014: V. Desiderio, *Il riutilizzo medievale delle cavità ad uso funerario nella Tuscia: indagini preliminari*, in *L'Etruria rupestre dalla Protostoria al Medioevo. Insediamenti, necropoli, monumenti, confronti*, Roma, 2014, p. 512-520.

DI LALLO-ZANETTI 2016: E. Di Lallo e V. Zanetti, *La chiesa e il complesso rupestre di San Valentino nel territorio di Gallese*, Spolia, Journal of Medieval Studies 22, 2016-2, p.54-79.

FERRACCI-GUERRINI 2014 : E. Ferracci e P. Guerrini, *Il riuso delle preesistenze: esempi da un territorio campione (comuni di Barbarano Romano, Blera e Vetralla)*,in *L'Etruria rupestre dalla Protostoria al Medioevo. Insediamenti, necropoli, monumenti, confronti*, Roma 2014, p. 470-489.

GANDOLFO 1997: F. C. Gandolfo, *Alla ricerca di una cattedrale perduta*, Roma, 1997.

LUCHETTI 2016: C. Luchetti, *Il castello di Bolsignano (Soriano nel Cimino)*, Spolia, Journal of Medieval Studies 22, 2016-2, p. 80-106.

MORSELLI 1980: C. Morselli, *Sutrium* (= Forma Italiae, Regio VII), Firenze, 1980.

ORIOLI 1849 F. Orioli, *Viterbo e il suo territorio*, L'Album 21, 1849, p. 98-103.

PANI ERMINI 1999: L. Pani Ermini, *Il recupero dell'altura nell'alto medioevo*, in *Ideologie e pratiche del reimpiego nell'alto medioevo*, Settimane di Studio del Centro Internazionale di Studi sull'Alto medioevo 46, Spoleto, 1999, p. 614-672.

PASTURA 2013: G. Pastura (a cura di), *La città sotto la città. Ricerche e analisi sulla parte sepolta dell'abitato di Orte*, Orte, 2013.

PASTURA 2016: G. Pastura, *Le strutture rupestri di pertinenza del monastero di San Silvestro in capite nel territorio compreso tra i Monti Cimini e il Tevere*, Spolia, Journal of Medieval Studies 22, 2016-2, p. 107-130.

PASTURA 2017: G. Pastura, *Tra i Monti Cimini e il Tevere. Forme dell'insediamento tra VI e XII secolo*, in (*Daidalos* 16) Università della Tuscia, Viterbo.

PIAZZA 2006: S. Piazza, *Pittura rupestre medievale. Lazio e Campania settentrionale* (secoli VI-XIII), Roma, 2016.

POMA 2016: J. Poma, *La chiesa di Santa Cecilia (Soriano nel Cimino)*, Spolia, Journal of Medieval Studies 22, 2016-2, p. 153-175.

RASPI SERRA 1976: J. Raspi Serra, *Insediamenti rupestri religiosi nella Tuscia*, Mélanges de l'École française de Rome 88-1, 1976, p. 27-156.

ROMAGNOLI 2006: G. Romagnoli, *Ferento e la Teverina viterbese. Insediamenti e dinamiche del popolamento tra il X e il XIV* secolo, Viterbo, 2006 (*Daidalos*, Suppl. 1).

ROMAGNOLI 2012: G. Romagnoli, *Tra Ferento e Bagnoregio: l'insediamento di Piantorena*, in *Inventario di un'eredità. L'attualità del pensiero archeologico di Michelangelo Cagiano de Azevedo*, Milano, 2012, p. 115-128.

Statuti: *Statuti della città di Orte*, D. Gioacchini, A. Greco e M. T. Graziosi ed., Orte, 1981.

SUSI 2006: E. Susi, *Culti e agiografia a Sutri tra Tardoantico e Alto Medioevo*, in S. Del Lungo, V. Fiocchi Nicolai e E. Susi (a cura di), *Sutri Cristiana. Archeologia. Agiografia e territorio dal IV all'XI secolo*, Roma, 2006, p. 125-205.

Strutture rupestri

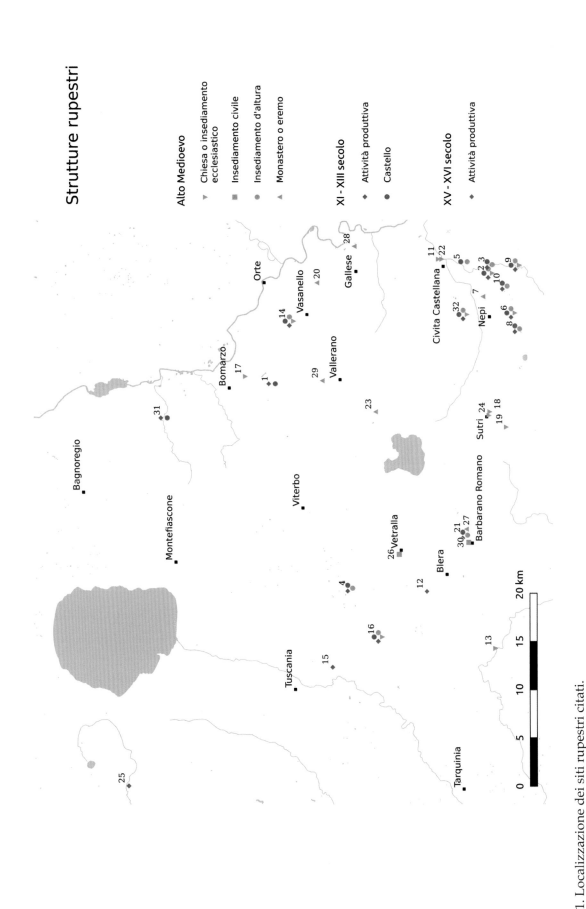

Alto Medioevo

▼ Chiesa o insediamento ecclesiastico

■ Insediamento civile

● Insediamento d'altura

◀ Monastero o eremo

XI - XIII secolo

◆ Attività produttiva

● Castello

XV - XVI secolo

◆ Attività produttiva

Bagnoregio

Montefiascone

Viterbo

Tuscania

Tarquinia

Orte

Bomarzo
17

Vasanello
14

Vallerano
29

Gallese
28
20

23

Civita Castellana
11 22
5
2 3
7
10 9
32
Nepi
6
8

Sutri 24
19 18

Barbarano Romano
30 21 27
26 Vetralla

Biera
12

4

16

13

31

25

15

0   5   10   15   20 km

1. Localizzazione dei siti rupestri citati.
1-Bolsignano; 2-Castel d'Ischi; 3-Castel dell'Agnese; 4-Castel di Salce; 5-Castel Porciano; 6-Castel Paterno; 7-Castel Sant'Elia; 8-Castellaccio di Ponte Nepesino; 9-Castelvecchio; 10-Filissano; 11-Grotta di S.Cesareo; 12-Grotta Porcina; 13-Luni sul Mignone; 14-Palazzolo; 15- Porcareccia; 16-Norchia; 17-S. Cecilia; 18-S.Fortunata; 19-S.Giovanni a Pollo; 20-S.Giovenale; 21-S.Giuliano; 22-S.Ippolito; 23-S.Leonardo; 24-S.Maria del Parto; 25-S.Maria di Sala; 26-S.Maria di Valle Caiana; 27-S.Simone; 28-S.Valentino (Gallese); 29-S.Salvatore; 30-Serignano; 31-Torena; 32-Torre dell'Isola. (elaborazione Saveli Kisliuk)

2. Soriano nel Cimino (loc. Corviano), abitazione rupestre parietale.

3. Soriano nel Cimino (loc. Corviano), collegamento tra le abitazioni.

4. Vasanello, (loc. Corviano), "tagliata" riutilizzata come fossato.

5. Soriano nel Cimino, (loc. Bolsignano), "tagliata" riutilizzata come fossato e, poi, come apiario.

6. Vasanello, (loc. Morticelli), necropoli con tombe "a loggette".

7. Vallerano, (loc. San Leonardo), insediamento eremitico.

8. Orte, colombario.

9. Soriano nel Cimino, (loc. San Valentino), vasche per la pigiatura dell'uva (cd. "pestarole").

10. Orte, ninfeo rupestre di XVI secolo.

A Roma in fretta e senza incontrare gli Etruschi. La Tuscia Viterbese nei testi di alcuni viaggiatori d'oltralpe dei secoli XVI-XVIII

Daniela Giosuè, Università della Tuscia, Viterbo

À la différence de ce que l'on constate au Moyen-Âge, alors que Viterbe était une étape très importante du chemin des pélerins qui se rendaient à Rome en empruntant la Via Francigena, les voyageurs du début de l'époque moderne prêtaient en général peu d'attention à la ville et, impatients d'arriver à Rome, traversaient très rapidement le territoire de la Tuscia viterbaise. Les comptes rendus de voyages examinés ici montrent qu'ils suivaient des itinéraires préétablis, qui ne s'approchaient que rarement de lieux dans lesquels se trouvaient des vestiges étrusques. En outre, les temps n'étaient pas encore mûrs pour qu'au moins les plus cultivés d'entre eux puisse prêter aux Étrusques un intérêt susceptible de les pousser à faire des détours pour visiter des témoignages de leur civilisation. La découverte exceptionnelle, à Grotte Scalina, d'une médaille jubilaire datable du dernier quart du XVIIe siècle permet cependant de raconter une histoire très différente de celle qui émerge des témoignages écrits laissés par les voyageurs instruits. C'est l'histoire d'une majorité silencieuse de pélerins et de voyageurs plus modestes, qui ont laissé de précieux témoignages matériels de leur passage.

Unlike what happened in the Middle Ages, when Viterbo was a very important stop on the pilgrim's way to Rome along the Via Francigena, early modern travellers generally paid little attention to the city. They were eager to get to Rome, and crossed the territory of Tuscia Viterbese very quickly. The travel reports taken into consideration clearly show that they followed predetermined itineraries, that only rarely passed next to places where Etruscan antiquities were present. Moreover, the time was not yet ripe, and even the most educated among them could not be ready to cultivate such an interest for the Etruscans as to push them to make detours to visit the vestiges of their civilization. However, the exceptional find at Grotte Scalina of a jubilee medal dating back to the last quarter of the seventeenth century allows us to tell a story which is very different from what emerges from written records. It is the story of the silent majority of humbler pilgrims and travellers, who left behind them precious material evidence of their passage.

Le testimonianze scritte lasciate da pellegrini e viaggiatori che nella prima età moderna transitarono lungo la via Francigena nel territorio del Viterbese sono da anni oggetto della mia attenzione. Per questo motivo, tra i reperti finora emersi dalla campagna di scavi condotta presso la tomba monumentale di Grotte Scalina, la medaglia giubilare di bronzo di forma ottagonale databile all'ultimo quarto del Seicento e raffigurante su un lato la Porta Santa e sull'altro la Scala Santa, è senza dubbio l'oggetto che ha maggiormente acceso la mia curiosità.

Questo ritrovamento è stato una grande sorpresa anche per gli archeologi impegnati negli scavi, i quali non hanno potuto fare a meno di mettere immediatamente in relazione due degli elementi strutturali della tomba – la falsa porta situata in fondo alla sala dei banchetti e l'imponente scalinata che ha ispirato il nome di Grotte Scalina – con i due elementi figurativi della medaglia. Il ritrovamento di molti resti di vasellame ceramico databili tra il IX e il XIII secolo, e tra la metà del XVI e il XVII, dimostrano che il sito di Grotte Scalina fu intensamente frequentato e utilizzato anche in epoca medievale e rinascimentale. Nel XVIII secolo, con l'istituzione di una fiera annuale sulle terre di Castel Cardinale, la frequentazione si estese anche a tempi più recenti. Nelle vicinanze di Grotte Scalina sgorgano alcune sorgenti e scorre il fiume Leia, mentre vicino a Cordigliano si trovavano un piccolo villaggio e un antico ponte, i cui resti furono visibili fino al XIX secolo. Di qui, inoltre, passava una strada. Sapere che l'area in cui sorge la tomba fosse un tempo abitata e frequentata, secondo gli archeologi non basta a dare ragione dell'abbondante vasellame rinvenuto durante gli scavi. L'ipotesi da essi formulata, secondo cui le grotte osservabili ai due lati della tomba potrebbero aver ospitato un piccolo complesso eremitico, fornisce invece una spiegazione migliore. La presenza di eremiti, notoriamente spesso in fama di santità, o l'affermarsi del culto di un santo di cui potrebbe essersi persa memoria, potrebbero essere stati all'origine di un cospicuo flusso locale di pellegrini, e anche questo può aiutare a spiegare il ritrovamento di molto vasellame. Se poi è vero che tutte le strade portano a Roma, non vi è nulla di più probabile che la strada che passava di qui non fosse altro che una delle tante strade e dei tanti sentieri, tutti più o meno paralleli tra loro e alla via Cassia, che allora come oggi costituivano la via Francigena. E se a ciò si aggiunge che i gradini della scalinata rivolta ad Ovest, oltre a mostrare segni che fanno pensare alla presenza di una statua sul lato sinistro e di una croce sulla sommità, presentano ciascuno coppie di piccole fosse che lasciano supporre che questa, come la Scala Santa, possa essere stata per molto tempo percorsa in ginocchio, l'affascinante ipotesi secondo cui Grotte Scalina potrebbe essere stata per secoli una tappa intermedia del pellegrinaggio a Roma diventa una concreta possibilità. La medaglia portata alla luce può essere quindi considerata un chiaro indizio del passaggio di pellegrini che, diretti a Roma o di ritorno da essa, potrebbero essersi fermati in questo luogo, dove potevano ritrovare materialmente i due simboli più forti del pellegrinaggio a Roma riprodotti sulla medaglia[1].

In questa ottica, si potrebbe anche ipotizzare che Grotte Scalina possa essere stata importante come meta di pellegrinaggio locale non solo per le ragioni anzidette – la presenza di eremiti o la devozione per un santo – ma, data l'esistenza di due elementi strutturali dalla forte valenza simbolica quali la porta e la scala, anche come luogo sostitutivo della stessa città santa, specialmente per chi non fosse stato in grado di recarvisi.

È infine opportuno tenere presente che, per i pellegrini e i viaggiatori poveri, doveva essere normale cercare riparo e ristoro nei siti etruschi che si trovano in prossimità di abitati, corsi

d'acqua e sorgenti sulfuree. Da un luogo come Grotte Scalina, già di per sé pieno di fascino, e che queste caratteristiche le possiede tutte, nel corso dei secoli sarà certamente passato un numero incalcolabile di persone appartenenti, purtroppo, alla maggioranza silenziosa degli umili, di coloro che non lasciano testimonianze scritte.

Perciò, sebbene le testimonianze materiali, almeno nel caso di Grotte Scalina, sembrino parlare chiaro, o comunque consentano di disegnare scenari logici e formulare ipotesi attendibili, per il medioevo non risulta che esistano evidenze testuali del passaggio di pellegrini e viaggiatori dai siti etruschi e, almeno da quanto emerge dai testi di cui dirò tra poco, altrettanto si può osservare per la prima età moderna e fino a tutto il Settecento.

Nell'ambito del grande interesse per l'Antico che si diffuse con l'Umanesimo e il Rinascimento, a partire dal Cinquecento proliferarono in tutta Europa società erudite, i cui affiliati coltivavano interessi antiquari e collezionavano oggetti d'arte e reperti archeologici. Tuttavia, degli Etruschi e della loro civiltà si occupavano solo in pochi. Tra Cinque e Seicento, mentre crescevano la passione antiquaria e la moda del collezionismo, e con esse l'attenzione verso le antichità etrusche, scoperte e ritrovamenti, col passare del tempo sempre meno fortuiti, continuarono ad andare avanti. Contemporaneamente, tra gli studiosi iniziò finalmente a farsi strada l'idea, che nel Settecento divenne certezza, che i reperti etruschi che tanto li appassionavano fossero ciò che restava di una civiltà ben distinta sia dalla civiltà greca che dalla civiltà romana.

L'evento che maggiormente contribuì a rivoluzionare gli studi e le conoscenze sugli Etruschi fu la composizione, tra il 1616 e il 1619, dell'opera intitolata *De Etruria regali libri septem*, commissionata allo studioso scozzese Thomas Dempster (1579-1625), all'epoca professore di diritto civile a Pisa, dal granduca di Toscana Cosimo II de' Medici (1590-1621).

Il manoscritto restò inedito per oltre cento anni, fino a quando, nel 1716, venne acquistato durante il suo *Grand Tour* da Thomas Coke (1697-1759), futuro conte di Leicester e appassionato bibliofilo. Egli affidò all'antiquario fiorentino Filippo Buonarroti (1661-1733) il compito di rielaborare e aggiornare l'opera sulla base delle più recenti scoperte, e questa venne pubblicata in due volumi corredati di illustrazioni tra il 1720 e il 1726 (fig. 1). Il grande successo del-

---

[1] Per maggiori dettagli e approfondimenti su quanto detto finora vd. JOLIVET-LOVERGNE 2014 e 2016. Vd., inoltre, le cronache delle campagne di scavo in https://cefr.revues.org/1498 (ultima data di consultazione: 12 aprile 2017). Sulla medaglia, vd., in questo stesso volume, il contributo di L. Pesante.

la pubblicazione, che può essere considerata a pieno titolo il punto di partenza dell'etruscologia moderna, diede un forte impulso non solo all'ulteriore diffondersi dell'interesse per le antichità etrusche in Italia, nel mondo anglosassone e nel resto d'Europa, ma anche al propagarsi di una vera e propria mania, che prese il nome di etruscheria o etruscomania.

La fondazione, nel 1727, dell'Accademia Etrusca di Cortona, di cui lo stesso Buonarroti assunse per primo la massima carica di "lucumone perpetuo", e la graduale inclusione, tra Sette e Ottocento, dei maggiori siti etruschi nel percorso del *Grand Tour* di un numero esiguo, ma comunque crescente di viaggiatori, non sono solo segni tangibili del sempre più forte grado di attenzione verso la civiltà etrusca, ma possono anche essere annoverati tra gli effetti del successo riscosso dal *De Etruria regali*[2].

Come anticipato poco fa, e alla luce di quanto appena detto, è quindi normale che i testi odeporici della prima età moderna, pur essendo espressione di una minoranza colta e interessata alle antichità e al collezionismo, non forniscano prove del passaggio dei viaggiatori per i siti etruschi: era ancora troppo presto perché questo potesse avvenire. E qui il discorso potrebbe anche finire, ma non per chi, dopo aver preso atto dei motivi principali della generale assenza di notizie sugli Etruschi negli scritti dei viaggiatori dell'epoca, voglia anche studiare il fenomeno in un'ottica locale. Per fare ciò è necessario analizzare a fondo i testi e, soprattutto, aprire altri scenari.

Prima ancora che il Grand Tour divenisse una vera e propria istituzione, i viaggiatori seguivano già itinerari prestabiliti, che solo raramente li portavano ad attraversare aree in cui fossero presenti antichità etrusche. Inoltre, i testi da essi elaborati descrivono itinerari spesso identici, e in molti casi appaiono chiaramente dipendenti l'uno dall'altro. Anche ipotizzando che questa forte omogeneità di contenuto possa in qualche caso non lasciar trasparire eventuali conoscenze o interessi individuali, questi documenti dimostrano concretamente che i viaggiatori dell'epoca, per quanto colti, non potevano essere ancora in grado di fare distinzione tra antichità greche, etrusche e romane,

né potevano coltivare un interesse specifico per gli Etruschi.

Limitando il discorso all'area della Tuscia Viterbese, è noto agli studiosi di letteratura odeporica che nella maggioranza degli scritti dei viaggiatori della prima età moderna si rileva una notevole disattenzione verso la città di Viterbo, e la spiegazione a tanta indifferenza può essere in parte trovata nella storia della città. Mentre nel medioevo la posizione di preminenza e di centralità rispetto alle vicende politiche aveva portato Viterbo a diventare una tappa importantissima del cammino dei pellegrini che si dirigevano a Roma lungo la via Francigena, nella situazione di decadenza politica e culturale delineatasi nell'età moderna la città finì per assumere un ruolo secondario anche come luogo di sosta. Viaggiando velocemente, a cavallo o in carrozza, e non più a piedi, come in genere facevano i pellegrini medievali, e trovandosi ormai vicinissimi a Roma, la loro meta più importante, una volta giunti nella Tuscia i viaggiatori moderni evitavano di ritardare l'arrivo con soste o deviazioni inutili.

Viterbo divenne allora solo una delle tante località situate lungo un itinerario che essi tendevano ad attraversare velocemente, dove potevano scegliere di fermarsi o meno, e dove la sosta era prevista quasi esclusivamente per motivi pratici, come prendere i pasti, dormire o cambiare i cavalli. Se la sosta non era necessaria, di solito la città veniva direttamente oltrepassata senza neppure entrarvi. La scarsa attenzione alla città di Viterbo è pertanto un segno della fretta con cui la Tuscia veniva attraversata; e anche la fretta potrebbe aver contribuito ad ostacolare e a spingere avanti nel tempo le possibilità di incontro con gli Etruschi.

Per evitare di limitare il discorso alle opere di alcuni viaggiatori britannici a me meglio noti, ho provato a interrogare anche i testi di due grandi autori francesi, Montaigne e Montesquieu, che si prestano molto bene ad aprire e chiudere il periodo preso in esame. Come si vedrà, alcuni degli scritti selezionati risultano estremamente sintetici, e gli autori si limitano quasi solo a nominare le diverse località della Tuscia, mentre altri sono più ricchi di informazioni e descrizioni, assumendo a volte piacevoli toni narrativi.

Il primo esempio (fig. 2) viene dunque da uno dei testi odeporici più famosi in assoluto, il *Journal du voyage en Italie* di Michel de Montaigne (1533-1592), pubblicato postumo nel 1774. Nel suo pellegrinaggio in cerca di acque

---

[2] Per approfondimenti vd. Cristofani 1978; Leighton-Castelino 1990; Pieraccini 2009, p. 3-5; de Angelis 2014; http://seduzioneetrusca.cortonamaec.org/it/5-percorso-di-visita (ultima data di consultazione: 12 aprile 2017).

termali che potessero curare la calcolosi renale che lo affliggeva, Montaigne attraversò la Tuscia tra il 27 e il 30 novembre del 1580 e, ancora, tra il 27 settembre e il 1° ottobre 1581. Egli si fermò a Viterbo solo nella seconda occasione per sperimentare le proprietà curative delle acque, avendo così modo di visitare anche il santuario della Madonna della Quercia[3] e Villa Lante a Bagnaia[4], luoghi che, trovandosi fuori dal percorso usuale, nella maggioranza dei casi non vengono neppure nominati[5]. Le suggestive descrizioni lasciate da Montaigne rappresentano quindi un raro esempio, particolarmente prezioso soprattutto nel caso di Villa Lante, la cui costruzione risaliva a pochi anni prima.

Questa è la descrizione del primo passaggio dell'autore nella Tuscia Viterbese, in tutto simile a quelle di molti altri viaggiatori:

C'imbattemmo in un grande ponte[6], costruito dall'attuale pontefice Gregorio là dove terminano gli Stati del duca di Firenze, ed entrammo in quelli della Chiesa. Incontrammo Acquapendente, che è una cittadina, e si chiama così - credo - a causa d'un torrente, là nelle vicinanze, precipitante nella pianura attraverso certi dirupi. Di qui arrivammo a S. Laurenzo, che è un castello, e a Bolsena, che pure è tale, sita attorno a un lago detto di Bolsena, lungo trenta miglia e largo dieci, e nel mezzo del quale appaiono due scogli a mo' di isole, dove si dice esistano dei conventi. D'un sol tratto, e per una via montuosa e arida, ci portammo a Montefiascon, ventisei miglia. Cittadina sita in cima a uno dei monti più alti della contrada, è piccola e dev'essere molto antica. Ne ripartimmo la mattina [dopo] e ci trovammo ad attraversare una bella e fertile pianura dove vedemmo Viterbo, che in parte si trova costruita sul fianco d'una montagna. È una bella città [...]; vi notammo molte belle case, una gran quantità di artigiani, buone strade e amene, e - in tre posti - altrettante fontane bellissime. Il signor de Montaigne vi si sarebbe fermato per la bellezza del luogo, ma il suo mulo [coi bagagli], che lo precedeva, era già passato oltre[7].

Montaigne proseguì verso Roma passando dal lago di Vico e da Ronciglione.

Montesquieu (1689-1755), che attraversò la Tuscia nel mese di gennaio del 1729, nel suo diario di viaggio molto più brevemente scrive (fig. 3):

La città di Acquapendente è un miserabile ridotto. Montefiascone è migliore; i suoi buoni vini, senza dubbio, la sostengono. Viterbo è una città abbastanza bella, vi si vede qualche traccia di commercio, e diversi artigiani e mercanti. Ci sono bellissime fontane, specialmente una; case piuttosto ben costruite, e d'un gusto architettonico abbastanza buono[8].

Segue una descrizione estremamente particolareggiata della fontana di Piazza della Rocca[9], insolita per questo genere di scritti. Anche Montesquieu, sul quale tornerò più avanti, proseguì passando dal lago di Vico. Se negli scritti di Montaigne e Montesquieu si trova puntualmente il riferimento alle belle fontane di Viterbo, manca invece quello alla storia del vino di Montefiascone, uno stereotipo che, accanto a quello delle fontane, pur con diversi gradi di rilievo, ricorre regolarmente nelle opere degli autori britannici che saranno analizzate, sia nelle più sintetiche che in quelle più ricche di informazioni.

La versione della storia dell'*Est, Est, Est* qui proposta è tratta da un testo di notevole successo pubblicato nel 1648 (fig. 4-5). Intitolato *An Itinerary*, e meglio conosciuto come *Il mercurio italico*[10], è attribuito a John Raymond[11], che visitò l'Italia tra il 1646 e il 1647 in compagnia di altri due giovani e dello zio, John Bargrave (1610-1680). Sacerdote, collezionista d'arte ed esule realista, Bargrave ebbe certamente un ruolo importante nella stesura dell'opera[12]. Le poche righe di seguito citate bastano da sole a mettere in rilsalto l'essenzialità e l'eleganza dello stile, che sono i maggiori tratti distintivi di questo famoso resoconto:

Montefiascone [...] è degna di essere menzionata per il delizioso vino del quale una storia popolare dice che un vescovo tedesco, avendo udito molti elogi del vino di quel luogo, mandò avanti il suo servo per assaggiare il migliore in tutte le taverne della città, incaricandolo di scrivere sulla porta Est, Est dove avesse trovato il migliore, e così esso fece. Dopo

---

[3] Vd. Montaigne 2003, p. 392-393.

[4] *Ibid.*, p. 393.

[5] Vd. Giosuè 2015.

[6] È il Ponte Gregoriano sul fiume Paglia, detto anche Ponte Centino, costruito per volontà di Gregorio XIII nel 1578.

[7] Montaigne 2003, p. 229.

[8] Montesquieu 1894, I, p. 193. La traduzione è di chi scrive.

[9] *Ibid.*, p. 193-194.

[10] Raymond 1648.

[11] Su Raymond, vd. Maugham 1903, p. 27; Comparato 1989, p. 35; De Seta 1992, p. 65; Barefoot 1993, p. 92; Duval 1995, p. 136; Giosuè 2015, p. 108-110.

[12] Su Bargrave, vd. Bann 1994a-b; Brennan 2002; http://www.canterbury-cathedral.org/bargrave/biography.html (ultima data di consultazione: 12 aprile 2017).

aver assaggiato, il padrone approvò la sua scelta, ma alla fine tanto riempì il proprio corpo di vino da non lasciare spazio per l'anima, perché all'improvviso morì, e fu sepolto nella chiesa di San Flaviano. Il servo, lamentando la sua perdita, fece mettere sulla lapide questo arguto epitaffio: Propter Est Est, Dominus meus mortuus Est[13].

L'interesse per il vino è una vera e propria costante negli scritti dei viaggiatori britannici. Molti di essi, una volta arrivati a Viterbo, invece che proseguire sulla Via Cassia, passavano dalla strada Cimina per andare a visitare Palazzo Farnese a Caprarola.

Pur restando molto colpito dalla bellezza dell'edificio e dei suoi giardini, Raymond conclude la sua descrizione lodando la cantina e il vino del duca. Egli scrive: *Ciò per cui questo luogo è maggiormente degno di essere menzionato è la cantina, che oltre ad essere ampia è anche provvista di vino di ogni sorta, e il Duca elargisce a tutti gli stranieri che vengono a vedere la sua casa due o tre bicchieri di fresco liquore*[14].

Anche il sacerdote cattolico Richard Lassels (1603-1668)[15], autore di un'opera dal titolo *The Voyage of Italy*[16] (fig. 6-7), scritta sulla base dei cinque viaggi da lui compiuti in qualità di tutore di giovani della grande e piccola nobiltà tra il 1637 e il 1668[17], al termine della dettagliatissima descrizione di Palazzo Farnese esprime sul vino del duca un giudizio altrettanto positivo: *Dopo aver camminato per questo giardino, meriterete dopo tanta acqua un po' di vino, che non troverete manchevole, dell'eccellente cantina che si trova sotto la grande terrazza davanti all'edificio. E forse penserete che qui i vinodotti siano eccellenti quanto gli acquedotti*[18].

Sia Raymond che, soprattutto, Lassels, alla Tuscia e a Viterbo dedicano molto più spazio di quanto non facciano molti altri viaggiatori, ma per motivi di brevità le loro descrizioni non possono essere qui riportate per intero[19]. Su di essi tornerò in seguito, dopo aver dato voce ad altri autori, meno frequentati ma non per questo meno interessanti.

Di John Clenche[20], che viaggiò nel 1675, si conosce solo il nome. La sua opera, *A Tour in France and Italy, Made by an English Gentleman*[21], è una delle più essenziali in assoluto. Per dare un'idea della sua estrema compendiosità bastano le poche righe riservate al territorio della Tuscia:

MONTEFIASCONE è degna di rilievo per la tomba del vescovo tedesco ubriaco che qui si uccise bevendo l'ottimo vino, e perciò ha questo epitaffio scritto dal suo uomo, che aveva ordine di segnare le porte tre volte con Est dove trovava il migliore mentre passava:
Est est est propter nimium est
Dominus meus mortuus est.
CAPRAROLA. In questo territorio il Duca di Parma possiede un bel palazzo situato sul fianco di una collina, e ciò dona allo stesso un panorama di Roma sebbene sia distante quaranta miglia.
VITERBO è una graziosa cittadina con molte fontane; da qui a Roma, durante l'estate, l'aria è considerata insalubre[22].

Non manca chi di Viterbo parla malissimo, come fa il teologo e storico scozzese Gilbert Burnet (1643-1715)[23]. Divenuto vescovo di Salisbury nel 1689, in seguito all'ascesa al trono del re cattolico Giacomo II (1633-1701) fu esule sul continente dal 1685 al 1688. I ricordi dei suoi viaggi sono raccolti in un'opera pubblicata nel 1687 dal titolo *Dr. Burnet's Travels*[24] (fig. 8), contenente una serie di lettere inviate allo scienziato irlandese Robert Boyle (1627-1691).

Il suo insolito commento su Viterbo mette efficacemente in evidenza gli effetti provocati sull'economia e sull'aspetto della città dal declino verificatosi in età moderna cui si è accennato poco fa. Ecco cosa scrive: *E quella vasta città, che ha un perimetro tanto ampio, ha tuttavia pochissimi abitanti, e quelli appaiono tanto poveri e miseri che la gente delle tipiche città delle parti peggiori della Scozia ha un'apparenza migliore*[25].

Dello scienziato scozzese Sir Andrew Balfour (1630-1694)[26], illustre studioso di medicina,

---

[13] Vd. Giosuè 2015, p. 111.

[14] *Ibid.*, p. 112.

[15] Su Lassels, vd. Maugham 1903, p. 22-23, 27-29 e *passim*; Chaney 1985; Comparato 1989, p. 37-38; De Seta 1992, p. 67-68; Maczak 1994, p. 231, 238, 279, 362 e *passim*; Giosuè 2015, p. 113-114.

[16] Lassels 1670.

[17] Vd. Chaney 1985, p. 11, e *passim*.

[18] Vd. Giosuè 2015, p. 117.

[19] Per i testi integrali vd. *ibid.*, p. 110-113 e 114-118.

[20] Su Clenche, vd. Parks 1968, p. 341 e 353; Chaney 1985, p. 142 e 426 n. 93; Capuano 1994, p. 151-155; Giosuè 2015, p. 100-101.

[21] Clenche 1676.

[22] Vd. Giosuè 2015, p. 101-102.

[23] Su Burnet, vd. Clarke 1907.

[24] Burnet 1687.

[25] Vd. Giosuè 2015, p. 100.

[26] Su Balfour, vd. Sibbald 1699; Walker 1812, p. 347-369; Giosuè 2010 e 2015, p. 102-103.

botanica, storia naturale e antichità, oltre che grande collezionista, sono giunte fino a noi alcune lettere indirizzate al suo allievo, amico e collaboratore Sir Patrick Murray, barone di Livingstone[27]. Pubblicate postume dal figlio di Balfour nel 1700 con il titolo *Letters Write (sic) to a Friend, by the Learned and Judicious Sir Andrew Balfour*[28] (fig. 9), le lettere contengono i ricordi e le esperienze di quindici anni di studi e viaggi tra l'Inghilterra, la Francia e l'Italia intrapresi tra il 1650 e il 1664.

Nonostante siano ricchissime di informazioni e consigli molto minuziosi, nel brano in cui il dottor Balfour parla della Tuscia Viterbo viene solo nominata. Così egli scrive:

Montefiascone è famosa per una varietà di vino moscatello assai delizioso che non dovete mancare di assaggiare. Il messaggero è solito mangiare fuori dalla città, ma dentro sarete sicuro di mangiare e bere meglio e di trovare un vino migliore. Una storia dice che qui un tedesco si uccise bevendo troppo di questo moscato. [...] Tutto quel tratto da Viterbo fino a Roma è chiamato Campagna di Roma, e dormirvi durante l'estate è ritenuto molto pericoloso; se dunque vi càpita di attraversarlo d'estate, andando verso Roma o tornando (lo stesso s'intende per quaranta miglia di distanza tutto intorno a Roma) dovete essere sicuro di non dormire nella Campagna, cosa che potete facilmente evitare viaggiando di notte[29].

Un altro scienziato che ha lasciato memoria del suo passaggio è John Ray (1627-1705)[30]. Fu il maggiore studioso britannico di scienze naturali del suo secolo e scrisse numerose opere di botanica, zoologia, teologia naturale, geologia, astronomia e fisica, come pure studi sui dialetti della Gran Bretagna e sul linguaggio.

Tra il 1663 e il 1666 egli intraprese un lungo viaggio sul continente il cui resoconto si trova nel volume pubblicato nel 1673 dal titolo *Observations Topographical, Moral & Physiological, Made in a Journey Through Part of the Low-Countries, Germany, Italy, and France*[31], pubblicato nel 1673 (fig. 10).

Il passo in cui Ray descrive il suo viaggio attraverso la Tuscia si distingue dagli altri per l'accentuata attenzione verso il paesaggio:

Da Radicofani a Viterbo percorremmo trentotto miglia. A circa dieci miglia da Radicofani passammo sopra a un piccolo fiume chiamato [...] in un posto denominato Ponte Argentino[32], che divide lo Stato del Granduca da quello del Papa. Si deve notare che in tutto questo territorio le città e i paesi sono generalmente situati sulle cime delle colline, per la frescura, suppongo. Osservammo inoltre che il territorio soggetto al Granduca, almeno quella parte che attraversammo in questo viaggio, era rocciosa e spoglia di alberi, e ci sembrò essere solo terra arida, riarsa e sterile. Ma non appena entrammo nello Stato ecclesiastico tutto cambiò in meglio, poiché le colline erano per la maggior parte coperte di alberi, e le valli molto fertili. A quattordici miglia da Radicofani attraversammo Acquapendente, un'antica grande cittadina, ex re nomen habens, poiché sorge sulla cima di una collina dalla quale l'acqua cade perpendicolarmente. Poi passammo San Lorenzo, una cittadina sulla sponda del lago di Volsinii, ora chiamato Bolsena, e cavalcammo lungo la riva del lago per cinque miglia verso Bolsena. Da Bolsena salimmo fino a Montefiascone, dove assaggiammo il tanto celebrato vino e, dopo un'altra cavalcata di otto miglia su una piana ampia e fertile, arrivammo a Viterbo, una città grande e ben situata, ma non abbastanza ben costruita. Tutto ciò che là notammo furono due o tre belle fontane e il monumento di Papa Giovanni XXI nel duomo[33]. Intorno alla città vi sono pozzi sulfurei e sorgenti calde, ma non avemmo tempo di esaminarle e neppure di vederle[34].

Considerato che in molti altri casi Ray fornisce descrizioni dettagliate dei luoghi termali che trova sulla sua strada e parla delle proprietà delle acque e dell'uso che ne viene fatto, queste ultime parole sono un'ulteriore dimostrazione di quanto la visita ai luoghi della Tuscia, e in particolare a Viterbo, avvenisse di fretta.

Pur andando in fretta, i viaggiatori percorrevano la via Cassia, e un incontro anche solo ideale con gli Etruschi diventava inevitabile, specialmente per gli autori più eruditi. Quanto questi incontri fossero mediati attraverso la memoria delle loro conoscenze letterarie, è testimoniato dal fatto che per indicare gli abitanti delle diverse città etrusche essi non usano il termine generale Etruschi, ma i termini utilizzati dai testi classici a cui fanno riferimento. Così avviene, ad esempio, nelle opere di Lassels e Raymond.

---

[27] Su Murray, vd. BALFOUR 1700, p. iv-viii.

[28] BALFOUR 1700.

[29] Vd. GIOSUÈ 2015, p. 104.

[30] Su Ray, vd. RAVEN 2009; BALDWIN 1986; BRYAN 2005; GIOSUÈ 2015, p. 104-106.

[31] RAY 1673.

[32] Oggi Centeno.

[33] Papa Giovanni XXI, al secolo Pietro di Giuliano o Pietro Ispano (c. 1210-1277), eletto a Viterbo nel 1276, fu l'unico papa portoghese della storia.

[34] Vd. GIOSUÈ 2015, p. 106-107.

Questo è il passo in cui Lassels parla dei Veienti:

Tutto il tratto da Monterosi fin quasi a Roma apparteneva nei tempi antichi ai Veienti (così chiamati, dice Beroso[35], perché trasportavano con sé su carri tutti i loro beni). Vicino a Baccano è un lago dal quale ha origine il fiume Varca, anticamente chiamato Crèmera, presso il quale i Veienti uccisero in una battaglia trecento Fabi, cioè l'intera famiglia dei Fabi (che si erano votati alla morte per servire la repubblica) ad eccezione di un ragazzino che non era in grado di portare le armi, dal quale discese Fabio Massimo, terrore di Annibale e scudo di Roma.

Su questa strada, inoltre, sorgeva nell'antichità la città di Veio, che resisté dieci estati contro i Romani, e per prenderla vi fu bisogno nientedimeno che di un uomo come Camillo. Questa città un tempo era così grande che, essendo stata Roma quasi distrutta dai Galli, i senatori tennero una consultazione nel Comizio [per decidere] se dovessero ritirarsi a Veio e abbandonare del tutto Roma, o ricostruirne le mura. Ma durante la consultazione, le truppe di ritorno dalla guarnigione giunsero all'improvviso nel Comizio, dove il centurione, entrando e non pensando che i senatori si trovassero lì, gridò al vessillifero: «Signifer statue signum, hic optime manebimus». I senatori, udendo queste parole, esclamarono gli uni agli altri: «Accipimus omen», e misero immediatamente da parte ogni ulteriore pensiero di ritirarsi a Veio[36].

Dei Veienti parla anche Raymond, che dice:

Da Monterosi a Roma sono venti miglia italiane. Tutto questo territorio era anticamente dominato dai Veienti, un popolo che molto ostacolò l'espansione dell'impero romano [...]. Sei miglia oltre Monterosi, sulla Via Cassia, si trova Baccano e, molto vicino, il lago per grandezza non molto superiore a uno stagno, tuttora noto per quel memorabile eccidio dei trecento Fabi che i Veienti eliminarono da questi luoghi in un giorno. Restò solo un bambino abbandonato in casa, che in seguito ristabilì la sua famiglia, che fu spesso utile alla repubblica[37].

Il passo dell'opera di Raymond che vale maggiormente la pena di citare è tuttavia quello in cui parla dei Volsiniesi, dal quale, dati i particolari forniti, sembra quasi di capire che quando passò per Bolsena ad incontrare gli Etruschi egli vi andò davvero. Ecco cosa scrive:

Sulla riva del lago sorge Bolsena, sulle rovine dell'antica Vulsinium, famosa al tempo dei Romani. Alcuni monumenti della sua antica gloria sono ancora in piedi, soprattutto nel cortile della chiesa di Santa Cristina, come un'urna antica con teste di leone, cornucopie, satiri, furie, opere d'arte tali che ora il mondo non sa imitare. Oltre a ciò, vi è un altare paganeggiante di pietra ofite e numerosi pezzi di colonne di diaspro. Da ciò possiamo dedurre che i Volsiniensi un tempo furono illustri, sebbene ora siano sepolti nella propria polvere[38].

Quando ho deciso di limitare il discorso al periodo compreso tra Montaigne e Montesquieu, l'ho fatto anche perché speravo di trovare qualche sorpresa almeno nell'opera di quest'ultimo, che nel 1739 divenne socio dell'Accademia Etrusca di Cortona[39].

Ma l'interesse di Montesquieu per gli Etruschi non doveva essere poi così forte se, nell'elenco di opere d'arte da lui stilato dopo aver visitato la galleria del granduca di Toscana nel 1728, figura una chimera - e non possono esservi dubbi sul fatto che si tratti della Chimera di Arezzo - a proposito della quale non fa commenti e scrive semplicemente: *La Chimera, in bronzo*[40]. Descrive, inoltre, la statua dell'Arringatore[41] e, più avanti, un'altra statua della quale dice che è molto ben fatta, e che se non fosse per un'iscrizione etrusca che sembra confermare la sua origine, sarebbe portato a pensare che si tratti di arte romana[42].

Da quanto detto finora, appare chiaro che nel periodo considerato i tempi non erano ancora maturi perché i viaggiatori possedessero conoscenze specifiche e interessi tali da spingerli a fare deviazioni dal percorso tradizionale, né tantomeno a prendere contatti con studiosi locali o abitanti dei luoghi che li accompagnassero a visitare le vestigia della civiltà etrusca. Come già evidenziato, ciò inizierà a verificarsi nel Settecento, e per molto tempo continuerà a trattarsi di casi isolati.

Limitando ancora il discorso al mondo anglosassone, fu solo nell'Ottocento, con l'affacciarsi sulla scena di due figure di viaggiatori eccezionali, che comparvero i primi testi odeporici interamente dedicati agli Etruschi. A differenza di quanti li avevano preceduti, Elizabeth Hamilton Gray (c. 1801-1887)[43], autrice di *Tour to the Sepulchres of Etruria in 1839*, opera pubbli-

---

[35] Beroso, vissuto tra il IV e il III sec. a.C., sacerdote, astronomo e astrologo babilonese.

[36] Vd. GIOSUÈ 2015, p. 118.

[37] *Ibid.*, p. 112-113.

[38] *Ibid.*, p. 111.

[39] Vd. CRISTOFANI 1985, p. 4.

[40] MONTESQUIEU 1894, II, p. 322. La traduzione è di chi scrive.

[41] *Ibid.*, p. 321.

[42] *Ibid.*, p. 350.

[43] Su Hamilton Gray, vd. WILLIAMS 2009; PIERACCINI 2009, p. 6-9.

cata nel 1840[44], e il più famoso George Dennis (1814-1898)[45], autore di *The Cities and Cemeteries of Etruria*, pubblicata nel 1848[46] visitarono l'Italia con il preciso intento di incontrare gli Etruschi.

Con le loro opere, che tra i molti pregi possiedono quello di aver trasmesso ai posteri un patrimonio di inestimabile valore, consistente in descrizioni e raffigurazioni di tombe, affreschi e oggetti per noi definitivamente perduti, essi contribuirono in maniera determinante a porre le basi dell'etruscologia moderna.

Bibliografia

BALDWIN 1986: A. Baldwin, *John Ray (1627-1705), Essex Naturalist: A Summary of his Life, Work and Scientific Significance*, Witham, 1986.

BALFOUR 1700: A. Balfour, *Letters Write (sic) to a Friend, by the Learned and Judicious Sir Andrew Balfour, M. D., Containing Excellent Directions and Advices for Travelling Thro' France and Italy*, Edinburgo, 1700.

BANN 1994a: S. Bann, *Under the Sign: John Bargrave as Collector, Traveler, and Witness*, Ann Arbor, 1994.

BANN 1994b: S. Bann, *Travelling to Collect: The Booty of John Bargrave and Charles Waterton*, in G. Robertson (a cura di), *Travellers' Tales: Narratives of Home and Displacement*, Londra, 1994, p. 155-163.

BAREFOOT 1993: B. Barefoot, *The English Road to Rome*, Upton-upon-Severn, 1993.

BRENNAN 2002: M. G. Brennan, *John Bargrave and the Jesuits*, The Catholic Historical Review 88, 4, 2002, p. 655-676.

BRYAN 2005: M. Bryan, *John Ray (1627-1705), Pioneer in the Natural Sciences. A Celebration and Appreciation of his Life and Works*, Braintree, 2005.

BURNET 1687: G. Burnet, *Dr. Burnet's Travels, or Letters Containing an Account of what Seemed most Remarkable in Switzerland, Italy, France and Germany, & c.*, Amsterdam, 1687.

CAPUANO 1994: G. Capuano, *Viaggiatori britannici a Napoli tra '500 e '600*, Napoli, 1994.

CHANEY 1985: E. Chaney, *The Grand Tour and the Great Rebellion. Richard Lassels and* The Voyage of Italy *in the Seventeenth Century*, Ginevra, 1985.

CLARKE 1907: T. E. S. Clarke, *A Life of Gilbert Burnet, Bishop of Salisbury*, Cambridge, 1907.

CLENCHE 1676: J. Clenche, *A Tour in France and Italy, Made by an English Gentleman, 1675*, Londra, 1676.

COMPARATO 1989: V. I. Comparato, *Viaggiatori inglesi in Italia fra Sei e Settecento: la formazione di un modello interpretativo*, in G. Botta (a cura di), *Cultura del viaggio. Ricostruzione storico-geografica del territorio*, Milano, 1989, p. 31-58.

CRISTOFANI 1978: M. Cristofani, *Sugli inizi dell' « Etruscheria ». La pubblicazione del* De Etruria regali *di Thomas Dempster*, Mélanges de l'École française de Rome 90, 2, 1978, p. 577-625.

CRISTOFANI 1985: M. Cristofani, *Dizionario illustrato della civiltà etrusca*, Firenze, 1985.

DE ANGELIS 2014: F. de Angelis, *The Reception of Etruscan culture: Dempster and Buonarroti*, in J. MacIntosh Turfa (a cura di), *The Etruscan World*, Londra-New York, 2014, p. 1130-1135.

DE SETA 1992: C. De Seta, *L'Italia del Grand Tour. Da Montaigne a Goethe*, Napoli, 1992.

DEMPSTER 1723: T. Dempster, *De Etruria regali libri septem*, Firenze, 1723.

DENNIS 1848: G. Dennis, *The Cities and Cemeteries of Etruria*, Londra, 1848.

DUVAL 1995: G. Duval, *"Curious" à travers les siècles: simple curiosité?*, Études anglaises 48, 2, 1995, p. 129-139.

GIOSUÈ 2010: D. Giosuè, *Erborizzando tra prati e rovine, ovvero, il bagaglio del curioso. Le* Lettere *del virtuoso scozzese Sir Andrew Balfour ad un amico botanico in viaggio in Francia e in Italia*, in C. Capitoni (a cura di), *Oggetti da viaggio*, Viterbo, 2010, p. 115-127.

GIOSUÈ 2015: D. Giosuè, *Villa Lante, Viterbo e la Tuscia nelle descrizioni di alcuni viaggiatori britannici del Seicento*, in A. Boccolini (a cura di), *Viaggi e viaggiatori nella Tuscia Viterbese. Itinerari di idee, uomini e paesaggi tra età moderna e contemporanea*, Viterbo, 2015, p. 97-118.

HAMILTON GRAY 1840: E. C. Hamilton Gray, *Tour to the Sepulchres of Etruria in 1839*, Londra, 1840.

JOLIVET-LOVERGNE 2014: V. Jolivet e E. Lovergne, *La tomba monumentale di Grotte Scalina (VT)*, in L. Mercuri e R. Zaccagnini (a cura di), *Etruria in progress. La ricerca archeologica in Etruria meridionale*, Roma, 2014, p. 165-170.

JOLIVET-LOVERGNE 2016: V. Jolivet e E. Lovergne, *An Etruscan Puzzle. Investigating the Monumental Tomb of Grotte Scalina*, Current World Archaeology 80, 2016, p. 26-30.

LASSELS 1670: R. Lassels, *The Voyage of Italy, or a Compleat Journey through Italy*, Londra, 1670.

LEIGHTON-CASTELINO 1990: R. Leighton e C. Castelino, *Thomas Dempster and Ancient Etruria: A Review of the Autobiography and De Etruria regali*, Papers of the British School at Rome 58, 1990, p. 337-352.

MACZAK 1994: A. Maczak, *Viaggi e viaggiatori nell'Europa moderna*, Bari, 1994.

MAUGHAM 1903: H. N. Maugham, *The Book of Italian Travel, 1580-1900*, Londra, 1903.

MONTAIGNE 2003: M. de Montaigne, *Viaggio in Italia*,

---

[44] HAMILTON GRAY 1840.

[45] Su Dennis, vd. WILLIAMS 2009, p. 11 e 18; PIERACCINI 2009, p. 9-11.

[46] DENNIS 1848.

ed. G. Greco e E. Camesasca, Milano, 2003.

MONTESQUIEU 1894: C. Montesquieu, *Voyages de Montesquieu*, II, Parigi, 1894.

PARKS 1968: G. B. Parks, *The Decline and Fall of the English Renaissance Admiration of Italy*, Huntington Library Quarterly 31, 1968, p. 341-357.

PIERACCINI 2009: L. C. Pieraccini, *The English, Etruscans, and 'Etouria': The Grand Tour of Etruria*, Etruscan Studies 12, 2009, p. 3-18.

RAVEN 2009: C. Raven, *John Ray, Naturalist: His Life and Works*, Cambridge, 2009.

RAY 1673: J. Ray, *Observations Topographical, Moral & Physiological, Made in a Journey through Part of the Low-Countries, Germany, Italy, and France, with a Catalogue of Plants not Native of England*, Londra, 1673.

RAYMOND 1648: J. Raymond, *An Itinerary Contayning a Voyage, Made through Italy, in the Yeare 1646, and 1647*, Londra, 1648.

SIBBALD 1699: R. Sibbald, *Memoria Balfouriana*, Edinburgo, 1699.

WALKER 1812: J. Walker, *Essays on Natural History and Rural Economy*, Londra-Edinburgo, 1812.

WILLIAMS 2009: D. Williams, *Etruscan Production and Interpretation: the Hamilton Gray Vase*, in J. Swaddling e P. Perkins (a cura di), *Etruscan by Definition: the Cultural, Regional and Personal Identity of the Etruscans. Papers in honour of Sybille Haynes*, Londra, 2009, p. 10-20.

1. T. Dempster, *De Etruria regali libri septem*, Firenze, 1723 (Fonte: Internet Archive - www.archive.org).

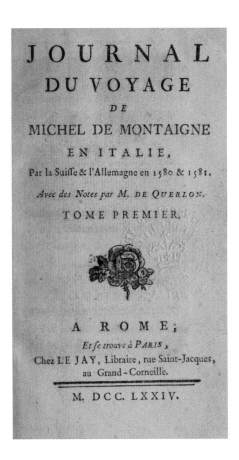

2. M. de Montaigne, *Journal du voyage en Italie*, Roma, 1774 (Fonte: Internet Archive - www.archive.org).

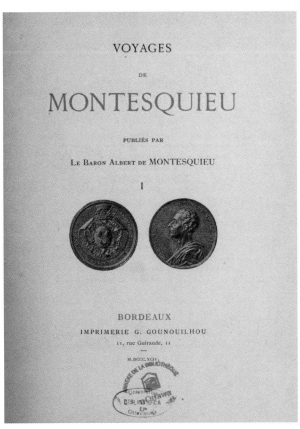

3. C. Montesquieu, *Voyages de Montesquieu*, II, Parigi, 1894 (Fonte: Internet Archive - www.archive.org).

4. J. Raymond, *An Itinerary Contayning a Voyage, Made Through Italy, in the Yeare 1646, and 1647*, Londra, 1648 (Fonte: Internet Archive - www.archive.org).

5. J. Raymond, *An Itinerary Contayning a Voyage, Made Through Italy, in the Yeare 1646, and 1647*, Londra, 1648 (Fonte: Internet Archive - www.archive.org).

6. R. Lassels, *The Voyage of Italy, or a Compleat Journey Through Italy*, Londra, 1670 (Fonte: Internet Archive - www.archive.org).

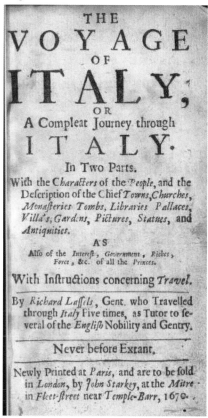

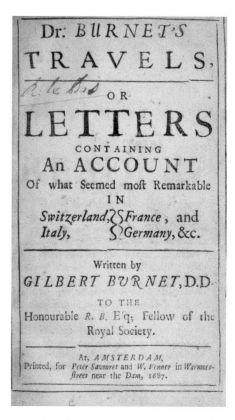

8. G. Burnet, *Dr. Burnet's Travels, or Letters Containing an Account of what Seemed Most Remarkable in Switzerland, Italy, France and Germany, &c.*, Amsterdam, 1687 (Fonte: Internet Archive - www.archive.org).

7. R. Lassels, *The Voyage of Italy, or a Compleat Journey Through Italy*, Londra, 1670 (Fonte: Internet Archive - www.archive.org).

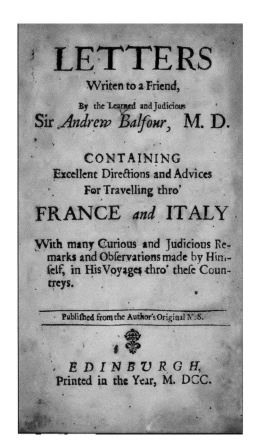

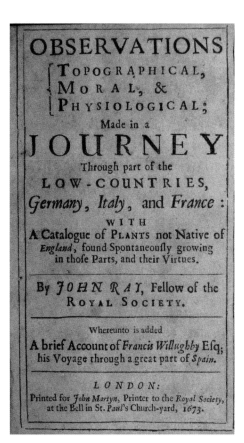

9. A. Balfour, *Letters Write (sic) to a Friend, by the Learned and Judicious Sir Andrew Balfour, M. D., Containing Excellent Directions and Advices for Travelling Thro' France and Italy*, Edinburgo, 1700 (Fonte: Internet Archive - www.archive.org).

10. J. Ray, *Observations Topographical, Moral & Physiological, Made in a Journey Through Part of the Low-Countries, Germany, Italy, and France, with a Catalogue of Plants not Native of England*, Londra, 1673 (Fonte: Internet Archive - www.archive.org).

Conclusioni: Viaggio, morte, religiosità in età moderna. Brevi riflessioni intorno al sepolcro di Grotte Scalina

Maria Pia Donato (IHMC, UMR 8066, CNRS-ENS-Paris I)

Cosa vedevano nei resti arroccati eppure maestosi della tomba di Grotte Scalina gli uomini dei secoli passati? Vi andavano intenzionalmente, e per quale fine, o vi si imbattevano per caso? Cosa evocava, nell'esperienza di un viandante del Seicento, un monumento come questo?

Lo spunto delle pagine che seguono è offerto dal ritrovamento durante le operazioni di scavo condotte nel 2015 di una medaglietta votiva raffigurante la cosiddetta Scala Santa di Roma probabilmente databile al Giubileo del 1675[1]. Sebbene l'ipotesi, sin dall'inizio in verità assai tenue, che il sito potesse essere servito da sepoltura improvvisata sia stata subito scartata (anche prima che arrivasse la conferma di scavi ulteriori, le cui varie fasi sono state richiamate da Vincent Jolivet e Edwige Lovergne, e dell'analisi dei resti ossei rinvenuti), il ritrovamento invita a interrogarsi sui riusi del sito nel corso dei secoli (riuso ben documentato in molti altri siti etruschi della regione, come ci ricordano qui Carlo Tedeschi, Gaetano Curzi, Luca Cappuccini e Elisabetta de Minicis). In particolare, solleva delle questioni sul rapporto tra il pellegrinaggio, il viaggio – per definizione periglioso –, la campagna e la morte nella cultura e nella pietà dell'Europa cattolica di età moderna. Il possesso di medagliette e altre immagini sacre, infatti, non era semplicemente – o almeno non solo – l'espressione di devozione, ma deve essere messo in connessione con una cultura religiosa della morte che pervadeva la società di antico regime. La domanda è apparentemente facile: perché portare su di sé medagliette votive, immagini di santi, fogli con le litanie dei santi o preghiere alla Madonna, medaglie di giubileo?

La prima risposta è semplice: per invocare la protezione celeste contro la morte improvvisa, specialmente durante un viaggio. Come ricorda Philippe Ariès all'inizio del suo – contestato ma classico – *L'homme devant la mort* del 1977, la morte inattesa era il terrore del cristiano, una morte vergognosa e spregevole, che fosse violenta o semplicemente accidentale[2]. In ogni libro di preghiere ce n'era una per scongiurarla e le litanie dei santi imploravano la protezione *a subitanea et improvisa morte*[3]. La morte improvvisa era insidiosa perché non concedeva il tempo di pentirsi e di salvarsi; se avveniva in viaggio, voleva dire non poter avere del conforto dei cari né avvalersi degli ultimi sacramenti per il fatale momento. Si era insomma lontanissimi dall'ideale di una buona morte presentita e attesa insieme ai familiari e alla comunità. Era così aborrita che durante quella che è stata definita la prima "clericalizzazione della morte", nel XIII secolo, si erano levate voci per attenuare il sospetto che la circondava[4]. Fino all'Ottocento inoltrato, i morti all'improvviso, e non solo di morte violenta, sono i *revenants* pericolosi e gli spettri spaventosi[5].

È noto che la chiesa tridentina si avvalse del timore della morte per disciplinare la vita. La morte impreparata è uno dei cardini della pastorale cristiana, una pastorale della paura che, per dirla con Robert Favre, riduce sovente la fede al timor di Dio e il timor di Dio al timore della morte[6]. L'*ars moriendi* barocca si concentra sulle paure cristallizzate nei secoli intorno al trapasso: morire incosciente, morire solo,

---

[1] Vorrei dedicare queste pagine alla memoria di Antonio Menniti Ippolito e Claudia Evangelisti. Per un'introduzione a questi manufatti, v. ALTERI 1999; sulla medaglietta di Grotte Scalina (inv. HS 1), in questo stesso volume, il contributo di L. Pesante.

[2] ARIÈS 1980, specialmente p. 18-20; si veda anche VOVELLE 1986.

[3] *Rituale Romanum Pauli V P.M. iussu editum*, Romae, 1615, p. 70.

[4] BERNARD 1933, p. 113-130. Sull'orrore per la morte improvvisa si veda, in prospettiva comparata, GERMAN-ROMANN 2001, p. 200; GITTINGS 2000, p. 147-174; LAUTER 2007, p. 132-135.

[5] DELUMEAU 1979; PETRARCA 1992, p. 319-331.

[6] FAVRE 1978, p. 69.

morire all'improvviso[7]. Michel Vovelle calcola che nel XVII secolo sei libri di preparazione alla morte su dieci utilizzano l'argomento della morte repentina[8]. E naturalmente il viaggio, con le sue insidie, era considerato ipso facto pericolo di morte. Spostarsi, si noti, non era esperienza così estranea alla vita degli uomini e delle donne del Medioevo e dell'età moderna come potrebbe far pensare l'immagine stereotipata di una campagna immobile. In realtà, certo con amplissime differenze nelle condizioni e nelle motivazioni a seconda del ceto sociale – e ce lo ricordano in questo volume Luca Pesante e Daniela Giosuè –, la mobilità era un caratteristica onnipresente della società di antico regime: per necessità o scelta, per mare o per terra, per devozione o per istruzione, per sposarsi, per commerciare, per lavorare qualche mese come bracciante o per impiantarsi in un'altra città, per sfuggire la persecuzione o chiedere la carità, a piedi o a cavallo o in vettura da tiro, una volta nella vita o ripetutamente durante l'anno si prendeva la strada, confidando nell'aiuto degli uomini e nella protezione celeste[9].

Una folta schiera di santi "specializzati" nel viaggio veniva in soccorso dei viandanti. San Martino di Tours, naturalmente, immancabilmente raffigurato a cavallo, ma anche il martire licio Cristoforo, san Giuseppe, l'arcangelo Raffaele, per i viaggi in mare sant'Elmo, san Nicola, san Francesco di Paola… Piccole medaglie e soprattutto immaginette venivano portate sulla persona, in un rapporto al testo e all'immagine che implicava in genere un contatto diretto con l'oggetto, e che la Chiesa di Roma guardava per altro con un certo sospetto quasi quanto ad altri tipi di amuleti e sortilegi. Come scriveva un anonimo ufficiale dell'Inquisizione romana a fine Seicento riferendosi alle streghe e fattucchiere, ma per estensione a tutte le donne e uomini semplici, molti ricorrevano a tali oggetti e *certe orationi incorporate con nomi anco di Dio e così intermiste per liberare da pericoli, et anco parole di scrittura sacra*[10] (fig. 1-2).

Sul cammino una rete di istituzioni di accoglienza e di assistenza si snodava sulle assi principali della mobilità, rivolte particolarmente (ma non esclusivamente) ai pellegrini. Sin dal Medioevo, sui percorsi verso i luoghi santi più attrattivi, e naturalmente verso Roma e quindi la via Francigena non lontana dal sito di Grotte Scalina, l'ospitalità era parte del viaggio spirituale e preparazione all'epifania della Città Santa[11]. Qui, poi, altre istituzioni caritative, sotto il diretto controllo del pontefice o di forma confraternale, come la confraternita della Trinità dei Pellegrini, accoglievano e ristoravano i devoti viaggiatori che in occasione degli Anni Santi affluivano a migliaia verso Roma – qui "lucravano il giubileo", come si diceva allora, facendo se potevano la devozione delle 'sette chiese', le basiliche maggiori e la Scala Santa di fronte a San Giovanni in Laterano (fig. 3)[12].

Una certa somiglianza tra la tomba etrusca – della quale, come precisano qui Vincent Jolivet e Edwige Lovergne si poteva ancora riconoscere la parte superiore della finta porta etrusca, e sicuramente la scala monumentale ad ovest della facciata – e la Scala Santa a Roma deve aver colpito i viaggiatori-pellegrini, oppure semplicemente contadini della zona che a Roma non potevano andarci. Il sito fu probabilmente utilizzato come 'alternativa' al pellegrinaggio a Roma. Sulla via del ritorno, gli occhi ancora pieni delle magnificenze antiche e moderne dell'Urbe, una certa analogia formale deve aver spinto qualcuno a fare un ulteriore atto di devozione e preghiera di fronte ai resti monumentali. È l'altra delle ipotesi che si lascia formulare a proposito della mediaglietta giubilare[13], ipotesi che è confortata ora dal ritrovamento, nell'ultima campagna di scavi del 2017, di un quattrino coniato nell'Anno Santo di Clemente VIII, nel 1600 (l'anno del rogo dell'eretico relapso Giordano Bruno, anch'esso a suo tragico e sinistro modo celebrazione del giubileo), che reca sul diritto la Porta Santa, sul rovescio lo stemma del papa, quasi fosse un voto al cielo per poter un giorno tornare, o visi-

[7] Chartier 1976.

[8] Vovelle 1986, p. 295-297. Sull'Inghilterra, dove prevalgono le analogie con il discorso cattolico sulla buona e cattiva morte, Houlbrooke 1998, p. 183-213.

[9] Per una visione d'insieme, Peyer 2015; Roche 2003; Maczak 2009.

[10] La citazione da Mazzone-Pancino 2008, p. 167. Si veda anche Barbierato 2002; Tippelskirch 2011.

[11] Su quest'area, Frank 2002; Osbat 2009. Il Centro diocesano di documentazione per la storia e la cultura religiosa conserva un significativo numero di tesi di laurea sulla vita confraternale e assistenziale nel Viterbese di età moderna. Ancora utile il vecchio Pinzi 1893.

[12] Rispetto alla bibliografia vastissima sui pellegrinaggi in età medievale, è meno abbondante quella per l'età moderna, ma si vedano almeno Boutry-Julia 2000; Julia 2016.

[13] V. sopra il contributo di L. Pesante, p. 76.

tare per la prima volta la città del papa[14]. E del resto, non era infrequente, per i ceti popolari a Roma, nel Lazio, e in tutta Italia, pregare di fronte ad edicole sacre o altre immagini all'aria aperta, durante il cammino (fig. 4).

Alcune delle istituzioni caritatevoli che ho menzionato, per altro, servivano anche a curare i pellegrini ammalati ed eventualmente seppellirli cristianamente. Torniamo così al tema della morte. Nell'Europa della Controriforma, del resto, l'assistenza agli agonizzanti e il suffragio per i defunti, già parte integrante delle opere pie medievali, diventano una missione cruciale sia per il clero (secolare e regolare), sia per le confraternite laicali[15].

Ora, tra i compiti cui si dedicano le confraternite con rinnovato slancio è anche la sepoltura dei corpi lasciati nelle strade e nei campi o ripescati dai fiumi (l'annegamento era considerato una forma di morte repentina, sebbene gli annegamenti nei fiumi fossero più sospetti di suicidio che quelli in mare, considerati sempre accidentali)[16]. Già, perché la morte imprevista, specialmente se sopravveniva lontana dall'abitato, era sì temibile per la salvezza dell'anima ma era pericolosa anche per il corpo, che poteva essere lasciato fuori della terra consacrata. Nelle più rigide interpretazioni del diritto canonico, infatti, i corpi abbandonati erano destinati alla terra sconsacrata.

Tra Due e Trecento, in verità, la sepoltura dei corpi abbandonati era stata inclusa tra le opere caritatevoli delle confraternite, e l'età moderna non fu da meno. La confraternita dell'Orazione e morte, per esempio, creata nel 1538, tra le sue missioni trasportava i malati di campagna e seppelliva i morti abbandonati e i cadaveri degli annegati. Era questo un problema che nelle campagne intorno a Roma, inclusa la Tuscia, si acuiva tragicamente durante i mesi estivi, quando migliaia di lavoratori stagionali affluivano dalla provincia per la mietitura, spesso cadendo vittime della malaria. A questo fine, un reticolo di "stazioni" fu organizzato, nelle zone periurbane, particolarmente intorno alle principali vie consolari quali la Cassia e l'Appia. I registri della confraternita permettono di avere una misura del perimetro di azione dei confratelli: nel giubileo di Urbano VIII nel 1625,

per esempio, la compagnia *ha seppellito 66 morti in campagna e 50 in Roma* [....] *e per grazia di Dio è stata poca mortalità che altri anni sono stati da 200 in 250 morti, e spesso passa a 300 e molte volte ci è occorso che si trovano non essere morti*[17]. Gli anni non giubilari erano meno operosi per i confratelli, per esempio il 1705 e 1706 registrano, rispettivamente, 11 e 13 sepolture, che salgono a 17 nel 1707, a 23 nel 1708 e a 31 nel 1709[18]. Normalmente la tumulazione avveniva nelle chiese più prossime al ritrovamento dei cadaveri, e dunque le parrocchie alla periferia dell'abitato quali S. Agnese sulla Nomentana, S. Andrea a Ponte Milvio, S. Angelo alle Fornaci, S. Cecilia in Trastevere, S. Lazzaro al Trionfale, oltre al cimitero della chiesa confraternale a Roma. Ancora nell'Ottocento inoltrato, il "morto di campagna" è una figura tragicamente presente nella cultura popolare romana, come ci ricorda un sonetto romanesco di Cesare Pascarella del 1881, *Er morto de campagna*[19]. Elevata in arciconfraternita nel 1577, dalla Confraternita dell'Orazione e Morte dipendevano diverse confraternite locali, in particolare nell'Agro romano come a Terracina.

Si trattava, ovviamente, di un problema difficile da risolvere, e periodicamente la Chiesa rilanciava lo sforzo confraternale in soccorso degli infermi delle campagne e dei morti abbandonati. In particolare tra fine Seicento e inizio Settecento, il periodo a cui risalgono i manufatti trovati a Grotte Scalina, è un periodo di rinascita neotridentina. In tutti i paesi cattolici fu rilanciata l'assistenza ai morenti con l'obiettivo di stabilire un controllo capillare sul fine vita, prestando rinnovata attenzione al dramma dei morti all'improvviso e dei cadaveri insepolti[20]. A Roma, la città santa di cui si voleva rilanciare il carattere esemplare, riflessione dottrinale e riforma neotridentina dell'assistenza ai moribondi procedettero di pari passo. Le visite apostoliche furono l'occasione per intervenire sulla gestione patrimoniale, religiosa e sanitaria degli ospedali, allo scopo di fare della malattia e dell'agonia un tempo di rinascita spirituale,

---

[14] *Id., eo loco.*

[15] Sul rilancio confraternale Rusconi 1986, p. 467-506; Zardin 1997, p. 107-150; su Roma, Fiorani 1984.

[16] Paglia 1984; sugli annegati, Treffort 2007, p. 113-121.

[17] Citato in Chiabò-Roberti 1985, p. 112.

[18] I dati in Rossi 1988, p. 249-250. Nel 1703 furono 21, nel 1704 solo 9. Sulla fondazione, le sue attività, la sua evoluzione, cf. inoltre l'ottimo studio di A. Serra, 2007.

[19] In Pascarella 1996, p. 55. Si veda in generale anche De Clementi 1989.

[20] Lebrun 1971, p. 457-458; Hernandez 2008, p. 311-338.

se non di guarigione corporale[21]. Fu dato nuovo impulso alle confraternite in suffragio degli agonizzanti e dei morti abbandonati (piuttosto inattive dopo gli esordi cinquecenteschi), quali l'arciconfraternita della Natività di Gesù Cristo degli agonizzanti, di Gesù e Maria, del Crocifisso agonizzante[22].

Quanto alle campagne, il principale studioso dell'arciconfraternita dell'Orazione e Morte per l'assistenza ai braccianti malati e la sepoltura dei morti in campagna, G. Rossi, individua un punto di svolta e di rilancio nel 1672: vennero allora riformati gli statuti e riorganizzate le "stazioni" dove portare malati e defunti. A nord di Roma la più importante si trovava a Osteria Nuova sulla Cassia[23].

Nello stesso giro di anni, per far fronte al problema delle sepolture in zona periurbane, papa Clemente XI fece preparare un piano di riforma dei cimiteri dal Collegio medico di Roma e dal suo archiatra personale Giovanni M. Lancisi[24]. Calcolando i bisogni della popolazione sulla base della mortalità "normale" di *venti morti per giorno almeno, o sia a sei in settemila l'anno*, vi si consigliava la costruzione di cimiteri a sterro, più precisamente quattro siti fuori città seppur "non tanto remoti", in luoghi selezionati per la posizione e i venti, situati strategicamente nei pressi delle principali vie di mobilità e di accesso alla città: fra porta del Popolo e Angelica, fra porta S. Giovanni e Latina, tra porta Pia e porta Salaria e infine fuori porta Portese. Inoltre, *alle parrocchie di S. Lorenzo fuori della mura, di S. Agnese, di S. Lorenzo e Urbano a Prima Porta, di S. Paolo, di S. Sebastiano, di S. Angelo alle fornaci, di S. Lazaro, di S. Francesco a Monte Mario, siccome sono tutte fuori di Roma, e hanno dei pezzi di terreno annesso, si può ordinare, che si formino da se stesse tanti piccoli cimiteri per minore incomodi dei trasporti, con le cautele degli altri quattro comuni.*

Ogni cimitero doveva avere un'*arca di palmi quarantamila architettonici quadrati*, che permettesse di ottenere un numero congruo di fosse, riutilizzabili *per una precauzione* solo dopo due anni, e in grado di poter trattare annualmente 8.000 cadaveri, cifra per altro superiore alla *attuale mortalità annua*. Naturalmente, ogni cimitero doveva essere dotato di *un'adeguata cappella comoda di sagrestia [...] con una sepoltura annessa capace di contenere le ossa che a mano a mano dovranno estrarsi dalle fosse.*

Il piano per i cimiteri non fu mai realizzato. Solo in epoca francese si diede avvio ai lavori per il cimitero extra-urbano a San Lorenzo, completato poi negli anni 1830. Gli aiuti celesti, però, non furono tralasciati: nel 1712 fu canonizzato il beato Andrea Avellino, immediatamente indicato come protettore dei cristiani dalla morte improvvisa. Il pio teatino, infatti, dopo un'esemplare vita di riformatore ecclesiastico, era morto nel 1608 colpito da una violenta apoplessia mentre celebrava la messa, riuscendo nondimeno con lo sguardo a far capire di desiderare la comunione e l'estrema unzione[25]. Il culto di S. Andrea Avellino fu promosso in modo capillare tra Sette e Ottocento, come forma privilegiata di devozione intorno alla morte. Nell'Ottocento, anzi, Andrea Avellino divenne oggetto di una profonda e diffusa devozione popolare a misura della trasformazione delle città europee in moderni centri industriali con il moltiplicarsi degli incidenti di strada e di lavoro. Anche Andrea Avellino, quindi, entrò con la sua specifica iconografia (il santo morente sull'altare) tra le immagini sante che, in santino cartaceo o sulle medagliette, venivano portate su di sé, particolarmente durante un viaggio (fig. 5).

In altre parole, se morire solo e all'improvviso era il terrore del cristiano, in viaggio, in cam-

[21] Tra i provvedimenti in proposito, Clemente IX organizzò un *ripartimento* del clero regolare di tutti gli ordini negli ospedali della città per l'assistenza agli infermi e ai morenti, che Innocenzo XI precisò e rafforzò, emanando inoltre una *Instruttione* per imporre un metodo uniforme nell'assistenza spirituale. In seguito, Innocenzo XII fece ristampare nel 1700 gli *Avvertimenti di san Carlo per li confessori... con l'aggiunta delle propositioni dannate, bolle e altri decreti*, riediti ancora sotto Clemente XI nel 1702 e 1703. Papa Albani emanò pure delle nuove *Regole ed istruzioni che si devono asservare nell'accompagnamento del Santissimo Viatico*, Roma 1701. Su questi aspetti, rimando a DONATO 2010.

[22] MARONI-MARTINI 1963, p. 256 e *passim*, di Gesù e Maria p. 157, del Crocifisso agonizzante p. 109. Si veda anche G. F. ROSSI, in CHIACCHELLA-ROSSI 1983, vol. 1, p. 183-221.

[23] ROSSI 1988, p. 231-252

[24] Archivo Historico Nacional, Madrid, Consejos, leg. 3151, exp. 48, n. 5, ff. Sui cimiteri e sul successivo dibattito illuminista, TOMASI 2001; per Roma, BERTOLACCINI 2004. I non cattolici, o coloro morti in stato di scomunica, venivano a Roma sepolti fuori le mura aureliane, in particolare nell'area fuori porta Flaminia e porta Ostiense, dove poi sarebbe sorto il cimitero acattolico: MENNITI 1989.

[25] SCHIARA 1712. Sulla canonizzazione e il nesso tra morte improvvisa, medicina e santità, rimando a DONATO 2010.

pagna, in montagna, lontani da casa e dalla propria comunità, tutte le condizioni perché un tale evento aborrito fosse in agguato erano tragicamente presenti. È qui che intervengono medagliette, santini, scritture. Sono indubbiamente espressione di devozione, e tuttavia occorre non dimenticare l'aspetto per così dire pratico di queste scelte, ossia segnalare di essere buoni cattolici e sperare di essere almeno sepolti cristianamente. Nel caso delle medagliette del Giubileo, si segnalava così anche lo stato di grazia, l'aver "lucrato l'indulgenza"[26]. Certo, c'è un fenomeno di *souvenir*, di ricordo dell'avvenimento – un pellegrinaggio a Roma in anno santo non si ripeteva spesso nella vita di un cristiano. Andare a Roma comportava spesso il desiderio di portarsi un pezzo, a seconda delle possibilità, dal santino alla reliquia, se non altro una fialetta con il sacro suolo irrorato dai martiri[27]. E, più profanamente, man mano che il viaggio a Roma si secolarizza, un indotto enorme tra immagini, manufatti di ogni tipo, più tardi porcellane, riproduzioni in sughero dei monumenti, fino naturalmente al ritratto con antichità, genere nel quale alcuni dei più importanti artisti romani del Settecento si specializzarono[28].

Vorrei per altro ricordare che stiamo parlando di un mondo dove la partecipazione ai sacramenti è un obbligo religioso di valenza civile: non esiste cittadinanza senza appartenenza alla comunità ecclesiastica, almeno fino alle riforme dello stato civile di fine Settecento e la Rivoluzione francese (ma nello Stato Pontificio lo stato civile francese fu abolito alla Restaurazione); perciò, non era infrequente, specialmente nelle zone a maggioranza cattolica dove tuttavia vi era presenza di individui di altre confessioni o religione, portare con sé i cosiddetti bigliettini di confessione che attestavano il fatto di aver assolto all'obbligo di annuale comunione pasquale. Come le medagliette, incluse quelle rinvenute a Grotte Scalina, servivano a segnalare di essere cattolici.

Purtroppo non sapremo mai con quali timori, e quali speranze, aveva preso la sua medaglietta l'anonimo fedele a cui apparteneva quella che abbiamo trovato nella tomba monumentale di Grotte Scalina. Se si accostasse al monumento

etrusco perché il suo viaggio verso la Roma e la Scala santa era stato interrotto o solo per desiderio di ripetere un atto di devozione. Quel che possiamo cercare di conoscere meglio, proseguendo lo scavo e lo studio del sito, è quali usi e riusi il sepolcro abbia trovato nei secoli fino alla sua riscoperta attuale.

Bibliografia

ALTERI 1999: G. Alteri (a cura di), *Monete degli Anni Santi dal medagliere della Biblioteca Apostolica Vaticana*, cat. di mostra, Vicenza-Città del Vaticano, 1999.

ARIÈS 1980: Ph. Ariès, *L'uomo e la morte dal medioevo a oggi*, Roma-Bari, 1980.

BACIOCCHI-DUHAMELLE 2016: S. Baciocchi e C. Duhamelle (a cura di), *Reliques romaines. Invention et circulation des corps saints des catacombes à l'époque moderne*, Roma, 2016.

BALBI-CELESTINO 2016: S. Balbi de Caro e F. Celestino Ferrante (a cura di), *Roma tra mappe e medaglie: Memorie degli Anni Santi*, cat. di mostra, Roma, 2015.

BARBIERATO 2002: F. Barbierato, *Nella stanza dei circoli. Clavicula Salomonis e libri di magia a Venezia nei secoli XVII-XVIII*, Milano, 2002.

BARROERO-MAZZOCCA 2008: L. Barroero e F. Mazzocca (a cura di), *Pompeo Batoni 1708-1787, L'Europa delle Corti e il Grand Tour*, Milano, 2008.

BERNARD 1933: A. Bernard, *La sépulture en droit canonique du décret de Gratien au Concile de Trente*, Parigi, 1933.

BERTOLACCINI 2004: L. Bertolaccini, *Città e cimiteri: dall'eredità medievale alla codificazione ottocentesca*, Roma, 2004.

BOUTRY-JULIA 2000: Ph. Boutry e D. Julia (a cura di), *Pèlerins et pèlerinages dans l'Europe moderne*, Roma, 2000.

CHARTIER 1976: R. Chartier, *Les arts de mourir, 1450-1600*, Annales ESC 31, 1976, p. 51-76.

CHIABÒ-ROBERTI 1985: M. Chiabò, L. Roberti, *L'arciconfraternita di S. Maria dell'Orazione e Morte. Inventario dell'archivio*, in *Ricerche per la storia religiosa di Roma*, 6, Roma, 1985, p. 109-170.

CHIACHELLA-ROSSI 1983: Chiacchella e G. F. Rossi (a cura di), *L'uomo e la storia. Studi storici in onore di M. Petrocchi*, Roma, 1983.

DE CLEMENTI 1989: A. De Clementi, *Vivere nel latifondo: le comunità della campagna laziale fra '700 e '800*, Milano, 1989.

DELUMEAU 1979: J. Delumeau, *La paura in occidente, secoli XIV-XVIII: la città assediata*, Torino, 1979.

DONATO 2010: M. P. Donato, *Morti improvvise. Medicina e religione nel Settecento*, Roma, 2010.

FAVRE 1978: R. Favre, *La mort dans la littérature et la*

---

[26] BALBI-CELESTINO 2015.

[27] BACIOCCHI-DUHAMELLE 2016.

[28] PINELLI 2010; BARROERO-MAZZOCCA 2008.

pensée française au siècle des Lumières, Lione, 1978.

FIORANI 1984: L. Fiorani (a cura di), *Le confraternite romane: esperienza religiosa, società, committenza artistica*, in *Ricerche per la storia religiosa di Roma*, 5, Roma, 1984.

FRANK 2002: T. Frank, *Bruderschaften im spätmittelalterlichen Kirchenstaat. Viterbo, Orvieto, Assisi*, Tubinga, 2002.

GERMAN-ROMANN 2001: H. German-Romann, *Du bel mourir au bien mourir: le sentiment de la mort chez les gentilshommes français, 1515-1643*, Ginevra, 2001.

GITTINGS 2000: C. Gittings, *Sacred and Secular: 1558-1660*, in P. Jupp e C. Gittings (a cura di), *Death in England*, Manchester, 2000.

HERNANDEZ 2008: F. Hernandez, *Être confrère des agonisants ou de la bonne mort aux CIIe et XVIIIe siècles*, in B. Dompnier, P. Vismara dir., *Confréries et dévotions dans la catholicité moderne, mi-XVᵉ-début XIXᵉ siècles*, Roma, 2008.

HOULBROOKE 1998: R. Houlbrooke, *Death, Religion, and the Family in England, 1480-1750*, Oxford, 1998.

JULIA 2016: D. Julia, *Le voyage aux Saints. Les pèlerinages dans l'Occident moderne (XVᵉ-XVIIIᵉ siècles)*, Parigi, 2016.

LAUTER 2007: S. Lauter, *Geschichten vom Tod: Tod und Sterben in Deutschschweizer und oberdeutschen Selbstzeugnissen des 16. und 17. Jahrhunderts*, Basilea, 2007.

LEBRUN 1971: F. Lebrun, *Les hommes et la mort en Anjou aux XVIIᵉ et XVIIIᵉ siècles*, Parigi-L'Aia, 1971.

MACZAK 2009: A. Maczak, *Viaggi e viaggiatori nell'Europa moderna*⁴, Roma-Bari, 2009.

MARONI-MARTINI 1963: M. Maroni Lumbroso e A. Martini, *Le confraternite romane nelle loro chiese*, Roma, 1963.

MAZZONE-PANCINO 2008: U. Mazzone e C. Pancino (a cura di), *Sortilegi amorosi, materasi a nolo e pgnattini. Processi inquisitoriali del XVII secolo fra Bologna e il Salento*, Roma, 2008.

MENNITI 1989: A. Menniti Ippolito, *Il "vecchio recinto" del Testaccio. Agli inizi della sepoltura degli acattolici in Roma*, in A. Menniti Ippolito e P. Vian (a cura di), *The Protestant Cemetery in Rome: the "parte antica"*, Roma, 1989, p. 15-90.

OSBAT 2009: L. Osbat (a cura di), *Le fonti per lo studio delle confraternite, delle arti e corporazioni in età moderna e contemporanea nell'Alto Lazio*, Viterbo, 2009.

PAGLIA 1984: V. Paglia, *Le confraternite e i problemi della morte a Roma nel Sei-Settecento*, in *Ricerche per la storia religiosa di Roma*, 5, Roma, 1984, p. 197-220.

PASCARELLA 1996: C. Pascarella, *Tutte le poesie romanesche. I Sonetti, La Scoperta de l'America, Villa Gloria, Storia Nostra*, Roma, 1996.

PETRARCA 1992: V. Petrarca, *Tecniche rituali per il controllo della paura: la festa dei morti in Sicilia tra XIX e XX secolo*, in L. Guidi, M. R. Pelizzari e L. Valenzi (a cura di) *Storia e paure. Immaginario collettivo, riti e rappresentazioni della paura in età moderna*, Milano, 1992.

PEYER 2015: H. C. Peyer, *Viaggiare nel Medioevo. Dall'ospitalità alla locanda*, Roma-Bari, 2015 (IV ed.).

PINELLI 2010: A. Pinelli, *L'industria dell'antico e il Grand Tour a Roma*, Roma-Bari, 2010.

PINZI 1893: C. Pinzi, *Gli ospizi medievali e l'Ospedal-Grande di Viterbo*, Viterbo, 1893.

ROCHE 2003: D. Roche, *Humeurs vagabondes. De la circulation des hommes et de l'utilité des voyages*, Parigi, 2003.

ROSSI 1988: G. Rossi, *L'agro di Roma tra '500 e '800: condizioni di vita e lavoro*, Roma, 1988.

RUSCONI 1986: R. Rusconi, *Confraternite, compagnie e devozioni*, in V, G. Chittolini e G. Miccoli (a cura di), *Storia d'Italia Einaudi. La Chiesa e il potere politico dal Medioevo all'età contemporanea*, Torino, 1986.

SCHIARA 1712: T. Schiara, *Vita di s. Andrea Avellino, chierico regolare*, Roma, 1712.

SERRA 2007: A. Serra, *L'arciconfraternita dell'orazione e morte nella Roma del Cinquecento* in *Rivista di Storia della Chiesa in Italia* 61-1, 2007, p. 75-108.

TIPPELSKIRCH 2011: X. von Tippelskirch, *Sotto controllo. Letture femminili in Italia nella prima età moderna*, Roma, 2011.

TOMASI 2001: G. Tomasi, *Per salvare i viventi. Le origini settecentesche del cimitero extraurbano*, Bologna, 2001.

TREFFORT 2007: C. Treffort, *Le corps du noyé et le salut de son âme dans la tradition chrétienne occidentale*, in F. Chauvaud (a cura di), *Corps submergés, corps engloutis. Une histoire des noyés et de la noyade de l'Antiquité à nos jours*, Parigi, 2007.

VOVELLE 1986: M. Vovelle, *La morte e l'Occidente. Dal 1300 ai giorni nostri*, Roma-Bari, 1986.

ZARDIN 1997: D. Zardin, *Il rilancio delle confraternite nell'Europa cattolica cinque-seicentesca*, in C. Mozzarelli e D. Zardin (a cura di), *I tempi del Concilio. Religione, cultura e società nell'Europa tridentina*, Roma, 1997.

1. Amuleti e charm per la protezione contro la peste, di area bavarese, tardo XVII secolo (Wellcome Library, Londra, Science Museum A666092).

2. Amuleto con il bambinello di Loreto, stampato su seta e cucito su garza (Wellcome Library, Londra, M0016857).

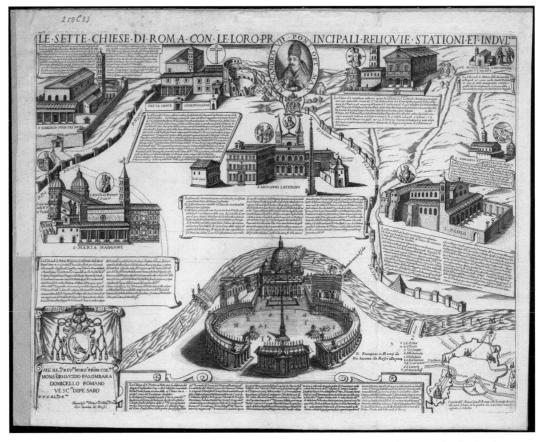

3. *Le Sette Chiese di Roma con le loro principali reliquie, stationi et indulgentie*, di G. G. de Rossi (Roma, metà XVII secolo).

4. Un altare di strada a Roma, all'inizio dell'Ottocento, acquarello di D. Lindau, Roma 1835 (Wellcome Library, Londra, ICV No 51428).

5. Sant'Andrea Avellino morente sull'altare, incisione, XVIII secolo (Wellcome Library, Londra, ICV No 32063).

Index nominum

Finito di stampare nel mese di luglio 2018
e rilegato a filo refe
presso la tipografia
Tecnostampa SRL
Sutri (VT)